L'HÉRITIÈRE DE JACARANDA

DU MÊME AUTEUR

Le Chant des secrets, L'Archipel, 2010.

Éclair d'été, L'Archipel, 2009 ; Archipoche, 2010.

La Dernière Valse de Mathilda, L'Archipel, 2005 ; Archipoche, 2007.

TAMARA McKINLEY

L'HÉRITIÈRE DE JACARANDA

traduit de l'anglais par
Frédérique Fraisse

l'Archipel

Ce livre a été publié sous le titre
Jacaranda Vines
par Piatkus, Londres, 2001.

www.editionsarchipel.com

Si vous désirez recevoir notre catalogue
et être tenu au courant de nos publications,
envoyez vos nom et adresse, en citant ce livre,
aux Éditions de l'Archipel,
34, rue des Bourdonnais 75001 Paris.
Et, pour le Canada, à
Édipresse Inc., 945, avenue Beaumont,
Montréal, Québec, H3N 1W3.

ISBN 978-2-8098-0432-4

À Thelma Ivory et Marion Edwards,
qui ne sont plus parmi nous et nous manquent.

À Alan Horsham et Dan Newton,
qui continuent à se battre
avec plus de courage que je n'en ai jamais eu.

Article paru dans *The Australian*, Melbourne, janvier 1990.

Séparée de son époux, un homme d'affaires dissimulateur et de caractère notoirement difficile qui a dominé l'industrie du vin dans le sud de l'Australie, Cornelia Witney a toujours supporté les humiliations publiques. Mais, aujourd'hui, la vieille femme est embarrassée par le scandale qui a suivi la mort de Joseph Witney, le mois dernier, à l'âge de quatre-vingt-onze ans.

Tant qu'il était en vie, sa famille vivait au gré de son tempérament violent et de sa gestion despotique des affaires, qui a néanmoins permis de transformer le domaine de Jacaranda agonisant en l'une des entreprises les plus riches d'Australie. Les ventes mondiales équivaudraient à 12,5 milliards de dollars australiens par an. Aujourd'hui, Jacaranda serait sur le point d'imploser: certains héritiers souhaiteraient l'introduire en Bourse tandis que les autres aimeraient vendre et ne plus en entendre parler.

« Beaucoup souhaitaient sa mort, a déclaré un proche du dossier. Maintenant qu'il est parti, ils se vengent en tuant sa compagnie. »

D'autres affirment que Cornelia, coprésidente de Jacaranda, a pris les choses en main et se battra contre sa famille jusqu'à son dernier souffle afin de les empêcher de démanteler l'entreprise, quitte à impliquer davantage les salariés dans son management.

Le roi des vignobles est mort et nous sommes nombreux à nous demander ce qu'il adviendra de son royaume. Il y a deux ans, l'offre de rachat de St Lazare, le producteur de vin français, a été refusée, mais vu la lutte de pouvoirs qui sévit actuellement entre Cornelia, son frère Edward et leurs enfants et petits-enfants respectifs, qui sait si nous n'assisterons pas bientôt à la plus grande vente de vignoble de l'histoire?

PREMIÈRE PARTIE

1

— Au revoir, Sophie, prends soin de toi.

La voix de Christian et son accent bourgeois furent quasiment noyés sous l'annonce du vol Qantas pour Melbourne.

Dans la chaleur de ses bras, Sophie regretta que les choses aient mal tournées pour eux. On se mariait pour la vie, pas pour trois petites années. Pourtant, ils avaient vite compris leur erreur et, quand la situation était devenue catastrophique, ce fut Sophie qui affronta la vérité avec courage et dit stop. Finalement, leur séparation fut un soulagement pour tous les deux.

Elle s'écarta de son ex-mari et le dévisagea. Son sourire désarmant et ses yeux gris sexy ne lui faisaient plus tourner la tête, mais elle ne pouvait nier que cet homme séduisant allait lui manquer.

— Amis? murmura-t-elle.

Ses cheveux blonds lui cachèrent les yeux quand il hocha la tête.

— À jamais. Je suis désolé que cela n'ait pas marché, Sophie. Mais, au moins, nous nous sommes séparés avant de nous détester.

Comme les larmes lui montaient aux yeux, Sophie tourna la tête.

— Ce n'est la faute de personne, Chris, marmonna-t-elle. On commet tous des erreurs.

Elle s'alluma une cigarette, la dernière avant Dubaï. Ces douze heures de vol lui offraient l'occasion de tester sa volonté et, bien que son bras fût couvert de patchs, elle se demandait comment elle allait tenir le coup.

— Il serait temps que tu arrêtes la clope, Sophie. Tu peux t'en passer pendant des semaines, pourquoi pas aujourd'hui?

Elle prit une longue bouffée tandis qu'elle regardait les passagers s'affairer dans la salle des pas perdus.

— Je suis stressée. Ça m'aide de fumer.

Sa dépendance à la cigarette énervait Chris, tout comme son penchant pour les autres femmes agaçait Sophie.

Christian plongea les mains dans les poches de sa veste en tweed. Grand et mince, c'était l'ancien militaire dans toute sa splendeur.

— Ta famille ne devrait pas te traiter ainsi. Ton grand-père était peut-être un salaud mais il est mort maintenant. Il ne dirige plus ta vie.

Elle haussa les sourcils.

— Vraiment? C'est grâce à son argent que j'ai fait mon droit, grâce à ses relations que je suis entrée chez Barrington. Il est mort mais nous dépendons encore de lui à cause de sa saloperie de testament et du merdier qu'il a laissé derrière lui.

Elle écrasa son mégot dans le cendrier qui débordait.

— Et puis tu peux parler! Tu ne serais jamais allé à Sandhurst s'il n'y avait pas eu cette tradition familiale. Tu n'aurais pas repris ce vieux tas de gravats pourri en pleine campagne que ta mère aime appeler le siège familial. Tu aurais été bien plus heureux à bricoler des voitures.

Elle soupira. Toujours les vieilles querelles.

— Ne nous disputons pas, Chris. La vie est trop courte.

Il la serra à nouveau dans ses bras et l'embrassa sur le front.

— Prends soin de toi, vieille branche. J'espère que tu trouveras ce que tu cherches. Il t'attend quelque part, tu sais.

Sophie se figea.

— Une erreur me suffit. À partir d'aujourd'hui, je me concentre sur ma carrière. Les hommes ne font plus partie de mon vocabulaire.

Il la tint à bout de bras pour mieux plonger son regard dans le sien.

— Tu te crois forte, mais tu n'es pas faite pour vivre seule. Retrouve Thomas. Parle-lui. Vois si tu ne peux pas recoller les morceaux. Tu l'aimes encore, je le sais.

— Thomas appartient au passé, marmonna-t-elle. Je ne t'aurais pas épousé sinon.

Un sourire triste aux lèvres, il l'enlaça une dernière fois.

— Prends soin de toi, trésor, et écris-moi de temps en temps.

Sophie ramassa son bagage à main et après lui avoir envoyé un baiser se dirigea vers le contrôle des passeports. Son cœur battait à toute allure. Cela faisait dix ans qu'elle avait quitté l'Australie. Douze ans qu'elle n'avait pas vu Thomas – son premier amour – et, même si leur séparation était un déchirement, Chris se doutait qu'une partie d'elle-même pensait encore à son ancien petit ami.

Une lumière vive éclairait la salle d'embarquement, les boutiques *duty free* fourmillaient de monde et, au-dehors, la pluie de janvier tombait sans interruption. « Tu as trente ans, pensa-t-elle. Tu es avocat-conseil dans l'un des plus prestigieux cabinets de Londres. »

Elle redressa le menton et regarda par la fenêtre. Elle avait conservé sa place grâce à ses propres mérites. Jacaranda n'avait été qu'une promesse de tremplin. La vie était dure là-bas, surtout pour une femme, et elle avait prouvé qu'elle était aussi bonne, voire meilleure que ses collègues masculins.

Le numéro de la porte d'embarquement s'afficha et elle rassembla ses affaires. « Je suis une femme promise à un avenir brillant, décida-t-elle. Une femme qui ne se retourne pas sur son passé. »

Pourtant, quand elle s'installa à sa place et attendit le décollage, tandis que la pluie zébrait le hublot, elle repensa à Thomas et à leurs années de lycée à Brisbane. « Où es-tu Thomas? Penses-tu encore à moi? »

Cornelia Witney avait raccroché mais sa main demeurait sur le combiné tandis qu'elle ruminait la conversation qu'elle venait d'avoir avec son frère Edward et les conséquences que cela aurait sur le domaine de Jacaranda.

— Un problème?

Jane devinait toujours quand quelque chose la contrariait; elles se connaissaient depuis tant d'années.

— On pourrait croire que l'opinion d'une femme de quatre-vingt-dix ans serait traitée avec respect. Mais Edward semble décidé à contrecarrer mes projets.

Jane sirota son sherry puis posa le verre sur la table à côté d'elle.

— Tu aurais dû suivre mon conseil et vendre tes parts de la compagnie. Ces histoires ne t'ennuieraient plus aujourd'hui!

Jane utilisait toujours ce ton supérieur quand elle pensait que les autres avaient tort; cette discussion revenait sur le tapis depuis vingt ans et Jane la reprenait à la moindre occasion.

Cornelia refusa de mordre à l'hameçon. Les lunettes perchées sur le bout du nez, elle s'adossa à son fauteuil en cuir et regarda par la fenêtre. Jacaranda Towers, l'immeuble de la compagnie, n'était peut-être pas aussi haut que le Rialto mais les murs de verre de l'appartement-terrasse offraient une vue à 360° sur Melbourne et, grâce à ses nouvelles lunettes, elle appréciait à nouveau le panorama.

Comme les débuts modestes de la famille lui paraissaient loin. Elle n'avait pas pu rester au château mais, progressivement, elle s'était habituée à vivre ici et en était même satisfaite.

— Tu m'as entendue? insista Jane.

— Inutile de crier! Je ne suis pas sourde!

Cornelia se retourna. Face à elle se tenait une femme à l'allure impeccable qui partageait son appartement depuis deux décennies. Jane avait presque soixante-quinze ans mais les bons jours, sous la bonne lumière, elle paraissait bien plus jeune. Sa santé de fer repoussait les marques du temps quand un régime strict et des exercices réguliers maintenaient une silhouette que les femmes enviaient et les hommes admiraient.

« Pas étonnant que mon mari soit tombé amoureux d'elle, remarqua Cornelia sans rancune. Notre relation est si étrange. Qui aurait cru que nous nous apprécierions après toutes es épreuves que nous avons traversées? Nous sommes si différentes, Jane et moi. Elle est le champagne quand je suis le vin ordinaire. Et pourtant il y a toujours ce lien qui nous unit. »

— Il t'est facile de gloser sur les avantages et les inconvénients de ma décision, Jane. Tu n'as jamais compris l'importance de Jacaranda. Tu n'as jamais daigné apprendre son histoire.

Jane haussa ses élégantes épaules puis lissa les revers de sa veste de créateur.

— Tu as toujours préféré le passé, Cornelia. Je ne comprends pas ton entêtement. Pourquoi ne renonces-tu pas à la compagnie maintenant que Jock est enfin mort ? Qu'ils vendent cette fichue boîte et laissent les autres se battre comme des vautours ! Tu es riche. L'avenir appartient à tes enfants et tes petits-enfants. Laisse-les décider.

— Je suis peut-être vieille mais je ne suis pas sénile. La disparition de Jock ne signifie pas que je sois incapable de prendre des décisions.

Jane sortit un poudrier en or de son sac et vérifia son apparence d'un œil critique. Elle effleura du bout des doigts son menton et son cou déridés à coups de bistouri, lissa un sourcil très fin et referma le poudrier dans un claquement.

— Quel est le sujet de la discorde cette fois-ci ?

— Je peux m'en occuper, affirma Cornelia.

Des lentilles de contact bleu vif durcissaient le regard de Jane.

— Tu aimes bien agir en secret, pas vrai ? marmonna Jane. Quand vas-tu me faire confiance ?

— Tu te trompes, soupira Cornelia. Ne nous disputons pas à cause de cela.

Le visage de Jane trahissait son impatience.

— Il s'agit de la compagnie, lui confia Cornelia afin de l'apaiser. Même si je te fais confiance, je ne peux pas en parler ailleurs que dans la salle du conseil d'administration.

Jane se leva et lissa sa jupe en lin sur ses cuisses minces.

— Comme tu veux. Je vais faire du shopping.

Les boutiques représentaient la solution à tous les problèmes de Jane. Le cliquetis décidé de ses talons cubains sur le parquet en dit plus que de longs discours et le claquement de la porte d'entrée mit un terme à leur querelle.

Cornelia soupira et ferma les yeux. Ces dernières semaines avaient été assez pénibles sans que Jane en rajoute. Elle était trop vieille et lasse pour qu'on la malmène ainsi. Jane avait-elle raison ? Fallait-il qu'elle passe la main ?

— Qu'elle aille au diable !

L'histoire semblait se répéter. Elle pensa à son défunt époux que personne ne regrettait. La mort avait emporté son corps mais son influence malveillante persistait. Comme cet homme autrefois beau et fort avait changé depuis l'époque où, jeunes et amoureux, ils avaient l'avenir devant eux.

Elle se souvenait de ce matin d'été comme si c'était hier – la chaleur, le bourdonnement pénible des mouches, le chant des alouettes. Elle se sentait heureuse de vivre. La bataille des Dardanelles avait réclamé les hommes. Les femmes, elles, devaient combattre les éléments puissants et capricieux du sud de l'Australie, comme le mildiou, les parasites, la sécheresse et les inondations. Pourtant, la guerre avait été gagnée sur les deux fronts et malgré le nombre impressionnant de victimes, le père et le frère de Cornelia avaient trouvé à leur retour une vigne florissante sur les terrasses de la vallée Barossa.

Elle se tenait au sommet d'une colline surplombant un paysage en patchwork. Les vendanges commenceraient le lendemain et, bien qu'impatiente, elle prenait ce jour-là un repos bien mérité avant le chaos des semaines à suivre. Une brume de chaleur miroitait à l'horizon tandis que le soleil tapait sur les raisins mûrs. L'herbe grillée à ses pieds était quasiment blanche et le cri des corbeaux dans les arbres lui rappelait que les fruits délicats dépériraient à toute allure s'ils n'étaient pas cueillis au bon moment.

Comme à son habitude, Cornelia ne portait ni chapeau ni chaussures. Sa robe en coton blanc était tachée par la terre rouge cannelle et, à la grande horreur de sa mère, ses bras et sa figure étaient bronzés. Elle leva les mains vers le ciel, tourna le visage vers le soleil et ferma les yeux pour mieux s'imprégner du parfum sucré des raisins et de la terre chaude. C'était sa récompense pour les nombreuses heures de travail sur les terrasses. Il s'agissait de sa terre, son héritage. Ni rien ni personne ne les lui prendrait.

— Démeter, la déesse de la Fertilité aux pieds nus, s'exclama une voix masculine.

Elle pivota vers son interlocuteur, le rouge aux joues.

— Ce n'est pas bien d'espionner les gens comme ça ! lui reprocha-t-elle.

— Ce n'est pas bien de sortir sans chapeau. Votre mère ne vous a pas mise en garde contre les dangers du soleil ?

La bonne humeur faisait pétiller les yeux bleus du jeune homme.

Cornelia le foudroya du regard, mais elle était plus gênée par le ridicule de sa situation qu'en colère.

— Il fait trop chaud pour mettre un chapeau, répliqua-t-elle. Et puis, ce ne sont pas vos affaires.

— C'est vrai, mais il serait dommage d'abîmer une telle beauté.

Son sourire creusa des plis au coin de ses yeux et de sa bouche. Quand il ôta son chapeau de brousse et se gratta la tête, elle ne put s'empêcher de remarquer à quel point ses cheveux bruns étaient épais et bouclés.

Son physique avantageux ne lui donnait pas le droit d'être aussi impertinent. Cornelia ramassa ses chaussures et son odieux chapeau.

— Vous êtes dans une propriété privée, continua-t-elle.

Il remit son couvre-chef, l'abaissa sur ses yeux mais ses bottes demeurèrent plantées dans l'herbe argentée. Il enfonça les pouces dans les poches de sa veste et regarda par-delà les champs dépareillés la ferme au toit couvert de bardeaux dont la blancheur miroitait derrière les fleurs pourpres et délicates des jacarandas.

— Je sais, je rendais juste visite à mes voisins.

Ses yeux bleus la dévisagèrent à nouveau et Cornelia ressentit d'étranges papillonnements dans le ventre.

— Voisins ? bredouilla-t-elle.

Il lui tendit la main.

— Oui. Je me présente : Joseph Witney. Mes amis m'appellent Jock.

La petite main de Cornelia fut enveloppée dans sa grosse patte. C'était donc lui, le nouveau propriétaire de Bundoran. L'homme revenu des Dardanelles plus tôt que les autres avec un genou brisé était l'objet de tous les ragots depuis des semaines. Il ne devait pas s'apercevoir que cette proximité la troublait.

— Vous n'avez rien d'un Écossais.

Il lui lâcha la main et éclata de rire.

— Mon père vient de Glasgow et le nom de famille est resté, répondit-il avec un accent à couper au couteau. Tu dois être Cornelia, annonça-t-il après l'avoir examinée de la tête aux pieds.

Elle enroula les rubans de son chapeau autour de ses doigts. La chaleur n'était pas la seule à la mettre mal à l'aise.

— Comment le savez-vous?

Il se pencha vers elle si bien que leurs visages se trouvèrent au même niveau.

— Tout le monde connaît la belle Cornelia, murmura-t-il. Mais les cancans ne sont pas à la hauteur de la vérité.

Elle leva le menton et le fixa, déterminée à paraître digne et stoïque. Sa flatterie était-elle sincère ou se moquait-il?

— Vous avez l'air sûr de vous, monsieur Witney.

Il lui décocha à nouveau son sourire dévastateur.

— Je suis sérieux, mademoiselle Cornelia. En fait je le suis tellement que je te parie que nous serons mariés avant les prochaines plantations.

Cornelia eut un sourire lugubre quand ses pensées revinrent au présent. Jock avait toujours eu ce qu'il désirait. Leur mariage avait eu lieu dans la minuscule église de Pearson's Creek une semaine après la fin des vendanges et il ne lui avait fallu que cinq ans pour regretter sa précipitation.

Elle fut rappelée à l'ordre par le tintement délicat de la pendule en bronze doré que lui avait rapportée Jock d'un de ses voyages dans la vallée de la Loire. Elle avait rêvassé pendant une heure, mais de ces souvenirs lui était venue une idée. Avait-elle enfin trouvé une solution au problème du domaine de Jacaranda?

— C'est une entreprise risquée, murmura-t-elle. Et si je perds...

Elle n'osait prononcer ses peurs à voix haute, de crainte qu'elles ne deviennent ainsi réalité.

La riposte vint du plus profond d'elle-même : « Mais tu as déjà joué auparavant et tu as gagné ! Pourquoi ne pas tenter ta chance ? »

Cornelia sourit : elle avait gardé cet esprit combatif qui lui avait maintenu la tête hors de l'eau lors des années noires. Depuis sa tombe, Jock ne détruirait pas ce à quoi elle tenait. Demain, dès que Sophie, sa petite-fille, serait rentrée au bercail, Cornelia tirerait la première salve afin de sauver le domaine de Jacaranda.

L'exaltation de Sophie grandissait tandis que l'avion survolait les vastes étendues désertiques du Territoire du Nord. Le nez collé au hublot, elle contemplait son pays natal et était pressée de voir un paysage urbain plus familier que l'*outback*. Elle apprécia néanmoins sa beauté sauvage enflammée par les premières lumières de l'aube et aperçut l'ombre de l'avion survoler les rares forêts d'eucalyptus et les bras morts asséchés. Elle regrettait de manquer de temps pour explorer les mystères cachés de son pays. En effet, elle passerait désormais ses journées dans la salle du conseil du domaine de Jacaranda et ses nuits à éplucher des contrats et des colonnes de chiffres par milliers.

Tandis que l'avion continuait vers le sud, le paysage devenait moins rude. Elle pensa à sa mère. Il était peu probable qu'elle l'attende à l'aéroport mais on ne savait jamais, elle avait peut-être changé !

Sophie grimaça. Autant chercher une boule de neige en enfer. Après son divorce d'avec Chris, Mary Gordon n'avait pas tardé à lui donner son avis. Lors d'une de ses rares visites à Londres, sa mère lui avait fait remarquer, avec un grand sourire, cet énième échec. Si la cruauté de cette dernière ne l'étonnait plus mais la faisait toujours souffrir, Sophie décida que celle-ci n'avait pas de leçon à lui donner sur l'amour. Surtout pas après trois divorces et de nombreux amants de passage.

Dès son enfance, la mince et mondaine Mary avait clairement affirmé son aversion pour sa fille aux cheveux ébouriffés. Elle adorait se moquer des erreurs de langage de sa fille devant ses amies, raconter à qui voulait l'entendre qu'un régime lui permettrait de se débarrasser de ses poignées d'amour… Aujourd'hui, bien que Sophie fût à l'aise dans son travail, sa vie personnelle et son amour-propre s'en trouvaient particulièrement fragilisés.

« Pourquoi est-ce que je me préoccupe de ce qu'elle pense? se demandait Sophie lors de l'atterrissage. Elle se moque bien de ce qu'il peut m'arriver. Peu importe mes efforts, il n'y aura jamais aucun lien entre nous. »

Agacée par ces pensées, elle rassembla ses affaires et s'apprêt a à fouler le sol australien pour la première fois depuis dix ans. « Pas question que ta mère te gâche ton plaisir. N'attends rien d'elle et tu ne seras pas déçue. »

Deux heures plus tard, elle passait les portes du nouveau complexe surplombant les jardins botaniques royaux de Melbourne et les eaux rougeâtres du fleuve Yarra. Dans l'ascenseur climatisé, elle ôta les épingles qui retenaient sa longue chevelure noire en chignon et s'adossa à la paroi. Personne ne l'avait accueillie mais sa grand-mère avait pensé à lui envoyer la limousine.

Malgré les escales, le voyage avait été horriblement long et elle avait hâte de se délasser avec un verre de vin et une cigarette avant de rattraper le sommeil perdu. Ensuite, elle potasserait les documents qu'elle avait apportés. Elle ne voulait commettre aucune erreur lors de la réunion du conseil le lendemain.

2

Cornelia fut réveillée à l'aube bien qu'elle eût dîné avec Sophie et se fût couchée tard. Elles avaient du temps à rattraper même si elles s'écrivaient et se téléphonaient souvent. Seul l'épuisement l'avait poussée à regagner son appartement et son lit. Là, elle n'avait pas trouvé le sommeil car ses pensées et ses projets refusaient de lui laisser un moment de répit tandis que la pendule égrainait les heures. Maintenant, elle était en retard.

Dans l'ascenseur, elle prit une profonde inspiration, examina son reflet dans les parois réfléchissantes et serra ses cannes.

— Le rideau s'ouvre...

— Où étais-tu, mère? Nous appelons chez toi depuis plus d'une demi-heure! Je m'inquiétais!

Cornelia sortit de l'ascenseur et dévisagea la femme maigrelette aux traits anguleux. Elle avait décidé depuis longtemps qu'elle n'appréciait pas sa benjamine et ce qu'elle voyait ce matin la confortait dans cette idée. Mary portait des vêtements onéreux qui ne seyaient pas à ses quarante-neuf ans. Elle avait trop de maquillage, trop de bijoux, des ongles trop longs et trop rouges, des talons trop hauts.

— Merci de ta sollicitude, Mary, répliqua-t-elle sur un ton glacial.

Les ongles de Mary fourragèrent l'assortiment de colliers en or autour de son cou. La colère lui durcit le regard.

— On est sarcastique ce matin? Tu t'es aiguisé les griffes?

Cornelia repoussa la main froide et moite qui lui prenait le coude.

— Je connais le chemin, merci.

Avec un soupir d'impatience, sa fille longea à grands pas le couloir qui menait à la salle de réunion. Cornelia grimaça quand elle vit ses hanches trop fines se balancer sous la jupe noire et serrée tandis qu'elle s'efforçait de garder l'équilibre sur ses talons hauts. « Pauvre Mary. Je ne l'aime pas mais j'ai de la peine pour elle. » Avec trois divorces, trop d'argent et de temps devant elle, elle en devenait caricaturale. On racontait que le dernier amant de sa longue liste avait vingt ans de moins qu'elle. Enfin, le ridicule ne tuait pas.

Bien que chichement meublée, la salle du conseil de couleur crème était lumineuse et agrémentée de fleurs coupées. Des portraits des fondateurs du domaine de Jacaranda ornaient un mur, et de grandes fenêtres panoramiques occupaient un autre. Au centre de la pièce, une table en pin Huon venu tout droit de Tasmanie. Sur les dix chaises, une seule demeurait inoccupée.

— Enfin, Cornelia. Nous t'attendons depuis presque une heure !

Elle examina son frère Edward puis le portrait de Jock. Elle aurait juré qu'il lui lançait des regards mauvais. Elle s'éloigna avant de s'en convaincre, embrassa ses deux autres filles, serra Sophie dans ses bras et prit place.

— Mon temps est si précieux, Edward, que je l'emploie comme il me sied.

Il s'éclaircit la gorge et la regarda avec une tendresse réticente :

— Comme le dit si bien Cornelia, le temps est d'une importance vitale. Poursuivons donc.

Il s'adossa à son siège en cuir, croisa les doigts sous son menton. À quatre-vingts ans, ses yeux étaient encore d'un bleu étonnant sous sa masse de cheveux blancs et on devinait son visage de jeune homme avec ses pommettes hautes, son menton fier et sa bouche sensuelle. Il rappela soudain à Cornelia leur frère aîné, enterré depuis longtemps dans le cimetière familial. Il était si jeune à son retour des Dardanelles. Mais la force de sa jeunesse n'avait eu aucun poids contre les blessures reçues au champ de bataille et il succomba au bout de quelques mois.

— En qualité de président du domaine de Jacaranda, j'ai convoqué cette réunion extraordinaire afin de trouver un consensus. Il en va de l'avenir de notre société.

Cornelia accrocha ses cannes aux accoudoirs et décida d'examiner sa famille pendant le discours d'Edward. Il y aurait des feux d'artifice, comme toujours, mais il serait intéressant d'étudier leur comportement face à ce sujet d'une importance capitale. Elle frissonna comme si Jock était entré dans la pièce afin d'observer le résultat d'une vie de manipulation. Son influence se faisait encore ressentir, mais il n'avait plus la même emprise. L'avenir de Jacaranda était à nouveau entre ses mains à elle.

En tout, son frère Edward et elle avaient cinq enfants, si l'on pouvait appeler ainsi leur progéniture. Proches de la soixantaine, ils étaient selon Cornelia trop vieux pour les responsabilités que la mort de Jock avait chargées sur leurs épaules. Et leurs enfants n'étaient pas tous capables de faire prospérer la vigne jusqu'au siècle suivant. En fait, elle était presque contente de ne bientôt plus être là pour voir ce que l'avenir leur réservait.

Comme Cornelia et Edward détenaient la même part dans l'entreprise, ils avaient choisi ensemble celui qui, après la mort de Jock, serait président du conseil d'administration. Cornelia s'était effacée, sachant que le visage de son frère serait mieux accepté dans le monde de la haute finance. Plus jeune peut-être, elle se serait proposée, mais elle se contentait aujourd'hui de son influence en coulisses.

Elle savait qu'il leur restait peu de temps sur scène et la question d'un successeur devrait se poser tôt ou tard. Edward retardait le jour où il devrait confier Jacaranda à son fils Charles.

Enfant précoce et cupide, Charles, son fils aîné, gras et ampoulé, pontifiait sur tous les sujets, qu'il les maîtrisât ou non. Et pourtant, derrière cette façade agaçante, il y avait un esprit vif, un savoir encyclopédique en matière de vin que Jock avait exploité en l'expédiant au front quand les affaires allaient mal.

Cornelia s'intéressa ensuite à Philippe, le frère de Charles, plus jeune de cinq ans, de plus en plus efféminé depuis que la société acceptait l'homosexualité. Les deux hommes n'avaient jamais été proches ; Cornelia savait ce qu'il lui en avait coûté de déclarer ses préférences sexuelles et admirait son courage. Edward l'avait presque renié, Charles se moquait de lui et Jock l'avait fait chanter pour le garder dans l'entreprise.

Pour une fois, les trois filles de Cornelia étaient présentes. Mary siégeait le plus près possible d'Edward. Ce n'était pas dans ses habitudes d'être placée au milieu de la table, même si elle était la plus jeune.

Ensuite venait Catherine, l'acerbe, qui appelait un chat un chat et se fichait de ce que les gens pensaient d'elle. Elle n'avait pas hérité de la beauté de sa sœur aînée, mais elle la compensait par son esprit et son intelligence hors normes. Deux de ses époux étaient décédés et lui avaient laissé une petite fortune. Quant au troisième, il l'avait quittée pour sa meilleure amie en emportant une grosse partie de sa fortune. Sa plus grande perte fut celle de son fils Harry, tué lors d'un match de football à l'adolescence.

Bien qu'elle en ait beaucoup souffert, Catherine avait su aller de l'avant ; elle s'était forgé une carrière de collectrice de fonds et faisait désormais partie du conseil d'administration de plusieurs œuvres de bienfaisance prestigieuses. Jock était mort sans avoir pu la dompter et, pour cela, Cornelia l'admirait.

Annabelle avait été la beauté de la famille. La cinquantaine est un âge cruel qui nous rend tous cinglés, pensa Cornelia. Pour Annabelle, ce devait être difficile de perdre son apparence et cette confiance en soi qu'elle avait acquises dès la naissance. Ce n'était pas étonnant qu'elle paraisse en ce moment si désorientée.

Enfin venaient les petits-enfants, la cinquième génération dans ce pays. Fatiguée, les yeux cernés, Sophie était la fille de Mary, la préférée de Cornelia. Les inséparables jumeaux de Charles, James et Michael, n'étaient pas mariés.

— L'avenir du domaine de Jacaranda est autour de cette table, Edward. Je ne vois pas ce qu'il y a à ajouter, intervint Cornelia.

— Ce n'est pas aussi simple. Les Français sont revenus avec une offre des plus alléchantes.

— Jacaranda est un vignoble australien! Que les Français s'occupent de leurs affaires. Même Jock détestait l'idée de leur vendre.

— Papa détestait tout le monde, mère, s'impatienta Mary. Laisse parler oncle Edward.

— Je me moque de ce qu'il a à nous dire. Il ne me fera pas changer d'avis.

Cornelia constata qu'elle avait quelques soutiens autour de la table, mais aussi des opposants. Jock avait fait beaucoup de dégâts au fil des années. Ils ne changeraient pas facilement d'avis et ne bondiraient pas d'enthousiasme aujourd'hui.

— Mais si vous souhaitez perdre votre matinée, continuons.

— Le conseil de St Lazare nous a transmis une offre de deux cent cinquante millions de dollars.

Tous retinrent leur souffle.

— Cette offre comprend le vignoble, le château, les usines d'embouteillage mais aussi les magasins de gros.

— Ce sont bien les Français, marmonna Cornelia. Ils ont toujours été cupides.

— S'ils veulent mettre tant, pourquoi pas? s'exclama Mary. Je vote oui.

— Moi aussi, enchérit Philippe. Imagine ce qu'on pourrait faire avec ce joli magot.

Cornelia fixa son dandy de neveu, avec ses vêtements de créateur et ses cheveux blondis par des balayages hors de prix. Seule la famille connaissait ses démêlés avec la justice et son ancienne dépendance à la cocaïne.

— Tu t'attires assez d'ennuis avec l'argent que tu as, gronda Cornelia. À mes yeux, il est plus important que Jacaranda reste australien et dans la famille. Et vu que tu ne t'impliques pas beaucoup dans la vie de l'entreprise, je te suggère de te taire et de laisser parler ceux qui s'y connaissent.

— J'ai ce que Jock m'a légué, déclara-t-il. Cela me donne le droit d'avoir une opinion.

Cornelia préféra ne pas en rajouter.

— Et vous, les jumeaux qu'en pensez-vous?

Assis côte à côte, ils avaient le visage basané et ridé par des années passées sur le terrain car, en dépit de leur fortune et de leur position, ils mettaient la main à la pâte. Leur seule concession à cette visite forcée à Melbourne était leur veste impeccable et leur chemise à carreaux. Leur chapeau Akubra usé et taché par la sueur était posé sur la table quand leurs bottes éraflées étaient cachées dessous.

James, le porte-parole des deux, jeta un coup d'œil à son frère puis se racla la gorge.

— Nous aimons les choses telles qu'elles sont, annonça-t-il d'une voix traînante. Le domaine de Jacaranda a vécu assez longtemps sans l'ingérence des Français. Pourquoi ne pas continuer ainsi ?

— C'est une somme énorme, maman, déclara Catherine. Mary n'est pas la seule à vouloir vendre. Nous en avons tous bavé avec papa et sa saleté d'entreprise quand il était vivant. S'en débarrasser est une putain de bonne idée, si tu veux savoir ce que j'en pense. Maintenant, réfléchissons à ce que nous voulons vraiment. Nous n'avons pas tous travaillé d'arrache-pied pour que le domaine disparaisse comme cela. Je vote pour le statu quo. Annabelle ? Qu'en dis-tu ?

Celle-ci semblait avoir la tête ailleurs car elle cligna des yeux derrière ses lunettes en acier comme pour se réveiller.

— Je ne comprends pas pourquoi papa m'a donné des parts. Il ne m'a jamais autorisée à me mêler de l'entreprise et c'est un peu tard pour m'y mettre aujourd'hui, non ?

— Papa a divisé ses cinquante pour cent entre nous afin de semer davantage la zizanie, déclara Catherine sur un ton acide. Il savait ce qu'il faisait et je parie qu'en ce moment même il se délecte du spectacle que nous donnons.

— Tu ne devrais pas dire des choses comme cela, marmonna Annabelle entre deux frissons.

— J'aurais pu le lui dire en face, continua Catherine. C'était un salaud de son vivant et il a bien fait de mourir.

— Voilà qui est fascinant mes chéries, mais peut-on revenir à nos moutons ? J'ai une réunion importante à mon club, leur apprit Philippe, languissant dans son fauteuil, très à l'aise dans son costume italien et sa chemise en soie.

— Tes vieilles folles peuvent attendre que tu aies fini, aboya Mary.

— Tu peux parler! Dans cet accoutrement, tu ressembles plus à une vieille vamp.

Edward interrompit la joute.

— Ça suffit! gronda-t-il avant de se lever et de se placer sous le portrait de son père. Cette réunion a pour but d'étudier l'offre des Français et d'autres options. Nous ne sommes pas là pour nous disputer.

— Pourquoi? C'est ce qu'on fait de mieux, non? rétorqua Mary.

— Vous allez la fermer maintenant!

Un silence de plomb s'abattit sur l'assemblée qui se tourna vers Sophie. On aurait dit qu'elle avait oublié sa présence et son statut.

— Oh, oh! On s'est levé du pied gauche ce matin? remarqua Mary, la tête penchée, les yeux perçants. Ça te passera quand tu te seras trouvé un homme.

Cornelia remarqua le regard assassin de sa petite-fille et applaudit son silence.

— Si tu n'as rien de constructif à dire, Mary, je te suggère de fermer ton clapet.

Celle-ci croisa les mains sur la table.

— La vente de Jacaranda serait l'occasion parfaite de nous venger de Jock pour toutes ces années de brimades et de chantage. Nous aurions davantage d'argent que nous n'en avons jamais rêvé, mais quel bien cela nous fera-t-il? La vigne nous a déjà rendus riches. Nous possédons des dizaines de milliers d'acres de terre fertile et une propriété dans les plus grandes villes d'Australie. Notre compagnie maritime est florissante; nos compagnies ferroviaire et routière entrent dans une ère de croissance et d'expansion. Les nouveaux magasins de détail marchent bien et l'expansion prévue de notre chaîne de supermarchés est quasiment atteinte.

— Nous devons avancer, grand-mère.

Le pouls de Cornelia battit plus fort. Elle ne s'attendait pas à une telle réflexion de la part de sa petite-fille.

— Tu ne comprends donc pas ce que le domaine de Jacaranda signifie pour cette famille, Sophie?

— Si, je comprends mais les choses sont différentes depuis la mort de Jock. Les temps changent aussi.

— Et nous avons changé en même temps, répliqua Cornelia.

— Pas assez. Le marché mondial ne fait pas de cadeau. Les Français vendent moins cher que nous. Comme la majorité de nos vins est réservée aux marchés étrangers, nos ventes intérieures souffrent.

— C'est normal, les Français ne peuvent pas s'aligner avec la qualité et le prix de nos vins, s'entêta Cornelia. Notre champagne est aussi bon que leur pétillant le plus cher.

— La France n'est pas notre seule concurrente, tante Cornelia, l'interrompit Charles. Il y a l'Amérique du Sud, l'Afrique du Sud, le Chili, l'Argentine... même les Anglais s'y sont mis.

— De la piquette, grimaça Cornelia. Tout juste bonne pour les ivrognes.

— Faux, les jeunes achètent de plus en plus ces vins bon marché.

— Pourquoi n'en avons-nous pas discuté à la dernière réunion du conseil?

— Chère tante Cornelia, annonça Charles sur un ton condescendant, on ne peut pas discuter de tout en un aprèsmidi.

— On s'éloigne du sujet, intervint Sophie. Je crois que nous n'avons pas le choix. Il faut vendre. Oncle Charles vous expliquera mieux que moi pourquoi.

— En effet, ma jeune amie, lui accorda-t-il en bombant le torse comme un pigeon. Cornelia a l'impression que tout va bien à Jacaranda. Je suis désolé de vous apprendre que tel n'est pas le cas.

Il y eut un murmure de surprise.

— Nous découvrons à peine l'impact réel des pratiques commerciales de Jock. Apparemment tout va bien mais sous le vernis du succès s'entassent les ennuis.

Il avait capté leur attention, à présent.

— La modernisation de la cave de vinification, l'argent investi dans l'expansion de notre chaîne de supermarchés et des magasins de détail ont englouti les profits des deux dernières années. Le pôle transport ne contrebalance pas les frais engagés. Le dollar australien a pris une raclée sur les marchés internationaux depuis les problèmes au Japon et en Indonésie. Nos exportations ne tiennent qu'à un fil.

Il leva la main pour faire taire l'afflux de protestations.

— Même si nous avons investi lourdement, le marché intérieur est en berne et nos concurrents flairent le danger. Les Français s'intéressent à d'autres vignobles et, si de petites compagnies tombent dans le giron de St Lazare, nous peinerons à rivaliser sans une sérieuse injection de capitaux.

— Balivernes ! s'indigna Cornelia. Si nous sommes si mal, comment se fait-il que ma rente mensuelle n'ait pas diminué ?

— Tes autres investissements t'ont maintenue à flot pour l'instant. Mais si tu continues à ignorer l'état de tes affaires, tes revenus vont décroître.

Soudain, tout le monde se mit à parler en même temps et Charles dut patienter avant d'obtenir le silence afin de poursuivre sa triste énumération.

— Jock a dirigé cette entreprise pendant presque soixante-dix ans. Moi aussi, j'ai bien connu ce salaud. Au début, nous l'avons vu comme notre sauveur mais, durant ses dernières années, il a semblé vouloir partir sans rien nous laisser. Dans son testament, il a légué ses parts de la compagnie aux membres de sa famille et donc le droit de vote à certains qui ne l'avaient jamais eu. Elles ne vaudront rien si nous continuons à ignorer la vérité. Nous vivons tous dans le luxe, ce qui est en grande partie le problème. L'entreprise doit nourrir dix d'entre nous plus ceux qui dépendent de nous. Entre les divorces, les séjours en clinique privée, les jets personnels et la grande vie, l'argent file vite. Nous devons agir pour ne pas couler avec le navire.

À nouveau, la famille exprima sa colère.

— Si nous décidons de ne pas vendre le domaine de Jacaranda ou du moins une partie de la société, nous aurons besoin de capitaux pour investir dans l'avenir. Nous avons le choix : entrer en Bourse, devenir une entreprise publique et...

— Jamais ! l'interrompit Cornelia. C'est une histoire de famille. Tout le monde devra se serrer la ceinture. Vendons les supermarchés et les magasins, pourquoi pas une partie de notre immobilier. Ce n'est pas la première fois que nous avons des ennuis, nous nous en sortirons.

Charles pinça les lèvres pour contenir sa mauvaise humeur et une réplique bien sentie.

— Non, Cornelia. Les dés sont déjà jetés. Oui, nous allons remettre la compagnie familiale entre les mains d'étrangers mais, si nous le souhaitons, nous pouvons rester majoritaires et avoir notre mot à dire dans le fonctionnement de l'entreprise.

Il s'essuya le front avec un mouchoir très blanc. Ces querelles internes lui ruinaient la santé.

— Et l'autre choix, Charles?

— Nous vendons absolument tout. St Lazare récupère certains morceaux, se débarrasse d'autres... et pour ceux qui souhaitent s'investir dans la nouvelle compagnie, je leur garantis une place dans le futur conseil. Nous liquiderons le reste une fois l'orage passé.

— Il existe une troisième possibilité, intervint Sophie. Se tourner les pouces. Dans ce cas-là, nous entrons dans le jeu de Jock et nous serons ruinés d'ici cinq à dix ans.

Inquiets, tous se penchèrent en avant.

— Si l'on suit les deux propositions de Charles, le domaine de Jacaranda entrera dans le prochain millénaire. Il en coûtera la perte de son caractère originel et une certaine tristesse à assister à la fin d'une ère. Mais d'autres vignobles ont suivi cette voie et ont prospéré. Ces dix dernières années, St Lazare a prouvé sa solidité sur le marché mondial. La vente permettra à ceux qui le désirent de sortir de l'ombre du domaine de Jacaranda.

Cornelia dévisagea sa petite-fille adorée.

— Une ombre sur ta vie? C'est ainsi que tu considères ton héritage?

Sa voix tremblait sous le coup de l'émotion.

— Parfois, confirma Sophie. Enfant, je n'ai pas connu autre chose, grand-mère. Raisins, ceps, fermentation, embouteillage, stockage, vendange, dégustation... j'ai tout appris avant de savoir lire et écrire. Ma vie était tracée avant ma naissance et, même si j'aime mon travail actuel, loin de la vigne, j'ai l'impression de ne jamais échapper à l'influence de grand-père.

Cornelia dévisagea Sophie en proie à une vive agitation maintenant qu'elle avait révélé ses vrais sentiments. Quand elle parla de son désir de travailler ailleurs, Cornelia eut peur de la perdre à jamais. Ses rêves s'enfuyaient au fil de ses paroles : le domaine de Jacaranda serait condamné si elle ne parvenait pas à convaincre Sophie de voir les choses sous une lumière différente.

— Procédons à un vote informel et revoyons-nous dans vingt-quatre heures, vous voulez bien ? proposa Edward. Qui souhaite vendre Jacaranda à St Lazare ?

Mary, Charles, Philippe, Sophie et Edward levèrent la main. Cornelia ne fut pas surprise ; la balance ne pesait pas en sa faveur. Même si son frère Edward et elle étaient majoritaires, chaque vote avait le même poids.

— Qui est contre ?

Cornelia leva le bras, vite suivie de Catherine et des jumeaux. Elle foudroya Annabelle du regard qui l'imita timidement après un rapide coup d'œil à Mary.

— Pas de majorité, triompha Cornelia. Pas de changement. Le domaine de Jacaranda reste une entreprise familiale et australienne.

— Ce n'est pas aussi simple, remarqua Edward, une note de regret dans la voix. Les statuts que Jock a définis indiquent qu'en cas d'égalité une autre réunion doit avoir lieu dans les vingt-huit jours suivants. Et, si une décision n'est pas prise à ce moment-là, le président du conseil d'administration doit s'occuper du sort de la compagnie. Au final, j'ai la voix prépondérante.

— Pas de mon vivant !

— Tu ne crois pas si bien dire, marmonna Mary.

— J'ai entendu ! Je suis vieille mais je ne suis pas sourde. Et ce n'est pas demain que vous m'enterrerez.

Elle poussa son siège et s'empara de ses cannes.

— Sophie, accompagne-moi chez moi, veux-tu ? L'atmosphère est devenue irrespirable ici.

— Si tu crois que je vais changer d'avis, tu te trompes, grand-mère. Je suis déterminée à accepter l'offre des Français.

« C'est ce qu'on verra, pensa Cornelia en se dirigeant vers l'ascenseur. C'est ce qu'on verra... »

Cette réunion avait réservé quelques surprises à Sophie. Une partie de sa famille affichait une loyauté prévisible et cela malgré l'anéantissement délibéré de l'entreprise par Jock. Après une vie de soumission, il était difficile de changer et Sophie avait avisé Edward et Charles de l'issue du vote. La seule surprise était venue de Philippe qui avait voté comme son frère Charles, mais il était capable de changer d'avis lors de la prochaine réunion, par dépit.

— Alors?

Sophie sourit à la vieille dame qui l'avait plus ou moins élevée.

— On n'est pas sortis de l'auberge. Avec une famille comme la nôtre, c'est la migraine assurée. Je suis désolée s'ils t'ont fatiguée avec leurs chamailleries.

— À mon âge, le simple fait de vivre m'épuise. Mais j'aime bien une bonne dispute. Ces frictions aèrent les conflits, nous montrent sous notre vrai jour. Je ne dirais pas que je suis fière de toute ma famille mais certains ont des qualités qui les sauvent.

Le silence s'installa tandis que l'ascenseur les conduisait à l'appartement-terrasse. En y réfléchissant, Sophie trouvait que la seule qualité de sa mère était de vivre à plusieurs milliers de kilomètres d'elle. Son père s'était carapaté avant sa naissance et, à part une photo jaunie, elle n'avait rien de lui. Mary ne s'était jamais étendue sur le sujet et Cornelia en savait encore moins. De leur côté, les jumeaux vivaient dans leur bulle. Ses tantes étaient amusantes, surtout Catherine avec sa langue bien pendue et son cœur en or. Oncle Charles se montrait guindé et Philippe sympathique, mais à petites doses. Son homosexualité affichée était parfois un peu pénible et elle se demandait si cet étalage n'était pas une manière de se défendre.

Jane les attendait, un verre de Gin tonic dans une main, une cigarette dans l'autre. Elles s'embrassèrent sans se toucher les joues. Sophie n'avait jamais compris pourquoi sa grand-mère avait décidé de l'héberger. Les deux femmes semblaient avoir si peu en commun et, bien qu'elle appréciât Jane, son côté secret la poussait à se méfier d'elle. Enfin, ce n'était pas ses affaires. Jane s'était toujours montrée gentille et amicale quand Sophie passait les vacances à l'appartement.

— La réunion s'est bien passée?

— Disons qu'elle n'a pas eu un succès retentissant, soupira Cornelia qui s'effondra dans un canapé. Sois gentille, Sophie, verse-moi un cognac.

— À ce point-là? s'exclama Jane qui haussa les sourcils.

— Les frictions habituelles. La routine, quoi.

— Contente de ne pas faire partie du conseil, commenta Jane qui écrasa sa cigarette et vida son verre. Bon, faut que j'y aille. Je déjeune avec le conseil des Arts. On doit discuter de la prochaine exposition à la National Gallery.

— Qu'est-ce qu'il y aura cette année? lui demanda Sophie qui aimait passer des heures dans les magnifiques pièces aux plafonds hauts du musée.

— Les peintres du *bush* australien, McCubbin, Roberts, Streeton... On en reparle, d'accord?

Il y eut un grand silence après le départ de Jane. Sophie regarda son gros attaché-case. Il restait beaucoup de paperasse avant de traiter avec les Français et elle se demanda si elle pouvait s'en aller sans vexer sa grand-mère.

— Qu'est-ce qui pourrait te faire changer d'avis, Sophie? s'enquit Cornelia d'une voix chevrotante.

— On n'avancera pas autrement, grand-mère. Je suis désolée.

La vieille dame se tut un long moment, les lèvres pincées, le regard perdu au loin.

— Sache que j'ai été blessée quand tu as dit que le vignoble était une ombre sur ta vie. Mais, après réflexion, je comprends que tu le ressentes ainsi. C'est notre cadeau de naissance, notre avenir, l'héritage que nous laissons à nos descendants. Les vignes sont des maîtres exigeants, bien plus que Jock ne l'a jamais été. Elles ont provoqué des décès et des divorces, brisé des cœurs et quasiment entraîné des banqueroutes, mais elles ont aussi apporté la fortune – qui peut être un fardeau quand on ne sait pas la gérer.

— Oui, c'est une responsabilité, grand-mère. Mais elle ne m'a jamais découragée. J'ai besoin de voler de mes propres ailes, de relever d'autres défis. Le monde est grand et j'aimerais sortir de l'ombre de grand-père, m'affirmer sans que Jacaranda m'ouvre les portes.

— J'aimerais que tu me rendes un service... Non, cela n'a rien à voir avec la réunion de ce matin. Cela fait longtemps que j'y pense...

Sophie se demanda ce qu'elle mijotait. Sa grand-mère avait forcément un plan en tête et, si elle n'y prêtait pas attention, elle se ferait piéger sans moyen de s'échapper.

— Oui, grand-mère? répondit-elle sur un ton prudent.

— Je veux me rendre à l'endroit où les premiers pieds de vigne ont été plantés.

— Tu veux aller à Jacaranda? Tu avais juré de ne plus retourner au château après ta séparation d'avec grand-père!

— La vallée de Barossa, où se trouve Jacaranda, représente le présent, Sophie, affirma Cornelia, l'œil pétillant, un sourire dissimulé au coin des lèvres. L'histoire a en fait commencé bien avant notre rupture, dans un autre lieu, à une autre époque.

Sophie n'en revenait pas. Comme tous, elle connaissait l'histoire clairsemée de sa famille, les années où les parents et grands-parents de Cornelia avaient trimé pour rendre la vigne profitable.

— Pourquoi n'ai-je jamais entendu parler de cet autre vignoble?

— Les gens ont la mémoire courte. On oublie facilement les vieilles histoires de famille quand leurs protagonistes disparaissent.

— Mais l'histoire de ta grand-mère et de ses enfants qui sont venus à Barossa et puis ont aidé à fonder Jacaranda...? C'est une légende qu'adorent les touristes quand ils visitent les chais. Il y a même un livre sur eux.

— Ce n'est pas une légende, mais la vraie histoire commence bien avant la vallée de Barossa. En fait, je peux dater le début à 1883, dans un petit village anglais.

— Tu veux aller en Angleterre ? s'étonna Sophie.

— Non. Ce serait agréable, mais je ne vais pas tenter le diable, non plus !

— Je te comprends, marmonna Sophie en se souvenant du vol interminable. Mais alors, où se trouve ce mystérieux vignoble ?

— Tu le sauras bientôt, répliqua sa grand-mère avec un air de défi. Mais pas avant demain. Je t'attends à 9 heures précises avec ta valise. Apporte de quoi voyager dans l'arrière-pays et laisse ta mallette ici.

3

Sophie rétrograda afin que le camping-car négocie la pente raide d'une colline couverte de pins. Leur deuxième jour dans la chaleur et la poussière s'achevait ; Melbourne se trouvait loin derrière elles et, pourtant, elle n'arrivait toujours pas à croire que sa grand-mère l'avait embarquée dans un tel périple. Elle était une fille de la ville, plus habituée aux salles de conseil et aux tribunaux qu'au camping. Et la voilà, à trente ans, au milieu de nulle part, responsable d'une femme proche de son quatre-vingt-dixième anniversaire. Après son mariage avec Chris, ce devait être une des choses les plus stupides qu'elle ait faites.

L'horizon miroitait sous un ciel d'un bleu incroyable et la chaleur avait provoqué l'apparition d'un mirage au bout de la route déjà parcourue. Les montagnes s'élevaient au-dessus de la terre desséchée couverte d'eucalyptus bleus dont le parfum emplissait l'air. Les champs d'or s'étendaient à perte de vue, entaillés par de grandes bandes de terre paprika tandis que des eucalyptus solitaires, telles des sentinelles maudites, rappelaient la puissance des éléments.

Soudain, deux aigles planèrent dans le ciel immaculé. Ils scrutèrent le sol avant de s'éloigner d'un coup d'aile. Sophie ressentit alors une tristesse indescriptible. Comme de nombreux Australiens coupés de leurs racines, elle ne connaissait cet aspect de son pays qu'à travers la télévision et les magazines. Peut-être davantage de magie l'attendait-elle au bout du voyage ? Elle regretta simplement que les aigles ne soient pas restés plus longtemps.

Plus tard, dans un camping en bord de route, Sophie lavait les assiettes du souper et s'étonnait de la modernité des installations. Le camping-car aussi l'avait surprise par son confort. Elle grimpa à l'arrière.

— Je croyais que tu dormais. Il est 10 heures passées et les autres campeurs ronflent déjà. En Angleterre, après minuit, les gens sont dans les pubs et bavardent, les gamins s'amusent encore !

— Les Australiens savent ce qui est bon pour eux. Tu as l'air fatigué. Ton vol et ce trajet ont dû t'épuiser. C'est vrai qu'on a parcouru des kilomètres depuis hier matin !

— Cela ne m'embête pas de conduire, grand-mère. Je ne dors pas bien depuis deux jours, c'est tout.

— Tu penses à Chris ? lui demanda Cornelia sur un ton doux et compréhensif.

Sophie enfila un long T-shirt et se brossa les cheveux.

— Je miserais plus sur le décalage horaire ! Chris et moi sommes amis. Aucun n'en veut à l'autre.

— Je n'ai jamais pensé qu'il était fait pour toi, ma chérie. Il est bien trop anglais.

— Tu as raison, mais c'est cela qui m'a attirée. Sa voix mielleuse, ses bonnes manières... Il m'ouvrait la porte, me traitait comme une dame.

— Heureusement qu'il gagne sa vie, remarqua Cornelia. Tu n'es pas comme ta mère qui nourrit ses ex-maris.

— Nous avions signé un contrat de mariage. Sa mère et moi avions insisté : c'est probablement le seul point sur lequel nous étions d'accord ! Les Anglais sont bizarres, tu sais. Ils ont des règles pour n'importe quoi. Et, à moins d'être né dans leur prétendue bourgeoisie, ils te reprennent à la première occasion. Il faut porter le bon parfum, les bons bijoux. On ne va pas aux toilettes : on se repoudre le nez. Je me suis retrouvée chez *Alice au pays des merveilles* sans avoir lu le livre.

Cornelia ôta ses lunettes et remonta la couette sous son cou.

— Mais tu étais heureuse là-bas. Tu le disais dans tes lettres.

— Mon accent ne m'a pas aidée, mais oui je pense que j'étais heureuse.

— Tu n'as pas d'accent! s'offusqua Cornelia. Ton séjour en Angleterre l'a effacé! J'ai du pain sur la planche si tu veux qu'on te traite à nouveau comme une Australienne.

— Grand-mère, ne commence pas. La mère de Chris tenait absolument à me débarrasser de mes affreux borborygmes coloniaux et à m'apprendre à parler l'anglais de la reine.

— Non! s'offusqua Cornelia. Une chance pour elle qu'on ne se soit jamais rencontrées. Je lui aurais fait entendre mon accent colonial...

Toutes deux éclatèrent de rire; Sophie décida de changer de sujet.

— Où allons-nous exactement? Tu ne m'as donné que l'itinéraire de demain.

— Chaque chose en son temps, ma chérie. Vis le jour comme il vient et tu tireras davantage de plaisir des surprises qu'il apporte.

— Je veux bien, répliqua Sophie, agacée. Mais ma vie a été planifiée depuis ma conception... On aurait peut-être dû dire à quelqu'un où on allait. Ils doivent être morts d'inquiétude à l'heure qu'il est.

— J'ai laissé un mot à Jane. J'ai une confiance absolue en elle. Mais connaissant Edward, j'imagine qu'il aura déjà vendu la mèche. Il ne sait pas garder un secret, marmonna Cornelia à moitié assoupie.

Sophie se mordit la lèvre. Sans Cornelia dans les parages, Mary devenait incontrôlable. Dès qu'elle apprendrait leur escapade, il ne lui faudrait pas longtemps pour semer la pagaille.

De fait, les premiers troubles avaient commencé tôt ce jour-là, dans un restaurant situé sur la rive sud du fleuve Yarra; et ils auraient des répercussions sur toute la famille, sans exception.

Mary referma son menu dans un claquement. Elle commanderait une salade verte et un verre d'eau minérale. C'était du travail de garder la ligne quand on était gourmande mais, au fil des années, elle ne se rendait presque plus compte qu'elle ne mangeait pas. Les fêtes étaient rares, la boulimie appartenait au passé.

Les trois femmes étaient assises sous un auvent en toile qui les protégeait du soleil ardent. Ce restaurant comptait parmi les endroits préférés de celles qui lançaient la mode à Melbourne et Mary se félicita de son choix quand elle reconnut plusieurs visages célèbres.

— Que veux-tu ? demanda Catherine.

— Déjeuner avec vous, répliqua Mary. On ne se voit pas si souvent.

L'aboiement moqueur de Catherine attira l'attention des autres clients.

— Épargne-nous ces conneries, Mary !

— Moins fort, Catherine, intervint Annabelle. Les gens nous regardent.

— Qu'ils s'occupent de leurs fesses !

Le silence se fit quand le serveur apporta les boissons et prit la commande.

— Santé ! À maman ! Et à la crise qu'elle a déclenchée hier !

Mary ne leva pas son verre.

— J'ai trouvé cette scène embarrassante. Maman est bien trop vieille pour s'immiscer maintenant dans les affaires de l'entreprise. Elle devrait laisser Charles et Edward prendre les décisions.

— Pourquoi? Parce que ce sont des hommes? gronda Catherine. Maman en sait plus sur la vigne que nous tous réunis.

Mary tapotait sur son verre d'eau du bout de ses longs ongles.

— Elle a le droit d'avoir son opinion. Mais vous ne l'avez pas trouvée un peu à côté de la plaque hier?

— Ah oui? s'étonna Catherine.

— Aucune personne saine d'esprit ne se serait obstinée ainsi alors que tout le monde ou presque est contre elle. Il est évident que la compagnie a des problèmes mais elle les ignore et crie au complot.

— Tu n'as pas le droit de dire ça, protesta Annabelle.

— Maman a toute sa tête, ajouta Catherine. Ce n'est pas comme toi... Dis-moi, très chère sœur... Qui a consulté pour des problèmes alimentaires? Qui s'est effondrée quand son dernier mari est parti? Qui s'est donnée en spectacle en prenant un amant assez jeune pour être son fils?

Mary but une gorgée d'eau. Ce serait plus difficile qu'elle le pensait. Elle devrait avancer sur des œufs si elle voulait que ses sœurs changent d'avis. Elle décida donc d'adopter une autre stratégie.

— Oncle Edward m'a confié quelque chose d'intéressant après la réunion. C'était très instructif...

Catherine haussa un sourcil. Mary eut un sourire forcé.

— Bon, on ne va pas y passer la nuit, grogna Catherine. Accouche.

— Je déteste les esclandres, enchérit Annabelle. Si tu veux qu'on se saute à la gorge ici, je préfère partir maintenant.

Tandis que le serveur apportait leurs plats, Mary observa ses deux sœurs, sentit l'impatience la gagner et batailla pour garder son calme.

— Edward et moi discutions de mère après la réunion et il a laissé entendre qu'elle envisageait un voyage.

Elle s'adossa à son siège et attendit leur réaction.

— Et alors? rétorqua Catherine. Maman aime voyager.

Catherine planta sa fourchette dans les pâtes avant d'ajouter une bonne cuillerée de parmesan. Elle mangeait ce qu'elle voulait et ne prenait pas un gramme, ce qui agaçait forcément.

— Elle aimait voyager, rectifia Annabelle qui déplia sa serviette. Elle n'a pas quitté l'appartement depuis la mort de papa. Elle a sûrement prévu de se rendre à Lakes Entrance. Il y fait moins chaud qu'en ville.

— Non, elle a prévu un peu plus d'aventure.

— Pour l'amour de Dieu, s'exclama Catherine. Balance ce que tu sais ou ferme-la! Tu me gâches le repas!

— Maman emmène Sophie dans la vallée de Hunter.

— Quoi? s'écrièrent Catherine et Annabelle en chœur.

— Surprise!

— Pourquoi? voulut savoir Catherine.

— Maman a peut-être envie de retrouver ses racines avant le grand départ. En revanche, je ne comprends pas pourquoi Sophie l'accompagne.

— Elle représente la fille que tu n'as pas été, rétorqua Catherine. Mais pourquoi maintenant? Le deuxième vote a lieu dans un mois...

Son visage s'éclaira, elle grimaça.

— La vieille bique ! Elle doit penser que Sophie changera d'avis et refusera l'offre des Français à la fin de ce voyage ! Il faut avouer qu'elle a de la suite dans les idées !

— Maman n'a pas la moindre chance. Sophie sait où se trouvent les intérêts de la compagnie. Pas comme toi, à l'évidence. Au fait, pourquoi es-tu contre cette offre ?

— Ça ne te regarde pas.

Mary renifla puis reprit le fil de son discours.

— Je m'en moque que mère visite la vallée de Hunter, du moment qu'elle n'est plus sur mon dos. Mais vous ne trouvez pas bizarre qu'elle s'y rende en camping-car ?

Catherine lâcha un rire tonitruant qui surprit tout le restaurant.

— Tu plaisantes ! Et l'avion de l'entreprise ?

— Vous voyez qu'elle n'a plus sa tête, asséna Mary. Franchement, je m'inquiète. Ce sont des marques de sénilité.

Annabelle avait posé sa serviette sur ses genoux et la déchiquetait consciencieusement.

— J'ai compris où tu voulais en venir, Mary, la prévint Catherine. Ne compte pas sur moi.

Mary ravala sa déception. Elle aurait dû se douter que sa sœur verrait clair dans son jeu. Il était temps de risquer le tout pour le tout.

— Je m'inquiète pour la santé de maman, mentit-elle. Et pour celle de l'entreprise. S'il s'agit d'un début de démence sénile et qu'elle est déclarée incompétente, il faut reconsidérer sa place dans le conseil et redistribuer ses parts.

Annabelle posa sa serviette sur la table.

— Je t'interdis de parler d'elle ainsi ! Tu as toujours été cupide, Mary. Pourquoi vouloir ses parts ? Tu n'es pas assez riche ?

— Elle a raison, murmura Catherine qui poussa son assiette et s'alluma une cigarette. Maman et oncle Edward possèdent la majorité du capital ; il est important de savoir à qui elle va les laisser et qui aura sa procuration si elle est incapable de gérer ses affaires. Une idée, Mary ? Tu sembles en savoir plus que nous autres...

— Mère ne m'a pas mise dans la confidence, mais je la soupçonne d'avoir choisi Sophie... sa chouchoute.

— Sophie est très compétente, coupa Catherine qui écrasa sa cigarette à peine entamée et se leva. La compagnie n'en souffrira pas si elle entamée une des actionnaires majoritaires. Et, par ailleurs, maman n'a pas encore tiré sa révérence. Elle monte sur ses grands chevaux parce que le sujet lui tient à cœur. Au fait, elles partent quand? Je vais faire un saut chez elle.

— Bientôt à mon avis. Elles doivent de toute façon être revenues d'ici à vingt-huit jours.

Catherine se pencha vers sa plus jeune sœur et lui murmura :

— Tu la fermes jusqu'à ce que j'en sache davantage, d'accord? Inutile de semer la pagaille. À mon avis, c'est un caprice de vieille femme qui sent sa fin venir. Ne lui gâche pas ce plaisir ou tu auras affaire à moi.

Sa salade à peine goûtée, Mary se mit à siroter son eau minérale. Si Sophie héritait de la part de leur mère, elle deviendrait une jeune femme richissime et puissante. Et si l'entreprise était vendue ou cotée en Bourse, sa fortune serait triplée. La jalousie lui enflamma le cœur. Ce n'était pas juste.

Elle consulta sa montre. Elle devait partir. Elle avait cet après-midi un rendez-vous important qui permettrait sans doute de faire pencher la balance de son côté, ou, au moins, de se venger des blessures passées.

L'aube avait cédé la place à un ciel bleu délavé, promesse d'une journée très chaude. Sous l'auvent, Cornelia et Sophie prenaient un café noir accompagné de fruits et de toasts.

— La nourriture a meilleur goût en plein air! remarqua Cornelia qui dégustait une tranche de melon.

— J'adore le chant des oiseaux. Tu entends les martins-chasseurs et les pies qui se chamaillent? Avec le parfum des mimosas et la couleur des perruches, on se croirait au paradis. Londres me paraît à des années-lumière d'ici.

— On pourrait rester une journée de plus, suggéra Cornelia.

— Tu en es sûre? s'étonna Sophie dont le visage resplendissait. Tu as raison, un peu de repos ne nous fera pas de mal et tu pourras me raconter l'histoire de Jacaranda. Mais cela fait si longtemps, comment distinguer la vérité de la légende?

Cornelia sourit car elle avait posé exactement la même question à son âge.

— Ma grand-mère Rose a commencé à me parler de sa vie quand j'avais douze ans. Son histoire restera à jamais gravée dans mon cœur et mon esprit. J'avais l'impression d'assister à une pièce de théâtre. Rose et toi vous ressemblez, tu as ses yeux et ses cheveux bruns, le même visage en cœur surmonté de pommettes hautes. Mais la ressemblance s'arrête là, car c'était une petite bonne femme dont la fragilité apparente détonnait avec une force et un courage incroyables.

— Merci du compliment, grommela Sophie. Les critiques de maman me suffisent, tu sais.

— Ce n'est pas ce que je voulais dire! répliqua Cornelia en lui tapotant la main. Tu es grande et gracieuse, d'une élégance que jamais ta mère n'égalera. Sa méchanceté vient de cette jalousie maladive que tu devrais apprendre à ignorer.

— Je sais, mais les vieilles habitudes ont la vie dure.

Cornelia décida de changer de sujet pour ne pas gâcher l'atmosphère.

— Bon, que veux-tu savoir sur Rose?

— Je ne veux pas que cela te fatigue...

— Imagine un village anglais niché au milieu de collines en craie, les South Downs. Le paysage est très vert à cause des pluies abondantes et le soleil n'est pas assez chaud pour jaunir les prairies. Des bœufs rouges labourent le sol noir et riche en contrebas tandis que les moutons paissent plus haut, là où le vent marin souffle fort. Devant les cottages du hameau poussent des rosiers et des saules pleureurs bordent l'étang du village. Mais les toits de chaume de cet endroit idyllique cachent une terrible pauvreté. Les soins médicaux étaient précaires dans les années 1830. Le régime des fermiers se composait essentiellement de pain et de bière accompagnés parfois d'un peu de fromage. Les enfants disparaissaient jeunes, les femmes mouraient en couches; la saleté et l'ignorance étaient monnaie courante.

Après son séjour en Angleterre, Sophie visualisait très bien les lieux.

— Derrière l'église normande se trouve Milton Manor, la résidence de Squire Ade, un grand propriétaire terrien. Rose Fuller a alors treize ans, elle est la femme de chambre d'Isabelle, la fille aînée de Squire. Rose l'ignore, mais les invités présents au manoir s'apprêtent à changer la vie des deux jeunes femmes. Ce printemps 1838 est une époque tragique pour Rose. Son père vient d'être encorné par le taureau de Squire Ade et voici le jour de ses funérailles.

Ce matin-là, Rose et sa mère Kathleen préparaient en silence le petit déjeuner. Rose était presque soulagée d'être obligée de frotter la table et les bancs car sa mère ne prêtait pas attention à elle. Son esprit errait ailleurs tandis qu'elle s'occupait du bébé et vaquait à ses tâches quotidiennes.

Le soleil levant faisait fondre la gelée ; pour chasser la fumée du fourneau et l'odeur de mort, Rose entrouvrit la fenêtre et alla respirer l'air frais sur le seuil de la porte. Ses pensées allèrent vers John Tanner. Squire Ade avait chassé les bohémiens de ses terres et le réconfort de ses bras lui manquait, ainsi que ses mots d'amour. Pourtant, elle comprenait qu'à dix-sept ans John soit obligé de faire son chemin dans le monde jusqu'à ce qu'elle ait l'âge de se marier. Mais cela ne calmait pas son impatience.

— Arrête de rêvasser ! On a du travail !

Rose sursauta puis fixa sa mère avant de lui faire part de son inquiétude :

— Qu'allons-nous devenir, Mam ?

Kathleen la dévisagea un long moment. Il n'y avait aucune compassion, aucune douceur dans son regard.

— Nous en discuterons plus tard. Pour l'instant, emmène David chez les voisins. Sa place n'est pas ici aujourd'hui.

— On devrait lui dire la vérité…

— On a suffisamment à faire sans qu'il en rajoute. Obéis !

À peine commencée, cette journée lui paraissait déjà interminable. Elle serra les poignets osseux de son frère jusqu'à ce qu'il cesse de chantonner et lève les yeux vers elle.

— Nous allons nous promener, David, murmura-t-elle.

« Pauvre de lui », pensa-t-elle tandis qu'elle écartait une mèche de son front. Il était beau avec ses yeux bleus et ses cheveux noirs, malgré ce regard vide et l'affaissement de sa bouche, vestiges d'un accident durant son enfance. Un coup de sabot avait brisé son avenir car les gens n'acceptaient pas sa différence, ne comprenaient pas ses babillages enfantins et ses fredonnements incessants. Malgré ses seize années, David aurait toujours quatre ans dans sa tête.

— Je veux mon papa, s'obstina-t-il. Pas y aller.

Les jupes de Kathleen bruissèrent d'impatience tandis qu'elle lui enleva son bol et sa cuillère puis l'arracha de son siège.

— Tu fais ce que j'ai dit.

David fronça les sourcils mais suivit Rose chez Mme Grey qui se rendait au marché. Rose soupira quand elle regarda s'éloigner la silhouette efflanquée de son frère aux côtés de la petite femme boulotte. Elle envia presque son ignorance.

De retour à la maison, elle tira le rideau de sa chambre, se mit en jupon et enfila sa robe marron. Elle la portait au manoir d'habitude, mais c'était la seule décente pour aller à l'église. Elles n'avaient pas d'argent pour s'offrir des habits de deuil, même d'occasion. Bien qu'étriqué, le corsage aux manches courtes était propre et la jupe recouvrait ses bottes car elle avait défait l'ourlet la veille.

Les rares poils de sa vieille brosse à cheveux se prirent dans les nœuds de sa coiffure quand elle ôta ses épingles. Pourtant, ce ne furent ni les assauts de la brosse ni ses habits flétris ni le manque d'argent qui firent couler de grosses larmes sur ses joues, mais la frustration et la douleur provoquées par la froideur de sa mère. La mort aurait dû les rapprocher afin qu'elles affrontent l'avenir ensemble. Mais elle semblait au contraire avoir divisé sa famille et Rose craignait que ce ne soit que le début.

Le roulement du chariot s'approchait tandis qu'elle retournait en cuisine. Kathleen sortit de sa chambre, bébé Joe dans les bras. Rose ramassa leurs châles et, hésitante, arrangea celui de sa mère sur ses épaules. La femme demeura impassible.

Une fois le cercueil embarqué, le charretier fit claquer les rênes et Brendon Fuller effectua son dernier voyage le long de Wilmington Lane, en direction de l'église Sainte-Marie et Saint-Pierre.

John Tanner errait dans les collines autour de Lewes depuis l'aube. Il ne cessait de penser à Rose. Ayant perdu sa mère à trois ans, il compatissait, et le décès de son père le hantait encore.

D'après ce qu'on racontait, Max Tanner avait eu une vie bien remplie. Il aimait les femmes et elles le lui rendaient bien, au grand regret de son clan qui devait souvent déménager à cause de ses histoires. Néanmoins, on respectait ses talents de cavalier et de marchand. Rusé comme un renard, il n'avait peur de rien, ce qui causa sa perte.

John se souviendrait à jamais de ce jour. Le vent hurlait dans les branches, aplatissait les herbes et faisait virevolter les nuages. L'étalon avait été acheté à la foire aux chevaux de Lewes et le temps agité le rendait nerveux.

La pleine lune avait brillé la nuit précédente et le petit John avait été contraint, à son grand regret, d'accompagner les femmes à la cueillette des champignons. Une minute d'inattention et il courait entre les arbres. Il ignora leurs cris alors qu'il s'enfonçait dans la forêt.

Les hommes, entourés de tous côtés par les arbres, se trouvaient dans une clairière. C'était un lieu idéal pour débourrer un cheval. Une barricade de fortune avait été érigée au centre et le jeune John s'était caché derrière un arbre mort. Si les hommes l'avaient surpris là, ils l'auraient renvoyé vers les femmes et, malgré ses six ans, John n'aurait pas supporté une telle humiliation.

Max se tenait au milieu du corral, son gilet et son pantalon sombres accentuant le rouge vif de sa chemise. De l'or brillait à ses oreilles et à son cou. Le soleil bleuissait ses cheveux noirs et longs. Il n'était pas grand mais plus solidement charpenté que la plupart; ses bras et ses jambes musclés, ses épaules carrées attiraient les ennuis.

Aux yeux du garçonnet, Max et l'étalon partageaient la même liberté d'esprit, la même vigueur insoumise alors qu'ils s'affrontaient. La crinière hérissée, les yeux ronds, le cheval s'ébrouait et tapait du pied à l'autre bout de la corde. John n'entendait rien mais son père devait utiliser les mots tsiganes traditionnels pour l'apaiser. Max prenait son temps avec l'animal sauvage.

Il se déplaçait tel un danseur pendant qu'il effleurait les flancs de l'animal avec son fouet afin de guider ses pas. Il raccourcit la corde jusqu'à quasiment le toucher. Alors que Max chantonnait, le cheval tremblait et s'impatientait. Soudain, il souffla dans ses naseaux violets et caressa son cou frémissant.

L'étalon tressaillit, redressa la tête, aplatit les oreilles mais il n'avait nulle part où aller, rien à ressentir si ce n'était le calme de l'homme devant lui. À présent, son odeur lui était familière, sa voix et ses mains apaisaient ses peurs.

Accroupi derrière le tronc, John resta subjugué. Un jour, il aurait le courage de faire face à un tel animal. Son père lui enseignerait cet art qu'il tenait de son père et de son grand-père avant lui.

Le soir tombait sur l'arène quand Max lui passa le mors. L'étalon essaya de s'en débarrasser, de reculer, mais l'homme tenait bon, lui parlait, échangeait son souffle avec le sien. Au bout d'un long moment, Max conduisit le cheval dans un coin du corral. L'étalon se tenait tranquille mais le tremblement de ses flancs luisant de sueur trahissait son envie de s'enfuir.

Max lui frotta l'encolure, passa la main sur son dos puissant sans cesser de fredonner. Puis il grimpa sur la barricade, une main toujours posée sur la robe châtaigne.

Le cheval remua quand l'homme s'assit en douceur sur son dos mais ses mains le caressaient, sa voix le berçait. Soudain, les rênes tirèrent la chose haïe dans la bouche de l'étalon. L'homme serra les genoux contre ses côtes, lui agrippa la crinière.

Les spectateurs s'écartèrent quand l'étalon se cabra. Max s'accrocha, pieds et genoux collés à ses flancs, le visage balayé par sa crinière.

Excité par la réussite de son père, John sortit de sa cachette. À la seconde où il se leva, l'étalon partit dans un tourbillon de fureur. L'herbe volait par mottes boueuses sous ses sabots, le vent transporta au loin les hennissements de l'animal et le cri de triomphe de l'homme. Le cheval dérapa, effectua un méchant tour sur lui-même, baissa la tête et rua.

Désarçonné, Max lâcha les rênes, vola par-dessus la tête de l'animal. Il tomba contre la clôture dans un craquement qui résonna au cœur de la forêt.

John s'arrêta de marcher et s'assit sur les vestiges du vieux mur du château. Encore sous le choc de l'accident, il ne cessait d'entendre le terrible bruit. Comme Brendon Fuller, Max Tanner était mort sur le coup.

Il scruta l'horizon par-delà les collines et ne vit pas les toits de Lewes mais le bûcher funéraire noir de son père. Il ne sentait pas l'herbe humide et la terre mais le bois brûlé. Ils avaient enterré Max sous un orme dans la forêt de West Dean, ses boucles et sa chaîne en or entre ses mains sans vie. Ces talismans prouvaient sa réussite sur terre. Son esprit pouvait reposer en paix.

John frissonna. La mort les rattrapait tous mais seul le destin déterminait l'heure et le lieu. Elle venait en secret et en silence, avec une rapidité parfois obscène, et laissait toujours des cicatrices aux survivants.

John avait eu de la chance, admit-il. Sa grand-mère, la dukkerin, l'avait pris sous son aile et tout le monde s'était montré prêt à lui offrir réconfort et conseil pendant son enfance. Mais Rose ? Que deviendrait-elle, ainsi négligée par sa mère ?

Il sourit en repensant aux années passées. Petit, il ressentait déjà quelque chose de spécial pour elle, puis le lien entre eux s'était consolidé. Il aimait l'entrapercevoir sur le chemin tôt le matin quand elle se rendait au manoir, lui offrir du poisson fraîchement pêché, un jeune lapin. Les événements des derniers jours avaient ravivé ses sentiments et il avait hâte de la demander en mariage. Il savait qu'un invité d'Ade importunait la jeune fille. Il devait l'éloigner d'elle.

L'éventualité d'un refus de la part de Rose ne l'effleura jamais. Bien que très jeune, il savait que ce jour viendrait : il avait vu dans ses rêves son visage projeté sur les flammes du feu de camp et il savait que la main du destin les avait touchés.

Le croassement rouillé des corbeaux le sortit de ses pensées. Il était temps de se mettre en route car le soleil se levait déjà et les ombres se pourchassaient sous les arbres. Il courut jusqu'à la clairière où s'accomplissait le rituel du matin.

Les roulottes étaient installées en cercle autour du feu de camp ; le ragoût de corbeaux mijotait dans la marmite en métal noir. Les enfants jouaient autour des chariots, leurs voix aiguës résonnaient parmi les arbres. Les hommes brossaient les chevaux attachés d'un côté du campement ou fumaient leur pipe en argile en attendant le petit déjeuner. Les femmes piaillaient tout en coupant le pain et jetant des légumes dans la marmite.

John s'avança dans la clairière. Sa grand-mère Sarah Tanner l'attendait sur les marches de sa roulotte. Malgré son grand âge, elle portait encore les jupes rouges traditionnelles, les jupons, le gilet et le chemisier brodés qu'elle préférait étant jeune. Ses longs cheveux gris étaient retenus par un ruban vert, de l'or brillait à ses oreilles et dans sa bouche. Le pied sur la première marche, le coude posé sur la cuisse, elle fumait la pipe.

John savait qu'elle l'observait. Rien n'échappait à la dukkerin.

La pipe coincée entre les dents, elle s'adressa à lui :

— Tu comptes la revoir?

Les mains enfoncées dans les poches, il la regarda droit dans les yeux.

— Oui, elle n'a personne d'autre que moi et c'est l'enterrement de Brendon aujourd'hui.

— Elle est kairango, cela ne te regarde pas.

Comme John ne lui répondait pas, elle enleva sa pipe et cracha à ses pieds.

— Rose Fuller ne t'attirera que des ennuis. Ne t'approche pas d'elle.

Il décida de ne pas discuter davantage avec la vieille femme. De toute façon, elle ne l'écouterait pas. Il passa la main dans ses cheveux, roula des épaules car il souffrait encore des coups reçus la veille lors de son match de boxe.

— Regarde-moi, petit.

Il ne put ignorer ce ton doux et obéit à contrecœur. Les yeux sombres de sa grand-mère scrutèrent les tréfonds de son âme. L'appréhension donna à John la chair de poule. La dukkerin se trompait rarement et il pressentit qu'il n'aimerait pas son auspice.

— Ton destin se situe ailleurs, John, et la route sera longue. Quand Orion le Chasseur régnera sur les cieux et les Gémeaux seront divisés, tu sauras quel terrible prix tu devras payer pour avoir défié la fatalité.

John refusait de la croire mais quand ses yeux s'éclaircirent et son regard continua de le fixer, l'angoisse le gagna.

— Rose est en moi, grand-mère, insista-t-il. J'ai vu...

— Ne me contrarie pas, petit, gronda-t-elle. Tu vois ce qui t'arrange. Écoute-moi. Son chemin est semé d'embûches, mais elle ne voyagera pas seule.

Elle essuya les postillons au coin de sa bouche avant de reprendre :

— Elle voyagera avec un autre. Ton destin est ici, parmi les tiens.

Il secoua la tête. L'amour et le respect l'obligèrent à garder le silence. Qu'elle croie ce qu'elle veut, il n'abandonnerait jamais sa Rose.

La terre ricocha sur le couvercle du cercueil, le pasteur essuya ses mains salies puis alla présenter ses hommages à Squire Ade et à miss Isabelle. C'était terminé.

Rose se tenait à côté de Kathleen tandis que les villageois et les fermiers exprimaient leurs condoléances. Puis ils se ruèrent vers un tombeau surélevé transformé en table pour l'occasion afin d'y manger et de boire de la bière. La mort ne leur était pas étrangère vu que les accidents arrivaient souvent à la ferme ; le typhus, le choléra et la dysenterie s'en prenaient aux plus jeunes et aux plus âgés. C'était le prix à payer et tout le monde l'acceptait.

Le froid s'était frayé un chemin jusqu'aux os de Rose. Elle avait les doigts et les orteils engourdis et quand Squire et miss Isabelle s'approchèrent d'elle, Rose trouva à peine l'énergie de se courber pour une révérence.

— Merci pour tout, messire, déclara Kathleen d'une voix claire et posée en désignant le fossoyeur, le cheval et la charrette, les victuailles. Brendon aurait apprécié un si bel enterrement.

Rose enfonça les mains sous son châle. Son père aurait préféré être en vie et non six pieds sous terre !

— Ma femme vous adresse ses condoléances, madame. J'ai demandé au charretier de venir après-demain pour vous aider à déménager. Soyez sûre que l'on s'occupera bien de votre jeune Rose au manoir et que les confidences que vous m'avez faites ne seront pas divulguées.

Squire souleva son haut-de-forme, esquissa une révérence et s'éloigna au bras de sa fille aînée.

Ses paroles mirent un moment avant d'être assimilées par la jeune fille qui s'exclama :

— Quel déménagement ? Où vas-tu ? Pourquoi M. Ade a-t-il dit que je restais au manoir ?

— Nous en reparlerons plus tard.

— Non ! décréta Rose qui l'obligea à la regarder en face. Je veux une explication maintenant.

— Ce n'est pas l'endroit, répliqua froidement Kathleen en dégageant son bras, ce qui lui ôta ses dernières forces. Pas maintenant, fillette. Tout le monde nous observe.

Rose inspecta l'assemblée en deuil. Tous avaient la bouche pleine et les joues rebondies tandis qu'ils épiaient la scène, le verre levé. Elle s'en moquait ; la douleur infligée par sa mère était simplement trop forte.

— Rose ?

Elle se retourna au son de cette voix merveilleusement familière.

— John ! soupira-t-elle.

Soudain, ses bras l'entouraient, lui procuraient chaleur et réconfort. Elle s'accrocha à lui, enfouit son nez dans les plis de son manteau, respira l'odeur masculine de tabac et de musc.

— Que fais-tu ici ? aboya Kathleen qui brisa le charme.

— Je suis venu présenter mes derniers hommages à un homme que j'appréciais, répondit-il sans quitter Rose. Et m'assurer que votre fille va bien.

Une main brutale l'arracha à Rose qui trébucha sur une vieille tombe couverte d'herbe. Sa mère avait le visage blême, les yeux hostiles, la bouche pincée par la désapprobation. Quant à John, il réprimait tant bien que mal sa colère.

— Tu honorerais mieux mon époux si tu laissais ma fille tranquille auprès de ceux qui ont le droit de la guider.

— Il se montrait simplement gentil, protesta Rose.

— Ça va, intervint John, les yeux si noirs qu'elle se reflétait en eux. Ta maman veut juste ton bien.

— En effet, John Tanner. Et je te serais reconnaissante de ne plus importuner Rose.

— Mam, protesta celle-ci. John et moi avons grandi ensemble! Tu ne peux pas dire cela!

— Au contraire, répliqua Kathleen, le regard glacial et une expression insondable sur le visage. Si tu ennuies encore ma fille, je demanderai à M. Ade d'intervenir.

Les poings fermés, John serrait les dents pour ne pas prononcer de paroles blessantes.

— Et comment comptez-vous vous y prendre, madame Fuller? demanda-t-il avec un calme qui présageait la tempête.

— Elle vivra sous le toit de M. Squire Ade à partir de vendredi. Il sera son employeur et son tuteur; il la protégera des vagabonds, cracha-t-elle.

Rose fut traînée le long du chemin par une poigne de fer. Tandis qu'elles contournaient l'église, elle tourna la tête.

John n'avait pas bougé. Malgré les menaces de Kathleen, Rose devina qu'il n'avait pas l'intention de l'abandonner.

Elle eut le temps de lui adresser un petit signe avant d'être entraînée hors de sa vue. Elle se demanda où sa mère trouvait l'énergie de marcher d'un pas aussi furieux.

— Ralentis, Mam, supplia-t-elle. Je ne peux pas suivre.

— Plus vite on arrivera, mieux ce sera.

La rangée de cottages était silencieuse, leurs occupants étant soit au cimetière soit aux champs. Le claquement de leurs talons sur les pavés résonnait tel des marteaux sur des clous.

— Entre! ordonna Kathleen qui claqua la porte derrière elles.

Rose en avait assez. Elle plaqua les mains sur ses hanches et demanda une explication à sa mère.

Cette dernière déposa Joe dans le tiroir qui lui faisait office de lit et ôta son châle.

— J'ai trouvé du travail à l'école de Jevington. Comme il n'y a pas de place pour toi là-bas, j'ai demandé à M. Ade de te prendre au manoir. Joe et moi partons vendredi matin.

— Sans me demander mon avis ! s'écria la jeune fille.

— Tu seras bientôt une femme, Rose. Mais tu as beaucoup à apprendre avant de pouvoir prendre de telles décisions.

— Tu ne m'as jamais demandé mon opinion ! Tu te moques de savoir si je suis heureuse ou non de travailler au manoir.

— Qui parle de bonheur, Rose ? La question est de survivre. J'ai fait le bon choix.

— Je serai plus en sécurité avec John ! s'emporta-t-elle. Le capitaine Gilbert Fairbrother est peut-être un gentleman mais il est dangereux.

— Qu'est-ce que l'ami de miss Isabelle a à voir dans cette histoire ? Tu t'es déshonorée ?

Rose ravala sa colère. Sa mère n'était pas d'humeur à entendre les tentatives infructueuses de cet homme pour être seul avec elle et les mensonges qu'elle devait ensuite raconter à miss Isabelle.

— Non, Mam, mais il est très difficile de l'éviter.

Kathleen s'effondra sur le banc quand Joe se mit à pousser des hurlements de rage.

— Alors, prends garde. Tu viens d'ici, Rose. Tu es née dans ce cottage et tu ignores tout du reste du monde. Fais-moi confiance. Il vaut mieux que tu restes ici.

Malgré la lassitude extrême qu'elle lut dans les yeux cernés de sa mère, elle ne ressentit aucune pitié. En effet, Kathleen lui avait rarement témoigné son affection.

— Pourquoi tu ne m'aimes pas, Mam ?

— Quelle drôle de question ! renifla la femme en prenant Joe dans ses bras. Bien sûr que je t'aime. Tu es ma fille.

— Ce n'est pas une raison suffisante. Ai-je fait quelque chose de mal ?

— Seigneur, entendez-Vous cette enfant? marmonna-t-elle tout en changeant le bébé.

— Et John Tanner? Pourquoi avoir été méchante avec lui? Il venait simplement présenter ses hommages et tu sais ce que nous ressentons l'un pour l'autre.

— Écoute-moi une bonne fois pour toutes. Tu es grande maintenant et je vous ai observés tous les deux. Ton père n'aurait pas approuvé, Rose. La dukkerin non plus. Promets-moi de ne plus revoir ce garçon.

— C'est impossible, Mam! Nous sommes amis depuis notre plus tendre enfance. Nous veillons l'un sur l'autre et maintenant que papa est parti...

Kathleen la fixa un long moment, les yeux secs, l'air déterminé.

— Si tu ne me promets pas de ne plus le revoir, jamais je ne te pardonnerai. Ton père vient d'être mis en terre et son âme se trouve au Purgatoire. Il souhaitait que vos chemins se séparent. Renierais-tu le dernier vœu de ton père?

Rose se balançait d'un pied sur l'autre. Sa peur de la damnation mais aussi l'image de l'âme de son père coincée au Purgatoire par sa faute étaient insupportables. Pourtant, elle ne comprenait pas pourquoi il se serait ainsi opposé à John. La tête lui tourna soudain. Si elle brisait une promesse faite le jour des funérailles de son père, elle brûlerait en enfer pour l'éternité.

— Je promets de ne pas chercher à le revoir, déclara-t-elle, une boule au fond de la gorge, le cœur lourd.

Vivrait-elle en paix un jour?

Sophie ne s'aperçut pas tout de suite que sa grand-mère avait cessé de parler. Elle cligna des yeux et revint à contrecœur à la réalité. Le soleil frappait fort sur l'auvent. Les martins-chasseurs piaillaient, les buissons bruissaient. Elle s'attendait presque à voir passer Squire Ade sur son cheval, car elle avait été transportée sur ces collines vertes, le froid lui avait pincé les doigts et elle avait vu John et Rose se dire au revoir.

— Est-il revenu la chercher?

Cornelia frotta ses lunettes avec un bord de sa jupe en coton et lança un regard myope au loin.

— Patience, murmura-t-elle. Ce serait moins drôle si je te racontais l'histoire d'un seul trait.

— Comment peux-tu savoir ce qu'il s'est passé à l'époque? À t'entendre, on croirait presque que tu y étais.

— Je me trouvais là-bas dans un sens. Et puis Rose savait raconter les histoires.

— Mais elle n'a pas pu te donner tous ces détails.

— Non, admit Cornelia dans un bâillement. J'ai peu à peu dénoué le fil complexe de notre histoire familiale. D'autres sources ont rempli les vides importants. Le reste n'est que logique et imagination.

— Quelles sources?

— Si tu me servais un cognac avant qu'on passe à table. J'ai une faim de loup, pas toi?

Sophie et sa grand-mère partirent tôt le lendemain matin car elles voulaient voyager avant les grandes chaleurs. En récompense, des kangourous bondirent dans l'herbe pâle avant de disparaître parmi les eucalyptus. La route était déserte et le paysage s'étendait sur des milliers de kilomètres autour d'elles.

Sophie roulait sur la Newell Highway mais son esprit revenait toujours à ses rêves de la nuit précédente.

Elle avait rêvé d'une silhouette blafarde marchant sur une colline verdoyante au-dessus d'un village anglais, des habitants de Milton Manor et de petites chaumières serrées dans l'ombre de la vallée. Son séjour en Angleterre lui permettait de visualiser avec précision l'environnement de Rose et sa famille, car Chris avait tenu à ce qu'ils explorent la côte sud de son pays et les petits villages que le temps semblait avoir oubliés.

— Je me demande ce que Rose a ressenti quand elle est arrivée en Australie, murmura-t-elle. C'est un pays si grand en comparaison de son minuscule village. Elle a dû se sentir bien seule après une vie passée en communauté.

— Rose était une dure à cuire, affirma Cornelia. La fillette ignorait peut-être tout du monde en dehors de son village, mais elle était intelligente et vive d'esprit. Elle tirait le meilleur de ce que la vie lui donnait.

— Par exemple?

— Tu le sauras bientôt!

Sophie devrait se satisfaire de cette réponse mais cela ne calmait pas son impatience.

— Heureusement que les choses ont changé! remarqua-t-elle alors qu'elles s'approchaient de leur prochain campement, le long de la montagne Herveys Range. Aujourd'hui, elle aurait pu traîner ses employeurs en justice pour harcèlement sexuel.

— Oui. La justice était différente alors. Pauvres et riches étaient enchaînés à leur classe sans moyen d'en échapper. Pour une jolie domestique comme Rose, c'était encore plus difficile. La petite noblesse les méprisait; elle disposait d'eux sans honte et sans penser aux conséquences.

— Pourquoi as-tu laissé mère partir? aboya Mary.

— Je ne savais rien de ce voyage jusqu'à ce qu'elle sorte de sa chambre avec Sophie et sa valise, répliqua Jane qui se versa un autre verre.

— Tu aurais dû l'en empêcher!

— As-tu déjà interdit quoi que ce soit à ta mère? lui asséna Jane sur un ton conciliant.

Elle avait appris depuis longtemps à ne pas mordre à l'hameçon de Mary. Si elle cherchait la guerre, elle s'était trompée d'endroit.

— Tu aurais pu au moins appeler l'un de nous pour tenter de la raisonner, continua Mary avant d'avaler son tonic cul sec et de s'en verser un autre.

Jane la regarda avec anxiété. Mary ne buvait pas beaucoup à cause des calories contenues dans l'alcool, mais, aujourd'hui, le stress l'emportait sur le régime. À ce rythme-là, il serait vite difficile de discuter avec elle.

— Cornelia n'écoute personne quand elle a une idée derrière la tête. Tu devrais le savoir, Mary.

— Oui, mais elle est folle de vouloir se rendre dans la vallée de Hunter avec Sophie. Elle est possédée!

Que lui répondre? Les raisons de ce voyage demeuraient un mystère mais pourquoi Mary y attachait-elle autant d'importance?

— Elle est partie de bonne ou de mauvaise humeur? Tu n'as rien trouvé de bizarre dans son comportement? Quelque chose la contrariait peut-être?

— Non, je n'ai rien remarqué de particulier. Maintenant, j'aimerais que tu t'assoies. User la moquette ne changera rien et ne la fera pas revenir plus vite.

— Cela t'arrangerait si mère ne revenait jamais, n'est-ce pas Jane? rétorqua Mary, le verre à moitié vide. Tu serais gagnante, ajouta-t-elle en balayant l'appartement avec le bras.

Jane se leva.

— Va cracher ton venin ailleurs!

— C'est la vérité, continua Mary qui la regarda droit dans les yeux avec une grossièreté calculée. Tu t'es introduite de manière insidieuse dans cette famille, tu vis aux crochets de mère et, maintenant, tu attends ta part.

Il fallut à Jane un grand talent d'actrice pour rester calme face à une telle attaque, mais son agresseur n'était pas de taille.

— Je n'ai pas à me justifier. L'arrangement que nous avons trouvé Cornelia et moi ne te regarde en aucune façon.

— Qui vivra verra, ironisa Mary. Si mère te laisse ne serait-ce qu'un cent, je contesterai le testament. Tu ne mérites rien.

— Il n'y aura pas de quoi soulever une controverse. Tu ferais mieux de t'occuper de tes affaires et surtout de ta fille.

— Tu sais ce que contient le testament de mère? Tu l'as aidée à le rédiger, c'est ça? Ah, tu n'as pas perdu ton temps!

C'en était trop. Jane frappa son verre sur la table, et le cristal se brisa. Un souvenir désagréable lié à sa remarque et au gin tonic répandu sur la table lui revint en mémoire.

— Tu ferais mieux de partir avant que je prononce une parole que nous regretterions toutes les deux.

— Je ne vois pas ce que tu pourrais dire que je pourrais de plus regretter! Nous ne sommes pas du tout proches.

— Ce manque de proximité est peut-être la meilleure raison de me taire.

Mary fronça les sourcils. Jane détourna le regard, par peur d'éventuelles questions. Il y avait des choses que Mary ignorait, qu'elle ne comprendrait pas et l'heure n'était pas venue de les révéler.

— Je ne m'en irai pas tant que tu ne m'auras pas avoué où se cache le testament.

Jane poussa presque un soupir de soulagement avant de scruter le visage entêté.

— Je ne sais pas où il est, mentit-elle.

— Je ne te crois pas.

— Alors, nous sommes dans une impasse.

Son cœur battait à toute allure, des perles de sueur coulaient le long de son dos. Elle voulait que Mary parte. Elle avait besoin de silence et d'espace pour se débarrasser de son masque de femme détachée.

Mary s'empara de son sac et prit la porte.

— Nous n'en avons pas terminé ! Tu regretteras d'avoir croisé ma route, Jane.

Elle ne lui dit pas au revoir quand elle claqua la porte derrière elle.

Jane s'effondra dans un fauteuil et fixa l'horizon. Mary avait gratté la première couche de son existence solitaire dans cette famille puissante et cela se révélait plus douloureux qu'elle ne l'aurait cru. Il avait fallu des années à Jane pour ériger ce mur de défense et quelques minutes à Mary pour le détruire. À présent, elle se sentait vulnérable, perdue et la conscience troublée.

4

Catherine quitta la réunion de la société philanthropique avec le sourire et courut jusqu'à sa voiture. Elle était parvenue à les persuader d'attribuer des fonds pour la construction d'un établissement destiné aux jeunes paraplégiques.

Le football australien était un sport brutal et physique. Comme son fils, des dizaines d'ados étaient blessés ou mouraient chaque année sur les terrains. Ceux qui survivaient étaient souvent condamnés à vivre coincés sur leur fauteuil roulant dans des structures spécialisées, loin des leurs.

Catherine rêvait de fonder un centre de soins différent. Il serait bâti sur le modèle d'un hôtel cinq étoiles, avec chambres pour accueillir les familles. L'aile médicale compterait des chiropracteurs, des masseurs et des physiothérapeutes. Elle prévoyait une salle de cinéma, une piscine intérieure et extérieure, un restaurant et un petit centre commercial pour que le complexe se suffise à lui-même.

Cet ambitieux projet coûtait plusieurs millions de dollars. Vu qu'elle avait déjà levé plus de la moitié de la somme, l'association caritative dut capituler devant une telle énergie.

Catherine claqua la portière de sa voiture et prit une profonde inspiration avant de s'allumer une cigarette et de démarrer. Si elle parvenait à exposer ses idées à Charles de manière aussi convaincante, elle n'aurait pas perdu sa journée.

Les premières gouttes de pluie s'écrasèrent sur le pare-brise tandis qu'elle longeait Nicholson Street, passait devant le Parlement et l'hôtel Windsor. Typique, pensa-t-elle : une minute de soleil, une minute de pluie. Un peu de vent et ce serait à nouveau l'hiver. Elle prit à droite sur Flinders Street et dut freiner brusquement quand arriva un tramway jaune et marron. Enfin, elle tourna à gauche sur Princes Bridge.

Charles et Lydia, sa seconde épouse, vivaient dans un manoir de six pièces sur la route de Toorak. Quand elle s'engagea dans leur allée, Catherine fut surprise, comme chaque fois, par la majestuosité de leur demeure. Derrière le portail en fer forgé télécommandé, les balcons et les diverses terrasses débordaient de fleurs tropicales et de palmiers. Des lions trônaient en bas des marches, la porte d'entrée en chêne provenait d'une vieille église.

La bonne italienne lui ouvrit et la conduisit au salon.

— Vos cours d'anglais se passent bien, Angelina?

— Bien, madame, *grazie.* Je vais chercher le maestro.

Charles devait apprécier, remarqua Catherine, désabusée.

— Catherine, quel plaisir de te voir. Tu bois quelque chose? Lydia ne devrait pas tarder à arriver. Elle est partie au marché.

Elle regarda son cousin avec une tendresse exaspérée tandis qu'il s'affairait avec les bouteilles. Il se montrait peut-être pompeux et autoritaire en salle de réunion mais, à la maison, c'était un idiot fini.

— Tu as réussi à la mettre aux fourneaux? le taquina Catherine. Tu fais l'économie d'une cuisinière, j'imagine.

Charles avait la réputation d'être pingre avec ses employés de maison.

— Allons, Catherine! répliqua-t-il avec un clin d'œil entendu. Lydia a l'impression de gérer sa maison. Elle a refusé d'engager davantage de personnel. Quelle femme extraordinaire, marmonna-t-il.

Catherine sirota le verre qu'il lui tendit. L'arrivée discrète de la jeune femme empêcha tout commentaire caustique de sa part. La mince et gracile Thaïlandaise s'inclina avant de se placer à côté de son mari. Les yeux en amande observateurs, un sourire appliqué aux lèvres, de longs cheveux noirs jusqu'à la taille, la peau café au lait, elle portait une robe légère en soie maintenue par des rubans fins.

Catherine lui sourit même si elle se sentait gauche en compagnie d'une femme si jeune et pourtant si posée. Charles n'avait jamais divulgué l'âge de son épouse ni les circonstances de leur rencontre. Ils s'étaient simplement connus chez un ami à Bangkok. Catherine lui donnait à peine vingt-cinq ans et un soir, après un verre de trop, Lydia lui avait confié avoir travaillé dans un club de strip-tease.

Charles alla droit au but :

— Je suppose que tu es venue parler de ta mère. Discutons-en pendant le dîner. Lydia a préparé du poulet thaï avec du riz et des légumes vapeur.

Catherine se souvint du dernier repas qu'elle avait pris chez eux et en eut l'estomac retourné par avance. Lydia forçait toujours sur le piment.

— Génial, répondit-elle avec un enthousiasme forcé.

Une table superbe les attendait avec nappe en lin, verres en cristal, argenterie et composition florale – rose, branche morte et feuilles. Catherine dut admettre qu'elle savait recevoir même si elle incendiait l'estomac de ses invités. Pas étonnant que Charles ait toujours les joues écarlates !

Catherine mangea le moins possible, repoussant les aliments au bord de son assiette, ce qui lui rappela les choux de Bruxelles de son enfance et les remontrances maternelles. Finalement, elle posa ses couverts et vida un grand verre d'eau.

— Vu que tu connais les raisons de ma présence ici, déclara-t-elle, la langue engourdie, je suppose qu'Edward t'a confié les intentions de maman.

— En effet. Papa pense qu'elle est folle de partir ainsi à son âge mais, après tout, elle est libre de faire ce qu'elle veut tant qu'elle revient pour le dernier vote.

— C'est malheureux que ton père et toi la traitiez de « folle », Charles. Mary essaie elle aussi de démontrer qu'elle n'a plus sa raison.

Charles posa sa fourchette et but la moitié de sa bière blonde.

— Je sais, elle est venue me voir hier soir.

— Tu ne l'as pas crue, j'espère ? s'exclama Catherine, le cœur battant à toute allure.

Si Mary avait réussi à le convaincre, la bataille serait rude pour protéger Cornelia.

— Pas de panique. Tante Cornelia est l'une des personnes les plus saines d'esprit que je connaisse. Si tu veux mon avis, c'est ta sœur qu'il faut enfermer. Elle va trop loin cette fois.

Catherine poussa un soupir de soulagement. Elle n'aurait pas dû douter de son cousin.

— Mary n'est pas détraquée, seulement cupide et rancunière, poursuivit Catherine. Mais je sais comment la mettre hors jeu. J'aimerais que tu rédiges une déclaration sous serment où tu confirmerais ton opinion sur les compétences de maman. J'en ai déjà une d'Annabelle et je vois Jane tout à l'heure. De ton côté, tu pourrais en parler à ton père, Philippe et les garçons ?

— Bonne idée, Catherine. Mais ce ne sera pas une opinion médicale. Elles ne vaudront rien devant un tribunal.

— Mieux vaut cela que rien du tout. J'ai appelé son notaire ce matin. Il a rendu visite à maman au début de la semaine et veut bien certifier qu'elle est saine d'esprit. Mary ne pourra rien contre nous tous.

— Je fais de mon mieux, Catherine. Mais si nous nous trompions ? Si ce voyage était le premier signe de sa sénilité ? C'est quand même bizarre d'entreprendre un tel périple au beau milieu d'une crise.

— Tu l'as vue l'autre jour, s'impatienta Catherine. son attitude lors de la réunion ne t'a-t-elle pas impressionné ?

— Oui, elle était au sommet de sa forme, je dois l'admettre.

— Son notaire était surpris par son ardeur à mettre ses affaires en ordre. Annabelle et moi la voyons tous les jours. Jane vit avec elle. Nous savons mieux que quiconque qu'elle n'a pas perdu les pédales.

— Je comprends, affirma-t-il en plaçant les pouces dans les poches de son gilet. Je verrai les autres après le déjeuner.

La voix légère de Lydia brisa le silence qui s'ensuivit :

— Dans mon pays, nous respectons les aînés.

— Ici aussi, répliqua Catherine sur un ton sec. Voilà pourquoi il est important de stopper Mary avant que cela n'aille trop loin.

Charles tapota la cuisse parfaite de sa femme.

— Ces histoires doivent t'ennuyer mon chou et comme elles ne te concernent pas, tu pourrais demander à mon chauffeur de te conduire en ville ! Tu ne voulais pas t'acheter une petite robe pour le bal des Vintner ?

Alors qu'elle lançait un regard venimeux à Catherine, Lydia ne dit pas un mot. Elle se leva, déposa un baiser sur le front chauve de son mari, s'inclina et quitta la pièce.

Charles la suivit du regard avant de s'adresser à Catherine :

— Jolie et rusée, commenta Charles à voix basse. Je préfère ne pas discuter des affaires familiales devant elle. Elle a été assez contrariée que Jock ne lui lègue rien.

« Dieu merci », pensa Catherine.

— Que puis-je faire d'autre ? Ces problèmes n'auraient pas pu tomber à un pire moment. Vendre ou entrer en Bourse sont nos seules options. Et si nos concurrents entendent parler de querelles intestines, ils se comporteront comme des charognards face à un dingo mort.

— On se saute à la gorge depuis des années, Charles. La presse ne s'intéressera pas à nous. Le domaine de Jacaranda pourra toujours compter sur sa réputation. Au fait, Charles, à qui a-t-elle donné sa procuration ?

— À mon père. Ils se sont organisés il y a plusieurs années. S'il arrivait quelque chose à tante Cornelia, l'entreprise continuerait de tourner car ses parts seraient entre les mains d'Edward.

Catherine poussa un long soupir de soulagement.

— Tant mieux. Attends... et si quelque chose arrivait à ton père ?

— J'ai sa procuration et tu n'as aucune inquiétude à avoir. S'il meurt, mon frère et moi aurons chacun cinquante pour cent de ses parts.

Catherine remarqua qu'il évitait d'appeler Philippe par son prénom.

— Est-il au courant de cet arrangement ?

Charles haussa les épaules.

— Je ne lui en ai pas parlé et je doute que mon père l'ait mentionné... Ta sœur ne compte pas nous mettre de bâtons dans les roues, dis ?

— Elle en est capable. Mais si nous nous serrons les coudes, elle n'ira pas loin.

Malgré la chaleur, l'eau de la piscine du camping était glaciale et servait de dernière demeure aux mouches, cafards et fourmis du coin. Après quelques longueurs, Sophie abandonna quand un énorme insecte manqua se poser sur son nez.

Elles avaient garé le camping-car sous un arbre, près des douches et des toilettes, face au lac. Les enfants jouaient au foot dans la poussière, on allumait les barbecues… Cornelia était assise sous l'auvent, non loin du ventilateur électrique.

— L'eau était bonne?

Sophie grimaça.

— J'ai besoin d'une bonne douche pour me débarrasser de ces affreuses bestioles.

— C'est le problème avec les piscines extérieures, affirma Cornelia.

Après la douche, Sophie enfila un T-shirt et un short, se servit une bière et apporta un cognac à sa grand-mère.

En silence, elles contemplèrent le lac qui n'avait rien d'attrayant : une dizaine d'oiseaux posés sur les berges de terre rouge, des herbes grêles et de l'écume à la surface de l'eau.

Sophie écrasa un moustique.

— On aurait dû chercher un autre site avant de réserver ici. On va se faire dévorer par les moustiques à la tombée de la nuit.

Cornelia lui tendit un aérosol et Sophie n'y alla pas de main morte.

— Bien, s'exclama-t-elle. Avant que le cognac ne t'endorme, j'aimerais que tu continues ton histoire!

Cornelia lui lança un regard malicieux.

— Tu insinues que je ne tiens pas l'alcool? Les jeunes d'aujourd'hui montrent vraiment très peu de respect envers les anciens…

Sophie éclata de rire.

— Tu as gagné! S'il te plaît, raconte-moi la suite…

Cornelia sourit. Son regard se perdit dans le lointain tandis qu'elle retournait dans le petit village du Sussex.

— Nous sommes à Milton Manor, chez Squire Ade et son épouse Amelia. Leur fille Isabelle et le capitaine Gilbert Fairbrother vont jouer un rôle important dans la création du domaine de Jacaranda…

Le capitaine Gilbert Fairbrother du 7e régiment de hussards de la reine s'ennuyait. Il avait accepté d'accompagner ses parents jusqu'à ce trou lugubre du Sussex parce que son père avait payé sa note de tailleur et réglé ses dettes au club du Beargarden. Mais il regrettait déjà de ne plus traîner dans ses repaires préférés de Londres ou chez sa maîtresse.

La vie d'officier lui convenait et, tant que sa mère complétait la demi-solde qu'allouait l'armée aux hommes vivant en ville en temps de paix, il n'allait pas croupir à la caserne. Son père n'approuvait pas bien entendu, mais, par fierté, il avait payé pour le grade d'officier de son fils et recommencerait pour que son fils poursuive sa carrière.

Dans un bâillement, il s'échappa de la salle à manger et monta. Il avait écouté les bavardages oiseux de son hôtesse, supporté la goujaterie de son hôte ainsi que la stupidité flagorneuse de ses deux filles. Comme ni l'une ni l'autre ne semblait attirée par la chose, il ne pouvait davantage cacher son impatience et avait abandonné l'idée de flirter avec Isabelle. Il était temps pour lui de retourner à Londres et aux plaisirs d'une société plus sophistiquée.

Isabelle et Charlotte étaient présentables, bien que campagnardes. Mais, malgré les multiples tentatives, il n'était jamais parvenu à se retrouver seul avec l'une ou l'autre. La petite bonne était différente. Rose avait de la fougue, comme il l'avait appris à ses dépens lorsqu'il l'avait coincée l'autre jour. Les ecchymoses sur ses tibias en témoignaient mais, si jamais il la croisait à nouveau seule, son séjour chez ces rustres n'aurait finalement pas été si déplaisant.

Un léger tapotement à sa porte interrompit le cours de ses pensées. Il n'eut pas le temps de répondre, sa mère se ruait dans la chambre.

— Nous devons parler, Gilbert.

Clara toucha le halo de boucles sur son front. Gilbert trouvait cette coiffure ridicule pour une femme de son âge.

— Tu devrais te montrer plus prudent, Gilbert. Tu es réputé pour piller les quartiers des domestiques, mais j'aimerais que tu te retiennes quand nous rendons visite à des amis. Rose est bien trop jeune et un scandale risquerait de ruiner mes plans...

— Quels plans, mère? demanda-t-il sur un ton résigné.

Elle regarda son reflet dans le miroir trumeau.

— J'ai réussi à persuader cette idiote d'Amelia de t'autoriser à courtiser sa fille Isabelle.

Elle leva une main pour le faire taire.

— Je n'accepterai aucune échappatoire de ta part. Il est temps que tu te maries.

— Mais elle est impossible, crachota-t-il. Vous plaisantez!

— Je plaisante? s'emporta-t-elle. À presque trente ans, mon fils demande encore à son père de rembourser ses dettes! Mon fils séduit toutes les bonnes qu'il rencontre et entretient des liaisons avec des femmes mariées! Et je plaisante? Le père d'Isabelle versera une dot importante à la future famille de sa fille insipide vu qu'il a une chance de capturer le jeune James Winterbottom pour Charlotte.

Elle s'approcha et il put sentir les effluves de son parfum lourd.

— Isabelle n'a pas de frère. Son grand-père maternel n'a pas d'autre héritier. Il est immensément riche et déteste l'idée de léguer son argent à Amelia ou à son péquenot de mari. Isabelle est sa préférée.

Elle s'interrompit, le temps que ses paroles se frayent un chemin dans le cerveau de son fils. Sa mère ne cesserait jamais de l'étonner. Comment avait-elle mis la main sur cette information? Et quel esprit torturé pouvait-il jouer une telle partie d'échecs sachant qu'un mariage avec Isabelle Ade lui serait insupportable?

— Et qui sera le mieux placé pour gérer cet argent et ces terres?

Elle éclata de rire. Ce n'était pas le chant enfantin habituel mais un gloussement profond, presque sensuel.

— Le mari de sa petite-fille adorée, bien sûr!

Gilbert s'effondra sur le siège sous la fenêtre.

— Il n'existe aucune garantie, mère. Vous pensez avoir toutes les réponses, mais elle a une sœur qui peut très bien hériter elle aussi.

— Je sais beaucoup de choses, Gilbert. Mais il ne serait pas sage de te révéler mes secrets… Charlotte épousera son prétendant et deviendra lady Winterbottom. Elle possédera une belle fortune ainsi qu'une bonne partie du Berkshire. Son grand-père ne verra pas l'utilité de lui en donner davantage.

Quand il vit l'étincelle de malice dans les yeux de sa mère, il sut qu'elle avait une information sur le père d'Amelia.

— Mais je me moque d'Isabelle! Elle est ennuyeuse, fade et trop studieuse à mon goût. Elle se plaira bien mieux avec un fermier qu'un officier du 7e régiment de hussards.

De ses doigts griffus, elle souleva le menton de son fils et l'obligea à la regarder.

— Je ne te demande pas de l'aimer, Gilbert, mais de l'épouser. Ton père ne peut plus alimenter ainsi ton train de vie. Je refuse que l'héritage de ton frère Henry continue d'être dilapidé par tes extravagances.

Gilbert fut contraint de baisser les bras face à autant de résolution. Elle dut percevoir sa capitulation car elle lui embrassa la joue et resta près de lui quelques instants.

— Tu ne le regretteras pas, Gilbert. Tu seras maître en ta demeure, Rose est la domestique d'Isabelle et sera à ta disposition quand ton estomac réclamera de la viande et non du pain perdu. Qui te reprochera de prendre une maîtresse? C'est une tradition chez les hommes mariés, tu sais.

Face à son miroir, Isabelle se demandait ce qui pouvait attirer un beau jeune homme comme le capitaine Fairbrother. Elle avait les cheveux châtain terne, le nez trop long, des yeux gris trop petits et un visage rond et banal. Enfant, elle avait appris à accepter ce manque de beauté. Pourtant, il avait demandé à sa mère la permission de la courtiser et, bien qu'ils se fussent rarement parlé, elle était flattée et ravie qu'il lui prête attention dans le parc ou flirte pendant une partie de cartes le soir.

— Je suis née pour être vieille fille. Pourquoi un homme tel que lui me courtiserait-il?

Dans leur chambre, sa sœur et elle choisissaient les vêtements qu'elles emporteraient à Londres.

Charlotte se plaça derrière elle, ses jupes en soie bruissaient tandis qu'elle se pomponnait.

— Pourquoi ne connaîtrais-tu pas le bonheur? Sors de ton trou de souris.

Elle s'humecta un doigt et le passa sur ses sourcils puis se pinça les joues pour qu'elles rosissent. La tête penchée, elle examina le résultat dans le miroir. Satisfaite, elle sourit.

Isabelle la regarda d'un air pensif. Une année les séparait mais la différence était saisissante. Elle adorait sa sœur mais se demandait parfois si Charlotte se rendait compte de sa timidité et combien il lui coûtait de faire bonne figure en société quand elle ne ressentait que terreur. Elle ne semblait pas voir les efforts qu'Isabelle devait accomplir pour avoir l'air frivole. Car Charlotte était naturellement radieuse, d'une forte personnalité, tandis qu'elle ne suscitait l'attention de personne.

— L'intérêt que me porte Gilbert ne signifie pas que mon statut de vieille fille changera.

Charlotte fit bouffer ses jupons et s'assit sur un tabouret.

— Alors fais des efforts pour lui plaire! s'exclama-t-elle, exaspérée. Tous ces longs silences entre vous ne sont pas encourageants. Regarde ta robe. Quelle tristesse!

— Les dentelles et les froufrous ne me vont pas, répliqua Isabelle qui lissa les plis de sa robe en soie grise. Quand Gilbert et moi sommes ensemble, je ne sais pas quoi dire qui distrairait cet homme du monde.

— As-tu des sentiments pour lui? s'enquit Charlotte avec sérieux.

Isabelle rougit, examina ses mains.

— Il est très beau et je suis flattée qu'il s'intéresse à moi, mais l'aimer? Je ne le connais pas assez bien pour me décider.

Charlotte s'empara d'un flacon de parfum et en ôta le bouchon.

— D'après maman, c'est un bon parti. Sa famille a beaucoup de relations. Tu pourrais avoir tes entrées dans des événements sociaux très prisés.

L'indécision minait Isabelle. Sachant l'importance de cette union, elle voulait faire plaisir à sa mère, mais elle avait de sérieux doutes sur les sentiments de Gilbert.

— Tu ne le trouves pas un peu prétentieux?

Charlotte éclata de rire :

— Comme tous les hommes ! Surtout ceux qui sont beaux. Il a du panache dans cet uniforme.

— Je ne l'épouserai certainement pas pour le prestige de l'uniforme, protesta Isabelle avant de prendre les mains de sa sœur dans les siennes. Et s'il convoitait ma dot?

Enfin, elle évoquait sa seule et unique peur. Immobile, Charlotte la fixa.

— Quelle idée ridicule ! Gilbert vient d'une famille aisée et ta dot n'est pas plus grosse que la mienne.

Isabelle n'était pas convaincue.

— Mère et lady Clara ont dû en discuter. Il me voit comme une manière pratique d'acquérir des terres et du capital. Après tout, c'est le benjamin. Il n'héritera ni du titre de son père ni de ses propriétés.

— Sottises ! répliqua Charlotte. Il est sous ton charme ! Il ne t'a pas quittée hier soir et ce matin. Tu devrais être contente que quelqu'un veuille de toi après ta saison désastreuse à Londres.

Isabelle grimaça.

— Oui. Le capitaine respecte le protocole. Ses manières sont irréprochables. Mais m'apprécie-t-il?

— Bien entendu, jeune oie. Pour l'amour de Dieu, Isabelle, arrête de tergiverser. C'est usant à force.

Charlotte bondit hors de la chambre et claqua la lourde porte derrière elle.

Isabelle fixa le miroir. « Tu devrais être contente. » Quelle terrible expression de la part de sa sœur. Tu devrais être contente d'être donnée en pâture à un homme que tu connais à peine afin que Charlotte épouse James Winterbottom. Tu devrais être contente qu'un homme veuille de toi, même s'il lorgne uniquement ta dot. Si seulement il me plaisait moins. Si seulement mon cœur ne s'emballait pas ainsi en sa présence. Qu'il est difficile d'être timide et maladroite quand on est ordinaire.

5

— Au revoir, Mam, cria Rose à la carriole.

Elle n'obtint pas de réponse de Kathleen qui partait vers une nouvelle vie à Jevington avec ses deux fils.

Rose ramassa le petit paquet contenant toutes ses affaires et se dirigea le cœur lourd vers Milton Manor.

Quand Cornelia se tut, la première larme roula sur la joue de Sophie.

— Pauvre petite fille, soupira-t-elle tandis que les souvenirs de son enfance remontaient à la surface. Quelle épreuve pour une enfant de treize ans...

Cornelia posa une main sur son épaule. Le parallèle entre la vie de Rose et celle de Sophie était flagrant.

— Au moins tu peux compter sur moi, murmura-t-elle. Rose, elle, n'avait personne.

— Je t'aime, grand-mère. Mais une partie de moi rêve encore que maman me remarque.

Cornelia lui caressa le bras.

— Je comprends. L'amour d'une mère n'est-il pas censé être le plus fort? Mais parfois, même dans le règne animal, une mère rejette sa progéniture. Ce n'est pas ta faute, Sophie. Comme Rose n'est en rien responsable de la froideur de Kathleen.

— Pourquoi nous obstinons-nous alors qu'il n'y a pas d'espoir?

— C'est tout ce qu'il vous reste, mon cœur, votre seule arme. Sans espoir, la vérité nue serait insupportable.

Sophie sécha ses larmes et se moucha. Elle n'avait pas pleuré depuis longtemps.

— Tu as raison. Maman me considérera toujours comme une nuisance, une erreur.

Cornelia plaça une longue mèche de cheveux noirs derrière l'oreille de Sophie.

— Comme tu dois en souffrir... Mais essaie de te mettre à la place de Mary il y a trente ans.

Sophie connaissait l'histoire par cœur, mais écouta néanmoins. Peut-être qu'avec l'âge elle finirait par comprendre.

— Elle s'est mariée à la hâte et ils étaient tous les deux trop jeunes. Leur mariage battait déjà de l'aile quand elle a découvert qu'elle était enceinte. Elle était très amoureuse de ton père, tu sais, et elle comptait se servir de toi pour le garder. Il l'a quittée et n'est pas revenu après ta naissance. Très vite, elle s'est désintéressée de toi et j'ai pris le relais.

Sophie eut moins mal qu'elle ne l'aurait cru. Une partie d'elle-même avait pitié de Mary quand l'autre ne comprenait pas qu'on puisse rejeter son bébé.

Cornelia parut lire dans son esprit :

— Mary n'aurait jamais dû avoir d'enfant. Elle est trop égoïste ; c'est ce qui a tué son mariage. Elle veut l'inaccessible. Parfois j'aimerais qu'elle se rende compte des dégâts qu'elle provoque autour d'elle.

Sophie ne pouvait se débarrasser de la boule qui lui étreignait la gorge.

— Comment peut-on exclure les autres de sa vie ? Elle a toujours eu ce caractère ? Pourquoi en veut-elle au monde entier ?

— Mary est la plus jeune, déclara Cornelia au bout d'un moment. J'ai dû trop la gâter. C'était une enfant exigeante, souvent sournoise et cruelle. Elle voyait quelque chose, le réclamait, le prenait puis le jetait. L'objet en lui-même ne l'intéressait pas. Combien de jouets a-t-elle détruits pour que personne d'autre ne puisse en profiter...

— Pas étonnant que mes tantes ne l'aiment pas, renifla Sophie.

L'air triste de Cornelia la poussa à compléter sa pensée :

— Je suis désolée ! C'est ta fille, tu dois l'aimer.

Cornelia se renfrogna davantage.

— Je n'en sais rien, admit-elle à voix basse. Je suppose qu'il reste un peu d'amour au plus profond de moi, parce que je ne l'ai jamais abandonnée. Mais je la déteste pour tout le mal qu'elle fait. Quel gâchis! Mary a de l'esprit, elle est intelligente et inventive. Que serait-elle devenue si sa colère avait été utilisée à bon escient?

— D'où lui vient tant d'agressivité?

Cornelia ferma les yeux, comme si la question lui brisait le cœur.

— Je ne l'ai peut-être pas assez aimée quand elle était petite.

— N'importe quoi, grand-mère! Si tu lui as donné ne serait-ce que la moitié de l'amour que tu m'as offert, elle n'a aucune excuse!

— Vraiment? chuchota Cornelia. Je me demande si Mary n'a pas compris que…

— Compris quoi?

— Rien. Mes paroles ont dépassé ma pensée. Mary n'a jamais manqué de rien, du point de vue matériel ou affectif. Son comportement n'est pas excusable et, à mon âge, je devrais cesser de culpabiliser. Ma fille ne se considérera jamais responsable de quoi que ce soit et blâmera les autres jusqu'à sa mort.

Cornelia s'essuya les yeux avec un mouchoir et tenta de se calmer.

— Ce doit être génétique, ajouta-t-elle. Dieu sait combien d'ancêtres manipulateurs et cupides peuplent son arbre généalogique!

— La vie n'est que manipulation. Dès notre naissance, nous plions les autres à notre volonté.

— Tu as raison…

— Vivre dans l'ombre de grand-père m'en a appris long sur la manipulation. L'histoire de Rose me montre combien nous sommes tous vulnérables. Elle est manipulée par sa mère et les circonstances. Comme Isabelle, Charlotte et le capitaine Fairbrother. Amelia Ade manipule et est manipulée par sa classe sociale et son éducation. John Tanner est influencé par ses origines, Squire Ade par son épouse.

— Et Kathleen? Elle aimait ses fils. Pourquoi rejetait-elle sa fille?

Sophie pensa à la femme qu'elle comparait forcément à Mary.

— Kathleen est une énigme pour moi, conclut-elle. Elle était instruite, se conduisait selon sa position sociale. Son mariage était solide, heureux, elle adorait ses garçons.

Elle esquissa un sourire triste, l'image de Rose avançant sur ce sentier solitaire et cabossé étant encore présente à son esprit.

— Les sentiments devaient être un luxe à l'époque pour les gens de son milieu. Peut-être se reconnaissait-elle en Rose et voulait-elle l'endurcir en prévision des épreuves qui l'attendaient?

— Peut-être, acquiesça Cornelia. Je pense que nous ne devrions pas la condamner.

— Pourquoi? Sans ton affection, Dieu sait comment j'aurais tourné! Rose n'avait personne.

Cornelia éclata de rire.

— Tu serais devenue quelqu'un de bien. Comme Rose.

— Comment peux-tu en être aussi sûre?

— Parce que je t'ai vue grandir et mûrir, afficher de la détermination malgré les écueils. On aurait dit que tu avais quelque chose à prouver au monde.

— Ou à moi-même, rectifia-t-elle.

Soudain, l'explication lui sauta aux yeux. Elle n'en revint pas de ne pas y avoir pensé plus tôt.

— J'avais peut-être besoin de me prouver que je valais plus que ce que je pouvais obtenir de maman, de Christian ou des autres. Je me vengeais des blessures et des offenses, comme un bras d'honneur à ceux qui ne croyaient pas en moi.

— Possible, mais j'espère que tu ne considères pas tes victoires comme des revanches. Ta réussite dans le monde des affaires est le résultat d'un travail ardu et d'un esprit vif. Sois fière de toi et de ta réussite mais regarde ton succès comme le triomphe de l'amour-propre et non comme une vengeance.

Sophie fut revigorée quand elle lut la fierté dans les yeux de sa grand-mère. Ce seul regard valait bien ce travail acharné et ces nuits blanches. Pourtant, aurait-elle réussi si le rejet de sa mère ne lui avait pas insufflé cette détermination à prouver sa valeur?

— Il est tard, grand-mère. On se couche?

— J'aimerais finir cette partie de mon histoire ce soir, Sophie. Il ne reste pas grand-chose mais cela comblera quelques vides avant que nous passions à la prochaine section.

John Tanner était assis sur les marches de sa roulotte. La journée avait été rentable à la foire de Lewes. Ils avaient vendu la majorité des chevaux, le stock de pinces à linge, de paniers et de dentelle avait bien baissé et le stand de voyance n'avait pas désempli.

Souriante, grand-mère Sarah faisait cliqueter les pièces dans sa bourse. John, lui, pensait à Rose et à la confrontation au cimetière.

Sarah le poussa du coude.

— Regarde qui est là ! Quel plaisir pour les yeux.

Son moral tomba encore plus bas. Parente lointaine, Sabatina était tsigane – d'origine italienne – et, visiblement, Sarah avait une idée derrière la tête.

— *Ciao* Sabatina ! l'interpella-t-il. Que fais-tu par ici?

Les reflets bleutés que le soleil donnait à ses cheveux lui rappelèrent ceux de Rose. Ses yeux de biche noirs lui lançaient des regards malicieux sous le bandeau de galbi – de pièces d'or – qu'elle avait noué dans sa chevelure. Elle était belle et le savait.

— D'après la *famiglia*, il est temps que je t'attrape, expliqua-t-elle d'une voix rauque.

Sarah descendit de la roulotte pour se dégourdir les jambes.

— Tiens. John a encore eu une semaine de combat. Frotte-lui le dos et les épaules pour moi.

Elle tendit à la jeune fille une bouteille bleu foncé avec un bouchon en bois.

— Enlève ta chemise, mon garçon. Je vais rendre visite à mon *niamo*[1].

---

1. Clan.

Sur ce, elle tourna les talons. Ses jupons de couleurs vives flottaient dans la brise qui tourbillonnait entre les roulottes et les tentes disposées en cercle.

John et Tina se lancèrent un sourire entendu.

— Notre *puri daj* ne changera jamais !

Tina secoua la tête, ses boucles d'oreilles en or se balancèrent.

— Comme toutes les grands-mères ! Mais notre devoir est de la respecter, ajouta-t-elle en débouchant la bouteille. Beuh ! Qu'est-ce que c'est ?

— Du baume de cheval, répondit-il sur un ton bourru avant d'ôter sa chemise. C'est une concoction spéciale de grand-mère Sarah et, même s'il pue, cet onguent fait des merveilles.

De ses grands yeux amande, elle contempla son torse avant de remonter vers son visage. Le galbi brillait sous la braise mourante du soleil et la peau de Tina avait pris une douce couleur de pêche mûre. Elle était plus belle que dans ses souvenirs, admit-il en silence, mais il n'avait jamais ressenti pour elle que de l'affection fraternelle.

Les longs cheveux de Tina le frôlèrent quand elle se mit à lui masser les bras et les épaules. Il huma son parfum, les huiles dont elle s'enduisait les cheveux et le corps. Tandis que la magie de ses doigts opérait, il aurait juré qu'un pouvoir quasiment magnétique les rapprochait.

Il ferma les yeux et imagina que Rose lui transmettait sa chaleur.

Sarah revint de sa réunion avec les autres membres de sa nombreuse famille une heure plus tard. Les jeunes avaient disparu. Elle afficha un sourire de satisfaction quand elle vit la porte fermée de la roulotte. John ressemblait à son père Max. Sain, beau et fort, croquant la vie à pleines dents, il ne resterait pas *shav* longtemps. Il fallait une volonté de fer pour résister à une beauté telle que Sabatina Zingaro, surtout après les conseils délivrés par Sarah.

Tina était la fille de la dukkerin des Zingaro, de sang royal donc. Un mariage avec John réunirait à nouveau les deux côtés de la puissante famille. Son père avait donné son accord depuis si longtemps que Tina ne pouvait s'y opposer. De toute manière, elle n'avait d'yeux que pour John. Si la jeune femme suivait ses conseils, une nuit ensemble conduirait à un mariage qui mettrait un terme à cette toquade pour la petite Fuller.

Sarah passait son chemin quand John ouvrit la porte.

— Où est Tina ? demanda-t-elle.

— Comment le saurais-je ?

Le regard lugubre, elle s'accrocha à la rambarde et grimpa les marches. Ce garçon devait être de pierre. Pourquoi cela n'avait-il pas marché ? Elle l'attrapa par les oreilles.

— Ne joue pas avec ce qui est écrit, gronda-t-elle. Tina t'est destinée et je m'arrangerai pour que tu reviennes à la raison.

Adossé contre une pile d'oreillers, Squire Ade étalait du beurre et du miel sur son pain, quand sa femme Amelia entra sans frapper. Qu'elle vienne dans sa chambre le surprenait déjà, mais qu'elle soit habillée à cette heure si matinale et pénètre sans prévenir ne signalait rien de bon.

— Votre petit déjeuner est terminé, Charles. Gilbert arrive bientôt.

— Et alors ? marmonna Squire. J'ai envie d'être tranquille.

Amelia lui lança un regard plein de mépris.

— Je n'en doute pas. Mais il y a plus important que votre besoin de solitude… Gilbert souhaiterait vous parler d'Isabelle, ajouta-t-elle, l'air triomphant.

Son appétit envolé, il lâcha sa tartine sur le plateau et le repoussa.

— Elle est au courant ?

— Bien entendu ! s'impatienta sa femme. Nous avons eu une longue conversation hier soir et elle est enchantée.

Charles la fixa longuement. Il ne voyait aucune tromperie, aucun signe de manipulation et pourtant il se doutait qu'elle avait influencé la jeune fille. Amelia était une femme sournoise et Isabelle trop docile et trop douce pour la contredire.

— J'aimerais d'abord m'entretenir avec ma fille, madame, exigea-t-il. Car je la soupçonne de contester cette union. Dans ce cas, je n'accorderai pas ma permission.

— Impossible, mon époux. Isabelle s'habille et le capitaine doit arriver d'une minute à l'autre.

Charles repoussa les couvertures et sortit de son lit à baldaquin pour ne plus être en position d'infériorité vis-à-vis de sa femme. Il enfila une robe de chambre et en noua la ceinture.

— Alors le capitaine devra attendre qu'Isabelle et moi soyons prêts, grogna-t-il. Je ne serai pas rudoyé sous mon propre toit, madame.

— Mais Charles, très cher...

— Il n'y a pas de mais! rugit-il. Isabelle doit être consultée. C'est une jeune fille sensible. Elle reviendra à la raison quand elle comprendra que ce gredin n'est pas assez bien pour elle.

Les poings sur les hanches, Amelia se posta devant lui, ses yeux verts remplis de larmes.

— Ne gâchez pas cette occasion! Elle est amoureuse du capitaine. Elle a l'opportunité d'avoir le genre de vie dont nous avons toujours rêvé pour nos filles, l'occasion de s'épanouir. Si vous intervenez, vous la terrifierez et elle perdra sa seule chance de bonheur.

Sa tirade mit Charles mal à l'aise. Il détestait voir Amelia pleurer. Évidemment, il souhaitait que sa fille soit heureuse. Mais elle devait apprendre quelques détails sur Gilbert avant de l'épouser. Des informations répugnantes qui dévasteraient sa fille et briseraient le peu de confiance qui lui restait après ses débuts humiliants à Londres.

Percevant peut-être son hésitation, Amelia lui prit le bras.

— Comme vous, je veux ce qu'il y a de mieux pour Isabelle. Elle est assez mûre pour connaître ses sentiments. Je ne veux pas qu'elle soit à nouveau blessée, Charles, murmura-t-elle, des larmes tremblotant au bout des cils. Souvenez-vous de son retour de Londres. Aujourd'hui que l'espoir renaît dans son cœur, désirez-vous vraiment tout détruire?

— Bien sûr que non. Mais je n'aime pas le bonhomme. Isabelle pourrait espérer mieux.

Il détourna néanmoins le regard sachant qu'en vérité les chances d'Isabelle de se trouver un mari étaient très minces.

— Elle l'aime, Charles, insista Amelia. Elle connaît les défauts de Gilbert et les accepte.

Il repensa à l'agression de Rose, à la correction que Gilbert avait donnée à son cheval après avoir été désarçonné.

— Il la trompera, Amelia. Il ne s'occupera pas d'elle comme il se doit. Ce n'est pas un gentleman.

Amelia se tamponna les yeux avec un mouchoir en dentelle.

— Gilbert est sous son charme. Je sais qu'il sera un époux aimant et fidèle.

Charles en doutait, mais, pour sa fille, il accepterait d'écouter ce que le capitaine avait à dire et se forgerait une opinion.

— Parfois, madame, j'aimerais mieux connaître mes filles.

— Rares sont les pères qui connaissent réellement leurs enfants, et surtout leurs filles. Mais vous vous réjouiriez si vous les voyiez en ce moment. Cela faisait si longtemps que je n'avais pas entendu Isabelle rire de si bon cœur avec sa sœur.

Charles demeura seul dans la chambre. Son opinion n'avait aucune valeur ; une nouvelle fois, Amelia s'était montrée plus maligne que lui. En effet, s'il rembarrait le capitaine, il condamnait ses deux filles et jamais on ne le lui pardonnerait.

— Que faire ? Que faire ? marmonna-t-il devant la fenêtre.

Pouvait-on abuser davantage de la gentillesse d'un homme ? Si seulement il avait un fils... Un père savait à quoi s'en tenir avec les garçons.

— Tout est arrangé, ma chérie. Ton père a accepté de rencontrer Gilbert ce matin. Enfin une bonne nouvelle !

Amelia sortit quelques robes de la penderie pendant qu'Isabelle tirait sur les rubans de son jupon. Son corset était si serré qu'elle respirait à peine et Rose avait si bien relevé ses cheveux en chignon qu'elle aurait une migraine sans tarder. Mais ce n'était rien comparé à sa douloureuse indécision.

— Papa approuve ? demanda-t-elle d'une voix teintée de doute et d'excitation.

— Bien sûr... Bon, la jaune en soie ou la verte à rayures ?

— La jaune est à Charlotte, maman. Vous savez que cette couleur ne me va pas.

— Le gris non plus, marmonna Amelia tout en jetant une par une ses robes à terre. Mais cela ne t'empêche pas d'en porter.

— Maman ! protesta Isabelle qui se dépêcha de ramasser sa préférée en soie gris colombe. S'il vous plaît, laissez-moi choisir ma robe.

— Avec ton teint, il faut une couleur qui égaye ton visage. Que penses-tu de celle-là ? Tu l'as à peine mise depuis que le couturier l'a livrée.

Isabelle examina le tissu rose et se mordit la lèvre. Le corsage brodé était si décolleté qu'elle se sentait quasiment nue et les boutons de rose en soie cousus sur les volants en dentelle au niveau des coudes et de la poitrine lui semblaient ridicules.

— Elle est un peu…

— Elle est parfaite ! déclara sa mère. Rose t'aidera à t'habiller pendant que j'irai chercher mes perles. Une demoiselle ne porte pas de rubis la journée.

— Maman…

Isabelle tendit la main pour calmer son agitation. Le doute l'oppressait.

— Gilbert m'aime, n'est-ce pas ? Sincèrement ? Il ne court pas après ma dot ?

Amelia émit un rire léger et la serra dans ses bras. Puis elle recula et lui prit les mains avec un air indulgent.

— Jeune oie ! Qui n'aimerait pas une personne aussi charmante que toi ? Crois-moi, Isabelle, l'amour a mis de la couleur sur ton visage et des étincelles dans tes yeux. Tu es presque belle.

Sur le seuil de la porte, elle lui lança :

— Prends ton temps, ma chérie. Mme Patterson a préparé le boudoir. Descends quand tu seras prête. Je reviens dans un moment pour voir si tu n'as rien oublié. Nous attendrons que Gilbert en ait fini avec ton père et je l'escorterai jusqu'à toi.

Amelia lui envoya un baiser et, avec un large sourire, elle quitta la chambre.

Isabelle avait l'habitude que sa mère manque de tact et l'offense voilée sur sa laideur fut perdue dans les premiers frissons d'excitation. Elle n'aurait pas dû douter des intentions de Gilbert : son père autorisait leur union et il ne se trompait jamais. Plus besoin de se morfondre. Les rêves en lesquels elle n'osait croire devenaient enfin réalité.

Le nouveau campement gitan avait été installé dans une étroite vallée nommée Kingston Hollow. Il était un peu éloigné de Lewes mais l'expérience avait appris aux bohémiens qu'il valait mieux vivre à l'écart de la ville s'ils voulaient que leur homme gagne le combat.

John était assis, silencieux. Torse nu, il ne portait qu'un caleçon long en coton et des bottes en cuir souple mais pourtant il avait chaud. Il commença à avoir le trac quand la brise nocturne lui apporta les murmures du champ de foire. Les autres lui avaient raconté que la foule était animée ce soir, qu'il y aurait de l'argent à parier et beaucoup de bière à boire. Les hommes arrivaient dans leur voiture, les prostituées menaient rondement leur affaire et cela chaufferait sûrement avant le petit matin. John prit une profonde inspiration et regarda la seule maison qu'il ait jamais connue. La roulotte était séparée en deux moitiés, l'une pour cuisiner, l'autre pour dormir. Un poêle muni d'un tuyau étroit fonctionnait assez bien tant que le vent ne soufflait pas dans le mauvais sens. Il possédait un garde-manger, plusieurs coffres remplis de vaisselle et de linge appartenant à sa grand-mère, et aux murs étaient accrochés des marmites en cuivre et des ustensiles de cuisine.

Assis au fond sur la large couchette double qu'il partagerait avec la vieille dame jusqu'à ce qu'il se marie et puisse acquérir sa propre roulotte, John observa la dentelle blanche qui pendait aux fenêtres. La collection d'éventails et de tambourins accrochée aux murs accentuait l'impression de désordre. La lumière diffuse des lampes adoucissait les couleurs discordantes des tapis et des coussins de sa grand-mère. Les pots aux décorations multicolores brillaient sur les étagères étroites et les vignes entremêlées qu'avait peintes Sarah plusieurs années auparavant au plafond lui paraissaient encore réelles.

Il n'avait ni connu ni désiré autre chose, jusqu'à aujourd'hui. Au cours de ses voyages, il avait entraperçu des univers différents et, s'il voulait capturer Rose, il savait qu'il devrait quitter cet endroit protégé et trouver fortune ailleurs.

John décrispa ses muscles huilés et tendit les poings. Les tendons et les veines saillirent fièrement sous la peau bronzée et il sentit sa force courir en eux. Tina avait bien travaillé ce soir, admit-il en silence. Sa grand-mère lui avait enseigné avec talent l'art du massage et de la guérison.

Les deux femmes manquaient de subtilité mais, il devait l'avouer, il appréciait leur prévenance. Tina était un bon parti et, s'il n'en aimait pas une autre, il aurait pu tirer avantage de la situation, mais ce n'était pas le moment de penser à Tina et à Rose. Il avait un combat à gagner.

Il connaissait son adversaire bien qu'il ne l'eût jamais rencontré. Jack Jilkes le Fou était un boxeur chevronné ayant un nombre impressionnant de victoires et d'admirateurs derrière lui. À une époque, Jilkes aurait pu participer au championnat britannique mais son penchant pour la boisson avait compromis ses chances et, désormais, il se rabattait sur les combats à mains nues dans les foires de province.

John serra et desserra les poings, inspira longuement et concentra son énergie sur son adversaire. Jack le Fou avait quinze ans de plus que lui et un passé légendaire, mais John avait assisté à ses deux derniers combats et il se sentait capable de le vaincre.

La roulotte oscilla quand des pas lourds grimpèrent les marches. Son cousin Tom Wilkins tapa à la porte.

— Tu es prêt, John?

Celui-ci se leva en prenant garde au plafond bas.

— Tout à fait prêt!

Un grand sourire s'afficha sur le visage rond de Tom.

— Ce sera les doigts dans le nez ce soir. Jack le Fou a picolé dur et ses supporters misent lourd. T'auras juste à te montrer pour gagner.

John écrasa l'épaule grasse de son cousin.

— Ne sous-estime jamais ton adversaire, Tom. Jilkes est peut-être ivre mais c'est un chat de gouttière. Il se battra jusqu'à son dernier souffle, quitte à multiplier les coups bas. Ce ne sera pas une partie de plaisir, crois-moi.

— Tu t'es regardé récemment? l'interrogea Tom, les yeux brillants d'admiration. Tu as la musculature d'un taureau, la couleur du cuivre astiqué et je parie que celui qui t'affrontera ce soir saura qu'il a perdu à la minute où il te verra.

John aimait assez la flatterie mais, sachant la valeur de telles louanges, il demeura lucide.

— Dans un combat, ce n'est pas le physique qui compte mais le mental. Maintenant, dégage du chemin, on m'attend.

La main de Tom l'arrêta.

— Il faut que je te dise quelque chose avant. C'est important.

Dans un soupir, John enfila une veste chaude.

— Tu abuses de ma patience, marmonna-t-il.

Pressé de partager la nouvelle, son cousin haussa les épaules.

— Papa a vu le Gros Billy Clarke au milieu de la foule. Tu sais ce que ça veut dire, hein…

John se figea. L'excitation et l'espoir enflèrent en lui.

— Le Gros Billy, répéta-t-il. Le manager de Jack… Bah, il est là pour surveiller son protégé.

— Non, il aurait entendu parler de toi et il est venu en personne jeter un coup d'œil. Jack le Fou est fini. D'après papa, le Gros Billy cherche un autre boxeur en vue du combat pour le titre britannique de l'année prochaine.

John lui cacha son agitation. Il devait absolument se concentrer sur le combat.

— Il ne va pas regretter d'être venu, lui promit-il.

— Messieurs ! cria oncle Harry, le père de Tom. J'ai le plaisir de vous présenter le spectacle de ce soir. Dans le coin rouge, John Tanner, le Gitan.

Celui-ci haussa un sourcil.

— Tom ! Depuis quand je m'appelle John le Gitan ?

— Depuis cinq secondes. Tu connais papa… Faut que les parieurs déboursent… Bonne chance. J'ai misé quelques pièces sur toi.

— Et dans le coin bleu, messieurs, je vous présente… Jack Jilkes le Fou ! Champion des rings depuis plus de quarante combats !

La voix d'Harry fut engloutie par les rugissements de la foule quand l'homme monta sur le ring.

Jack leva la main pour saluer ses admirateurs. À première vue, il était toujours aussi grand et large ; toutefois, malgré des poings aussi gros que des jambons, son visage arborait les cicatrices de ses trop nombreux combats. Son corps d'acier s'empâtait, les muscles de ses jambes avaient fondu. Mais John avait raison de se méfier de cet homme en fin de carrière car son âme de tueur brillait encore dans ses yeux jaunis et imprégnés de sang. Bien que vieillissant et imbibé de bière, Jack le Fou s'accrocherait à sa gloire jusqu'à son dernier soupir. Le combat n'était pas encore gagné.

Ils étaient prêts à attaquer quand Harry Wilkins se posta entre eux. Tandis que la foule s'impatientait, il récita la maigre liste de règles qui s'appliquaient à un combat à mains nues.

— Ils m'ont envoyé un bâtard hargneux pour que je mette fin à ses souffrances ! grogna Jack entre ses dernières dents. Je vais m'amuser avec toi, sale gitan.

John ne mordit pas à l'hameçon. Depuis le temps, il avait appris à ignorer les insultes. Le regard fixe, il serra les poings et se balança doucement sur la pointe des pieds.

Jack cracha par terre, à quelques centimètres des bottes de John. Il commençait à être agacé par son absence de réaction.

Tendu, John attendait le signal d'Harry pour attaquer. Jack le Fou était réputé pour sa fourberie et ses bottes cuirassées.

Le crochet du droit surgit de nulle part à une telle vitesse et avec une telle férocité qu'en l'esquivant John sentit un courant d'air sur son visage. Fidèle à sa réputation, Jack le Fou n'avait pas attendu la cloche.

Profitant que Jack soit déséquilibré et ait exposé son corps, John donna une série de coups dans son ventre mou qui semblèrent avoir peu d'effet sur le colosse. Quand il s'approcha, John reçut un uppercut qui le souleva et le sonna.

Il fut jeté dans les bras de ses entraîneurs qui eurent trente secondes pour le renvoyer dans le carré. Sous leurs cris d'encouragements, John secoua la tête pour chasser les points blancs qui l'aveuglaient. Il respirait mal, la sueur lui piquait les yeux et, lorsqu'il regagna le ring, il eut la peur de sa vie : il ne voyait plus son adversaire.

John secouait la tête quand son menton rencontra le poing de Jilkes. Le goût cuivré du sang et les huées du public le rappelèrent à l'ordre. Il se mit à danser autour du carré tandis que le colosse le suivait d'un pas lourd. Il avait besoin de temps afin de reprendre son souffle et de s'éclaircir les idées.

Les étranges yeux jaunes de Jack étaient injectés de sang et de colère alors qu'il décochait des coups inutiles dans l'air entre lui et le danseur.

— Arrête de remuer, petit bâtard, gronda-t-il. Bats-toi comme un homme.

John, lui, sautillait avec légèreté, la vue recouvrée et perçante. Son long bras jaillit et son poing heurta la pommette de Jack le Fou. Une entaille rouge se creusa et du sang se mélangea à la sueur sur le visage déjà meurtri.

Deuxième coup, deuxième coupure. L'os grinça et se fendit sous les coups de marteau. Malgré cela, rien n'effaçait la rage dans ses yeux féroces.

Le coup de pied s'abattit juste en dessous du genou de John si bien qu'il trébucha et perdit le rythme. Jack le Fou s'approcha, ses poings forts comme des massues s'enfoncèrent dans la chair tendre entre les côtes de John. Sans air dans les poumons, il bondit sur un pied. Le jeune gitan devait lui régler son sort rapidement avant qu'il ne provoque davantage de dégâts. Le salaud était ivre, mauvais, costaud mais surtout bien plus dangereux que sa condition et son âge ne le laissaient croire.

La sueur luisant sur son front, John esquiva un autre coup et puis le frappa plusieurs fois au ventre avant de s'éloigner dans un pas de danse.

Jack le Fou perdit l'équilibre et battit des bras sans toucher son adversaire. Dans un hurlement de rage, il repoussa ses entraîneurs qui lui criaient de prendre les trente secondes autorisées. Les poings levés pour parer d'autres coups, il secoua la tête pour chasser le sang et les gouttes de sueur de ses yeux et s'élança derrière le danseur.

— Tu es mort, petit bâtard !

John feinta.

Jilkes leva le bras pour dévier le coup et ne vit pas l'uppercut massif qui lui souleva le menton. Déstabilisé, il se figea, vacilla un long moment puis heurta le sol dans un fracas qui résonna jusque dans les bottes de John.

La foule se leva comme un seul homme. Un grondement de colère explosa telle une lame de fond au-dessus de la tête du gitan qui dansait autour de l'homme à terre.

— Debout, grande gueule ! Viens te battre, lui criait John.

Jack le Fou fut soulevé par ses entraîneurs pendant que Harry Wilkins comptait mais le boxeur vieillissant avait survécu à trop de combats : il reprit vite ses esprits et se débarrassa de ses comparses. Sang, morve et sueur volèrent dans la foule moqueuse quand il secoua la tête tel un grand chien de chasse. Ses poings fauchaient l'air, manquaient leur cible et lui faisaient perdre l'équilibre.

Avec habileté, John esquissa un pas de côté et le prit au dépourvu. Rassemblant ses dernières forces, il le frappa violemment au menton. Il mit dans le mille si bien que la tête de Jack partit en arrière, ses yeux roulèrent dans leur orbite et sa bouche s'ouvrit sous le choc. Ses imposantes épaules s'affaissèrent lorsque ses bras retombèrent.

Un silence de mort s'abattit sur la foule et enveloppa les deux hommes. L'animosité des spectateurs était palpable.

Jack le Fou tituba, les yeux dans le vide, les jambes tremblotantes. Sur un ring, il n'y a pas de place pour la pitié et la complaisance. John le frappa à nouveau avec précision en plein visage cette fois-ci.

Le colosse chancela, le sang coulait à flots de son nez. Soudain, il tomba à genoux, comme en hommage au jeune boxeur. Sa grande carcasse trembla et, telle une falaise de craie rongée par la mer, il s'effondra lentement sur le sol.

Harry se mit à compter. Les entraîneurs de Jack disposaient de trente secondes pour le remettre sur pied et le renvoyer sur le ring. John s'écarta. La foule silencieuse se pencha en avant, tous les regards rivés sur leur héros déchu.

— Fin du temps ! hurla Harry. Nous avons un vainqueur.

La foule déchaînée lança des fruits pourris sur le ring puis des sièges et des bancs en bois. Vinrent ensuite les coussins qui précédèrent les pichets de bière et les chaussures tandis que les entraîneurs de Jilkes le soulevaient et le traînaient de manière infamante hors de leur portée.

Harry esquiva une chaise volante.

— On s'en va, petit ! hurla-t-il à John.

Celui-ci ne se le fit pas dire deux fois. Entouré de ses entraîneurs, il bondit hors du ring et traversa le rideau en tissu pour se fondre dans la nuit absolue. Les gitans tapis dans l'ombre les guidèrent jusqu'à leurs chevaux.

Tandis que John éperonnait le sien, ses pensées tournaient à l'aigre. L'histoire se répétait à nouveau. À cause de cette victoire, les siens devaient dissimuler leur campement car les locaux déçus n'auraient aucun respect pour leurs femmes ou leurs biens. Chaque fois que leur camp était découvert, les gens y mettaient le feu, volaient ou libéraient leur bétail, mettaient leurs vies en danger. Le jeu n'en valait pas la chandelle.

Ce soir, le camp était bien caché dans la vallée ; John et les autres s'assurèrent néanmoins de ne pas être suivis.

Tina et Sarah l'attendaient.

— Bois ceci, petit. Je vais te revigorer, moi.

Sarah lui tendit un breuvage nauséabond aux pouvoirs magiques capables de guérir très vite. Il l'engloutit.

— John Tanner ? s'exclama une voix claire et sévère.

Les hommes formèrent une ligne protectrice devant les femmes. Leur cachette était compromise.

John s'avança mais ne distingua que des ombres devant lui.

— Qui le demande ?

— Billy Clarke, lui répondit-on.

John et les autres se dévisagèrent.

— Allumez les torches, chuchota-t-il. Et tenez-vous prêts si c'est un piège.

Il s'éloigna d'un pas de la ligne de protection.

— Montre-toi, Billy Clarke, ordonna-t-il.

Le ciel étoilé en arrière-plan, une silhouette à cheval descendit la vallée. Les torches vacillantes montrèrent un homme grand et carré, assis sur un pur-sang.

Le cœur de John battait à toute allure. Il ne percevait aucun autre cheval, aucune menace de la part du visiteur.

Le Gros Billy Clarke – si c'était lui – descendit de cheval et, l'air amical, tendit la main à John.

— Je suis désolé de surgir ainsi, mais tu es parti si vite que je n'ai pas eu le temps de te parler après le combat.

Des murmures s'élevèrent derrière John. L'homme avait un visage honnête, le regard pénétrant, une poignée de main ferme.

— Inutile de traîner quand une foule en furie cherche ta planque, répliqua John. Tu as pris un risque en venant ici.

Le gros homme sourit.

— Je ne m'attendais pas à un *pachiv*, mais j'ai le droit de rendre visite à mon *niamo*, non?

Des chuchotements suspicieux suivirent le silence étonné.

— Un *pachiv* est une cérémonie organisée pour les invités d'honneur, traduisit John. Et tu prétends rendre visite à de la famille mais tu n'as pas l'accent de notre tribu, Lomavren.

Billy Clarke souleva son chapeau et révéla une épaisse chevelure noire.

— Ma tribu vient d'Arménie mais nous autres bohémiens ne formons qu'une famille face aux *gadjikanes*.

John éclata de rire.

— Voilà pourquoi tu as pu nous suivre sans qu'on s'en rende compte. Les *gadjikanes* auraient fait beaucoup de bruit avec leurs chevaux maladroits et leurs chiens agités. Tu me surprends, Billy Clarke. J'ignorais que nous étions du même sang.

Des centaines de lignes plissèrent le visage ravi du Gros Billy Clarke.

— Les vieilles habitudes ont la vie dure, petit. Même si je vis parmi les *gadjikanes* depuis longtemps, il me reste encore quelques tours dans la manche. Quant à mon sang, il est parfois plus diplomatique de ne pas parler de mes ancêtres.

Entouré par sa tribu, John le conduisit à sa roulotte. Les lanternes furent allumées, la bière fut distribuée. La pipe à la bouche, on discuta du combat du soir. Quand le débat se calma, Billy se tourna vers John.

— Qu'en dirais-tu si ton prochain combat avait lieu dans un vrai ring de boxe à Londres?

Tous les regards se posèrent sur John.

— Cela dépend de ce que tu m'offres et contre qui je me bats, annonça ce dernier d'une voix calme alors que ses pensées bouillonnaient.

Le célèbre Billy Clarke réalisait son rêve de gosse. Un instant d'inattention et ses espoirs s'envoleraient. Il devait garder la tête froide quoi qu'il arrive.

— En effet, nous devons en discuter car je vois en toi le prochain prétendant au titre britannique.

6

Cornelia n'avait jamais été aussi fatiguée de sa vie. Conter l'histoire du domaine de Jacaranda l'épuisait et elle se demandait si elle n'avait pas commis une erreur en effectuant ce voyage.

« Tu n'es qu'une vieille folle », se réprimanda-t-elle tandis que la nuit avançait et la respiration régulière de Sophie accompagnait les soupirs du vent dans les eucalyptus. L'histoire aurait pu être racontée à Melbourne... Non, c'était la seule solution. Certaines personnes dans la vallée de Hunter représentaient le dernier lien entre le présent et le passé. Après tant d'années de silence, elles souhaiteraient peut-être combler la brèche et ramener un peu de vie dans les vignes en déclin. Elle pariait gros mais il le fallait si elle voulait sauver l'héritage de sa petite-fille. Si elle échouait, ce serait la victoire de Jock depuis l'au-delà.

Cornelia ferma les yeux au moment où le tonnerre gronda. Tandis que l'air devenait plus pesant et dissipait le parfum des eucalyptus et des mimosas, elle se remémora ses premières années de mariage. Le passé la rattrapait, ternissait le présent, prenait vie avec une grande clarté comme si les décennies écoulées n'avaient jamais existé.

À l'époque, Jock était un amant patient et doux; elle s'épanouissait au fur et à mesure qu'elle découvrait sa sensualité et qu'il libérait les profondeurs inconnues en elle. Elle avait enfin trouvé un exutoire à toutes ces frustrations refoulées, un homme qui comprenait son besoin de sentir le contact de la terre entre ses orteils, le vent dans ses cheveux. Ils partageaient le même rêve, visaient les mêmes buts et, quand elle donna naissance à ses précieux jumeaux, leur avenir s'annonçait des plus heureux.

Puis Cornelia perdit son père et, pour ajouter à sa peine, une longue sécheresse arriva. Interminable et épuisante, elle consomma l'énergie de la terre et des personnes qui travaillaient les vignes desséchées. Alors que le soleil et les vents chauds ne les épargnaient pas, ils continuaient de sillonner les vignes avec des seaux d'eau. Autant pisser dans un violon.

Durant ces cinq terribles années, Cornelia fut tiraillée entre deux priorités. Aujourd'hui encore, elle se demandait si la sécheresse n'avait pas creusé les premières fissures dans son mariage. Plus elle labourait la terre entre les vignes et soulevait des spirales de poussière sur les terrasses, plus elle asséchait ses rêves et mettait à nu les racines de son union avec son mari.

Bundoran, le vignoble de Jock, était plus petit que Jacaranda et plus facilement exploitable car ses terrasses occupaient moins de deux milles acres. Il avait installé un système d'arrosage par tuyaux depuis des puits et des rivières. Tant que les sources souterraines n'étaient pas taries, Bundoran survivait.

Le domaine de Jacaranda n'avait pas cette chance. Il s'étendait sur des milliers d'acres, ce qui rendait impossible une telle irrigation. Il nécessitait une forte main-d'œuvre qui ne pouvait rien contre les assauts de la canicule. Jock savait que Jacaranda ne donnerait aucune récolte et ne comprenait pas pourquoi Cornelia insistait pour se lever chaque jour avant l'aube et traîner en carriole de l'eau sur les terrasses agonisantes avant de retourner, épuisée, à Bundoran. Ce domaine-ci était peut-être moins chargé d'histoire mais les pertes seraient moins importantes. L'entêtement de Cornelia à se battre pour sauver Jacaranda contrariait Jock car ses vignes avaient elles aussi besoin d'attention. Leurs disputes s'envenimaient à mesure que la chaleur augmentait.

Finalement, des pluies torrentielles s'abattirent sur la région et les rares pieds survivants furent couchés contre la riche terre noire. Au cours de leur première marche sur les terrasses dévastées, Cornelia, son frère Edward et leur mère en conclurent que c'était la fin. Il n'y aurait pas de vendanges cette année non plus. Ils avaient tout perdu. Le domaine de Jacaranda était mort.

En ce matin humide et morne, Cornelia était retournée à Bundoran, les jupes boueuses, le moral au plus bas, et avait retrouvé Jock jubilant.

— Nous sommes sauvés, Cornelia ! Les vignes ont survécu malgré le déluge. Je savais que ce système de tuteurage fonctionnerait !

Il dut lire le manque d'enthousiasme dans les yeux de son épouse car sa joie fut vite remplacée par une colère sourde.

— Je t'avais dit que Jacaranda ne franchirait pas le cap. Si tu avais consacré ton énergie à nos vignes, nous n'aurions pas perdu le sauvignon.

— Bundoran ne sera jamais à moi comme Jacaranda l'est. Ma famille cultive ces terres depuis des générations. Maintenant il n'y a plus rien.

Les larmes gonflaient les yeux de Cornelia mais elle refusait de les laisser couler. Jamais Jock ne saurait quelle douleur cet échec lui infligeait.

— Je suis simplement contente que papa ne soit plus là pour voir ce désastre.

Soudain, Jock la regarda avec gentillesse. Ses vêtements étaient trempés, ses cheveux collés sur son visage, l'eau coulait le long de son dos pendant que ses bottes boueuses collaient au sol et pourtant elle gardait le menton haut et sa bouche affichait sa détermination. Il la serra dans ses bras.

— Je sais que Jacaranda compte beaucoup pour toi ; pardonne mon manque de sensibilité. Mais la vie que nous avons choisie n'est pas faite pour les faibles. Ton père le savait, il ne te blâmerait pas.

— Je sais, renifla-t-elle dans son gilet. Mais sans vendanges pendant cinq ans, nous ne pouvons pas acheter de nouveaux plants. Maman a perdu l'envie de se battre depuis la mort de papa et Edward est trop jeune pour prendre le relais. Si je n'agis pas, ce sera la faillite.

Elle entendait le battement de son cœur sous le tissu, régulier et réconfortant.

Quelques minutes plus tard, il s'adressa à elle d'une voix pensive :

— La récolte de cette année permettra d'investir dans de nouvelles vignes pour Jacaranda. Si tu es prête à relever le défi, moi aussi ! Voyons si nous pouvons tirer quelque chose de cette calamité.

Cornelia leva les yeux vers lui, surprise qu'il réponde ainsi à ses prières.

— Tu es sérieux, Jock ?

— Je souhaite investir dans le domaine de Jacaranda. Mais attention, ce n'est pas un cadeau ; je veux quelque chose en échange.

Son pouls s'affola quand de noirs soupçons frustrèrent ses espoirs.

— Et quoi ? l'interrogea-t-elle.

— Cinquante pour cent de la vigne.

Cornelia soupira dans l'obscurité à l'approche du sommeil tant attendu. Les vignes plantées par Jock à l'époque avaient peut-être sauvé Jacaranda mais il avait semé le vent. Et, aujourd'hui, ils récoltaient la tempête.

La balancelle en bois sous la véranda grinça quand Annabelle s'y assit. La nuit était tombée ; elle profitait du calme précédant l'orage et du parfum des jasmins qu'elle avait plantés plusieurs années auparavant. En temps ordinaire, elle aurait apprécié la quiétude de son jardin et le spectacle de l'océan. Mais, ce soir, elle avait l'esprit ailleurs.

Martin, son mari décédé cinq ans auparavant, lui manquait. Peut-être ne s'était-elle pas habituée à cette idée à cause de la manière dont il était parti ? Pendant des années, ils ignoraient qu'il souffrait d'un cancer ; après le diagnostic, il était trop tard pour opérer. Il mourut trois mois après et elle n'acceptait toujours pas le vide qu'il avait laissé derrière lui. Il y avait certaines choses qu'elle aurait aimé lui dire. En vérité, ils avaient réussi leur mariage, malgré la désapprobation de Jock.

Elle sourit en se rappelant sa furie quand elle lui avait tenu tête et avait refusé d'en épouser un autre. Ce fut l'unique fois où elle le défia et elle ne l'avait jamais regretté.

Dans un long soupir, Annabelle défit la ceinture de son peignoir et l'ôta. Il faisait trop chaud pour porter le moindre vêtement et, bien que pudique, elle savait que personne ne la verrait, assise là en chemise de nuit, car la véranda était cachée de la route par une rangée de gommiers rouges en fleur.

Elle repensa à sa vie – qu'aurait-elle été si Martin et elle avaient pu avoir des enfants? Peut-être se sentirait-elle moins seule aujourd'hui? Mais rien n'était garanti. Qui dit que sa progéniture se serait souciée d'elle? Les parents seuls et âgés pouvaient vite devenir un fardeau.

— Mais je ne suis pas vieille! chuchota-t-elle dans le noir. Je n'ai que cinquante et un ans. Une paille à côté de maman...

Comme frappée par la foudre, elle comprit qu'il était temps pour elle de faire face à la réalité, d'arrêter de gâcher sa vie. Terminés le deuil et l'apitoiement sur soi-même. Martin l'avait toujours protégée de Jock et de Mary, lui avait épargné les dures réalités de l'entreprise et les soucis financiers attenants. Elle s'était volontiers mise en retrait, alors qu'elle était aussi capable qu'une autre de gérer la situation. En fait, il avait été plus facile pour elle de s'effacer que de se battre afin d'être entendue.

Son père avait pris sa discrétion naturelle pour un manque d'intelligence et sapé son peu de confiance en elle si bien que les grandes réunions et les inconnus la terrifiaient. Intimidée par son tyran de père, elle avait compris très tôt que sa beauté la sauverait. Mais, au fil des mois, la disparition de Martin s'était imprimée sur chaque trait de son visage et avait détruit – selon elle – cette grâce salvatrice. Telle une souris timide, elle se fondait chaque jour davantage dans le paysage.

Elle se leva; le peignoir oublié glissa sur les dalles en bois de la véranda. Le cœur battant à toute allure, elle traversa le salon et se posta devant le miroir. Si elle reprenait confiance en elle, l'influence positive de Martin ne serait pas complètement perdue. Si elle entrapercevait la jeune femme qui avait défié ce père si terrifiant et épousé l'homme qu'elle aimait, son avenir serait moins gris, moins vide.

Les mains tremblantes, elle alluma. Aucune pensée négative ne devait troubler son jugement, décida-t-elle. Elle prit une profonde inspiration et affronta son reflet.

Évidemment, des rides marquaient son visage mais on avait vu pire ; sa chevelure châtain se teintait de gris, ce qui pouvait s'arranger. Derrière ses lunettes à monture en acier, ses yeux étaient étonnamment clairs et perçants, les iris gris teintés de noir, les cils peut-être un peu moins sombres et longs qu'autrefois. Des lentilles et du mascara rectifieraient cela – elle s'en occuperait demain.

Elle effleura ses pommettes hautes, son cou gracile. Elle avait perdu les rondeurs de sa jeunesse mais son allure lui convenait. Un peu de rouge à lèvres, une séance de manucure et le tour serait joué.

Elle cligna des yeux pour bloquer toute pensée négative, leva le menton et recula lentement. Bien que petite, elle avait toujours été svelte et sa silhouette paraissait tout à fait convenable sous sa chemise de nuit légère. On ne percevait aucune cicatrice, aucune vergeture.

— Il est temps d'entrer dans le jeu, Annabelle. Plus de vêtements informes et démodés. Plus de brimades.

Il s'agissait de paroles courageuses pour une personne qui avait accepté très jeune d'être la dernière roue du carrosse familial. Face à son miroir, elle attendit un long moment que quelqu'un lui reproche sa hardiesse. Seul le silence lui répondit.

— Tu as la vie devant toi, Annabelle, continua-t-elle. Papa ne peut plus te faire de mal. Qu'attends-tu pour passer à l'action ? Bon Dieu, qu'on t'entende enfin !

Elle sourit à la photographie posée sur la cheminée.

Martin lui rendit son sourire et parut lui chuchoter des encouragements :

— Tu l'as défié autrefois. Recommence !

Oui, l'esprit bienfaisant de son époux vivait en elle. Demain, elle commencerait à sortir de l'ombre de sa famille et partirait en campagne contre le démantèlement du domaine de Jacaranda.

Il faisait bon en ce début de journée et Sophie revenait de sa baignade rafraîchie et pleine d'énergie. Elle avait bien dormi et beaucoup rêvé de Rose.

— Tu es rayonnante ce matin ! remarqua Cornelia.

Sophie la remercia par un sourire. Elle se sécha puis enfila un haut de bikini et un short.

— Cela faisait des années que je n'avais pas aussi bien dormi ! Ce doit être le grand air.

— Tu ne regrettes pas d'être venue, alors ?

— Absolument pas ! répondit Sophie dans un grand éclat de rire. Il était temps que je prenne des vacances. Mis à part mon voyage de noces de deux semaines, je n'avais pas fait de pause depuis l'université.

— Boulot, boulot, renifla Cornelia. Je peux avoir deux tranches de bacon ? J'ai faim ce matin.

— Le médecin ne t'a-t-il pas déconseillé les graisses animales ?

— Qu'est-ce qu'il connaît à la vie, ce vieux ronchon ? Au moins, je mourrai heureuse !

Et elles éclatèrent de rire. Elles prirent leur petit déjeuner à l'extérieur, sous l'auvent. Sans mouches pour les déranger à cette heure matinale, elles partagèrent un repas agréable et discutèrent de choses et d'autres.

— Pourquoi faisons-nous ce voyage, grand-mère ? finit par demander Sophie. Tu ne pouvais pas me raconter l'histoire de Jacaranda à Melbourne ?

— Si, admit Cornelia. Mais je souhaite depuis longtemps revoir un endroit en particulier avant de mourir et je ne voulais personne d'autre que toi pour m'accompagner.

— Quel endroit ?

— Tu le sauras assez tôt, répondit-elle en se beurrant une tartine.

Sophie poussa un soupir et lui lança un regard impatient.

— Pourquoi autant de secrets ? En quoi notre destination est-elle si spéciale ?

— Des personnes, des souvenirs, une partie de ma jeunesse, murmura Cornelia.

— À quand remonte ta dernière visite ?

Cornelia eut un sourire triste quand son regard se perdit dans le lointain.

— À très très longtemps, Sophie, avant que je rencontre ton grand-père. J'espère qu'il n'y a pas eu trop de changement. Cela me briserait le cœur de ne rien reconnaître.

Elle dut lire la question suivante de Sophie dans ses yeux car elle lui tapota la main.

— Je t'en dirai davantage quand nous arriverons, mon cœur. Maintenant, écoute les circonstances de la venue de Rose en Australie.

Malgré les objections d'Amelia qui le trouvait un peu précipité, le mariage fut prévu pour la fin de l'été. Isabelle et Gilbert seraient unis à l'église de Wilmington par l'évêque de Lewes. La réception aurait ensuite lieu au manoir.

Dehors dans le jardin, Rose rangeait la dernière lettre qu'elle avait reçue de sa mère dans la poche de son tablier. Elle l'avait lue de nombreuses fois en quatre semaines et elle se demandait quand arriverait la prochaine missive de Kathleen. Mélancolique, loin de l'affairement général, elle regardait le potager, le seul endroit où elle pouvait rêvasser, penser à son ancienne vie, à ses frères qui lui manquaient terriblement.

En cinq mois, elle n'avait eu que deux occasions de se rendre à l'école de Jevington. Là, elle avait ressenti un certain malaise de la part de sa mère. Mam lui avait paru distante. Les liens familiaux étaient brisés : David se méfiait d'elle et, lors de ses brèves visites, elle n'eut pas le temps de regagner sa confiance. Le bébé ne la reconnaissait pas, il hurlait et se débattait quand elle voulait le prendre dans ses bras.

Elle ne détestait pas vivre au manoir. La nourriture était abondante, son lit confortable et, à la fin de ses longues journées de travail, la compagnie des autres domestiques lui permettait d'oublier ses pieds endoloris. À son grand soulagement, le capitaine n'avait plus les mains baladeuses lors de ses fréquentes visites.

Tandis que le soleil se couchait doucement, ses pensées allèrent vers John. Elle n'avait plus eu de ses nouvelles depuis l'enterrement de son père et elle se demandait si les rumeurs concernant son succès sur les rings de Londres étaient vraies.

Pourtant, elle refusait de croire qu'il était parti si loin sans lui dire au revoir.

Son moral baissait en même temps que le soleil. Abandonnée de tous, elle souffrait de cette cruelle solitude. La compagnie de John lui manquait autant que celle de sa famille. Elle espérait simplement qu'au printemps il reviendrait au village, lors de la foire aux chevaux que les gitans organisaient sur le terrain communal avant les moissons.

Elle fut interrompue dans ses pensées par Fanny, une autre petite bonne qui la fit sursauter.

— Miss Isabelle veut te voir.

Elle redressa sa coiffe et lissa son tablier avant de se précipiter à l'intérieur.

Une vive excitation agitait Isabelle Ade quand elle s'adressa à elle.

— J'ai de bonnes nouvelles, Rose ! Maman est d'accord pour que tu m'accompagnes à Londres après mon mariage !

Rose eut du mal à cacher son abattement.

— Merci, miss Isabelle, chuchota-t-elle. Mais Fanny se faisait une joie de partir avec vous. Elle sera déçue.

— Fanny n'est pas ma dame de compagnie. Tu n'es pas contente d'aller à Londres avec moi, Rose ? Je croyais que tu apprécierais le changement et tout ce qui va avec !

La jeune fille se mordit la lèvre. Bien sûr, Londres offrait des perspectives intéressantes, mais, malheureusement, le capitaine faisait partie de l'aventure.

— Ce doit être merveilleux de vivre à Londres, miss Isabelle ! répliqua-t-elle avec autant d'enthousiasme que possible. Emmènerez-vous d'autres employés avec vous ?

S'ils étaient plusieurs, elle serait plus en sécurité, pensait-elle.

— Il y aura Alice de la cuisine et j'engagerai un cuisinier et une femme de chambre sur place.

Isabelle prit ses mains dans les siennes et la regarda droit dans les yeux.

— Qu'est-ce qui te trouble ainsi, Rose ? Est-ce la pensée de quitter Wilmington ou as-tu peur de perdre le contact avec John ?

Isabelle et sa jeune bonne avaient toujours été proches et elle connaissait la plupart des espoirs de Rose.

Rose s'accrocha à cette excuse.

— Si je pars, il ne saura pas où me trouver...

Isabelle rit aux éclats puis lui tourna le dos.

— Bécasse ! Bien sûr qu'il te retrouvera. Il est à Londres d'après ce que j'ai entendu dire. Tu pourras le voir pendant tes jours de congés ! Tout est arrangé, Rose. Le débat est clos !

Rose esquissa une révérence avant de quitter la chambre. Ses sentiments étaient partagés. Avec John à Londres et une maison fourmillant de domestiques, elle n'avait peut-être rien à craindre. Pourtant, elle pressentait que, marié ou non, le capitaine ne changerait pas ses habitudes. La perspective de devoir l'éviter à longueur de journée la déprimait.

Gilbert sortait de la salle à manger – il avait bu un peu trop de porto après un excellent dîner – quand il aperçut Rose par la grande fenêtre du hall d'entrée. Debout sous la lanterne, dans le jardin, elle discutait avec un cul-terreux. Ils échangèrent une lettre et il se demanda si un prétendant lui envoyait des mots d'amour, à moins que le jeunot boutonneux fût l'objet de son affection.

Un autre jour, il ne leur aurait pas prêté attention et aurait rejoint les dames dans le salon – après tout, Rose n'était qu'une domestique que rien ne distinguait des autres, excepté sa jolie silhouette et son tempérament de feu – mais là, sa manière de lire la lettre piqua sa curiosité ; il sortit par la porte latérale.

La main de Rose tremblait au fur et à mesure que les mots s'organisaient dans son esprit.

Rose, acushla,

Ce que j'ai à te dire te causera beaucoup de peine et je suis désolée de ne pas être à tes côtés pour te réconforter. Mais tu es assez grande pour continuer seule dans la vie et tu comprendras vite les raisons pour lesquelles je te laisse aux bons soins de ces étrangers.

Je ne peux plus vivre et travailler à Jevington, Rose. Les dames sont gentilles mais Joe a très souvent de la fièvre et l'état de David fait que nous ne pouvons plus rester ici. Il a entrepris d'allumer des incendies et j'ai peur qu'il provoque un grave accident un jour. Mais ce n'est pas la seule raison de mon départ. Je n'ai jamais été heureuse en Angleterre, tu le sais. Depuis longtemps, je meurs d'envie de retourner en Irlande parmi les miens. Comme ton père n'est plus des nôtres, je peux à présent rejoindre ma famille.

Tu dois te demander pourquoi tu ne peux pas nous accompagner. En tant que femme, je sais que la vie sera rude pour toi et je n'ai trouvé qu'une apparente froideur à ton égard pour te préparer à l'avenir – un avenir inenvisageable en Irlande car là-bas le travail est rare et une jeune fille comme toi n'aura jamais les avantages que t'offre les Ade. J'ai commis des fautes par le passé qui ont couvert ma famille de honte, voire pire. En partant du Sussex, j'espère que ces erreurs s'estomperont. Sois forte, Rose et souviens-toi de ta promesse à papa et moi. Ne t'approche plus des Tanner car il existe de puissantes forces opposées à une telle union. Il ne faut pas contrarier la dukkerin.

Rose balaya du regard l'écriture tremblée avec un mélange de stupéfaction et de douleur. Les taches indiquaient que sa mère avait pleuré sur la lettre mais ses larmes n'étaient certainement pas aussi amères que celles qui coulaient sur les joues de Rose.

— Pourquoi? sanglota-t-elle, abasourdie par la brutalité des mots. Comment peux-tu m'abandonner ainsi? Tu ne m'aimais donc pas du tout?

La lettre froissée dans son poing, elle ramassa ses lourdes jupes et s'enfonça dans l'obscurité bienvenue. Elle ignorait où elle allait mais il fallait absolument qu'elle s'éloigne du manoir.

La nuit l'enveloppa quand elle descendit en courant la colline vers la rangée de rhododendrons au sud de la propriété. Elle ne remarqua ni les branches qui la giflaient et l'éraflaient tandis qu'elle filait vers les champs, ni les orties qui la piquaient, ni les épines pointues qui s'accrochaient à ses habits et la griffaient. Chaque mot de la lettre palpitait dans sa tête. Désormais, elle était vraiment seule, au milieu d'étrangers qui se moquaient bien de son sort.

Alors que ses bottes piétinaient le champ récemment ensemencé qu'une gelée tardive faisait briller, Rose décida de se rendre à la rivière. Les roseaux soupiraient et bruissaient sous l'effet du vent ; une pintade poussait parfois un cri endormi. Tremblant de tout son corps, elle s'arrêta ; le bout de ses bottes s'enfonça dans la boue de la berge.

En sanglots, elle regarda le quartier de lune qui se réfléchissait dans l'eau. La douleur était trop insupportable. Ce soir, elle avait tout perdu. Pourquoi ne pas en finir maintenant ? Elle ne manquerait à personne.

— Je ne ferais pas cela à ta place, fillette. L'eau doit être glacée.

Rose fit volte-face. Sous le coup de la surprise et de la peur, son cœur battit avec violence dans sa poitrine.

Gilbert l'observait depuis les roseaux, les bras croisés, les jambes raides dans l'herbe gelée. Le clair de lune faisait briller ses yeux et ses dents.

— La nouvelle qui te bouleverse ne vaut certainement pas la peine de plonger dans cette eau dégoûtante.

Il lui tendit la main.

— Viens, Rose.

Ses larmes avaient séché mais la cruauté de sa mère la rongeait encore. Rose examina l'eau qui lui léchait les bottes puis l'homme. Il ne devait pas percevoir sa vulnérabilité et sa peur.

— Je ne suis qu'un divertissement à vos yeux. Quelle importance si je disparais ?

— Si tu décides de te jeter dans cette horrible mixture, je n'aurai pas d'autre choix que sauter dans l'eau et jouer les héros. Je me moque bien que tu vives ou meures, mais mon habit a coûté une petite fortune et ce serait dommage de l'abîmer.

Son ton froid augmentait les frissons qui lui parcouraient l'échine.

— Je n'ai pas besoin d'aide. Partez !

Un sourcil arqué, il lui décocha un grand sourire.

— Quel caractère ! la gronda-t-il avant de la rejoindre avec une agilité qui la déconcerta.

En un clin d'œil, il l'éloigna du bord de la rivière et l'allongea avec fermeté sur le dos dans l'herbe haute.

Elle eut beau se débattre, il fut trop rapide pour elle. Quand il la chevaucha et plaqua ses poignets contre le sol, elle réalisa que ses intentions n'avaient jamais été honorables. Soudain, elle comprit l'importance de vivre, de se battre et de vaincre ce démon de la nuit.

— Allez-vous-en ! cria-t-elle tout en donnant des coups de pied.

Elle rassembla les dernières forces qui lui restaient après sa course folle dans les champs. Le capitaine ne souriait plus. Avec détermination, il déchira les habits de Rose et la dénuda. Son poids coupa le souffle de la jeune fille. Soudain, il inspira par saccades, ses yeux brillèrent de désir.

— Quand j'aurai pris ce que je suis venu chercher, Rosie…

Rose hurla et se débattit quand il lui écarta les jambes avec le genou et entra rapidement en elle. Elle eut l'impression de recevoir un coup de couteau. Tandis qu'il la brutalisait, le sol dur et la boue crayeuse lui écorchaient le dos, des larmes silencieuses coulaient sur son visage et dans ses cheveux. Enfin elle n'eut plus la force de lutter et le ciel éclairé par la lune fut éclipsé par la douleur.

— Ce sera ma parole contre la tienne, Rose. Ton petit messager devra se montrer prudent lors de sa prochaine visite.

Le sourire aux lèvres, il reprit la direction du manoir, comme s'il revenait d'une agréable balade.

Entre deux hoquets, Rose rassembla ses vêtements en lambeaux. Elle avait froid. Ses jupons étaient tachés par le rouge vif de la honte et, tandis qu'elle essayait de stopper le flux, de grosses larmes d'humiliation s'écrasèrent sur ses mains.

Son désir d'en finir avec la vie avait laissé la place à une colère sourde contre le capitaine Gilbert Fairbrother. Un jour, il paierait pour cet outrage.

7

Lady Clara Fairbrother ne tenait pas en place. Elle avait remarqué l'absence prolongée de son fils après le dîner, son teint frais et la boue sur ses chaussures à son retour. Il avait manigancé quelque chose, elle en reconnaissait les signes. Cependant, elle se devait d'admirer son comportement détendu tandis qu'il montrait des tours de cartes à Isabelle et à Charlotte. Son jeu d'acteur la mettait néanmoins mal à l'aise.

Le soir traînait en longueur quand, finalement, elle prétexta une migraine et le besoin d'une bonne nuit de repos avant le long voyage du lendemain pour quitter le salon. Après avoir fermé la lourde porte derrière elle, Clara s'accorda quelques secondes de réflexion. Elle devait absolument parler à son fils mais il lui fallait attendre que tout le monde soit couché pour fondre sur lui.

Clara scruta le hall puis se rendit à pas tranquilles dans le boudoir. Elle ne prit pas la peine d'allumer les bougies, le clair de lune lui suffisait amplement. Elle s'assit près des grandes portes-fenêtres et contempla les jardins. Elle attendrait que la maison soit calme pour se rendre dans la chambre de Gilbert. Mieux valait patienter ici que risquer de s'endormir dans son lit.

La pelouse s'étendait jusqu'à une épaisse haie de rhododendrons et elle entrapercevait l'étroit ruban argenté de la rivière au sud de la propriété. Quel calme en comparaison de Londres ! Toutefois, elle n'était pas mécontente de partir. Elle avait eu son quota de plaisirs provinciaux ; il était temps qu'elle replonge dans le tourbillon social de la nouvelle saison londonienne.

Elle revint soudain à Gilbert, son benjamin. Clara espérait que le jeune idiot ne lui avait pas concocté une surprise déplaisante. Elle se mordit la lèvre – quel dommage que le mariage n'ait pas pu être avancé de quelques semaines. Mais il aurait été malséant de le précipiter davantage. Elle souhaitait simplement qu'aucun scandale n'entache la cérémonie.

Quelque chose bougea dans le parc. Clara se pencha en avant, s'attendant à voir un renard ou un blaireau. Non, aucun animal sauvage ne s'approchait. Soudain, le souffle coupé, elle se leva et posa la main sur la poignée de la porte. Non, cela n'avait rien à voir avec Gilbert. Et pourtant... Et pourtant...

Bien qu'elle ait oublié son châle, Clara sortit dans la nuit glaciale. Ses chaussons ne la protégeaient pas de la gelée sur les pavés ni de la rosée sur l'herbe. Sa robe du soir était trop légère, mais elle se fichait bien du froid quand elle courut après la fille à l'arrière de la maison, vers les quartiers des domestiques. Elle l'interpella à voix basse :

— Toi là-bas ! Stop !

Rose agrippa ses vêtements en lambeaux dans l'espoir de cacher sa honte. Elle tremblait de tout son corps et ses yeux n'étaient que des ombres noires sur son visage blême.

Un coup d'œil rapide et Clara comprit.

— Qui t'a fait ça ? demanda-t-elle.

— Le capitaine Gilbert Fairbrother, annonça la jeune femme avec une rage non dissimulée.

— Chut ! Tu veux ameuter toute la maison ?

Clara lui attrapa le bras et regarda par-dessus son épaule les portes ouvertes du boudoir. Des chandeliers étaient allumés dans les pièces à l'étage.

— Si cela signifie que le capitaine sera puni pour son geste, oui.

Rose la foudroyait du regard derrière ses paupières enflées. Sa bouche entaillée à la lèvre était encore tachée de sang.

— Tu mens ! Mon fils n'a pas quitté la maison de la soirée. Je peux en témoigner.

Une haine féroce brillait dans les yeux de Rose.

— Ainsi vous le défendez?

— Pour éviter un scandale? Toujours.

Clara la relâcha un peu et prit une voix un peu moins autoritaire – il fallait amadouer la petite. L'acheter s'il le fallait.

— Un mot de toi et tu es renvoyée. Mais si tu te tiens tranquille, je veillerai à ce que tu sois récompensée.

— Comment? demanda Rose d'une voix haute et intelligible. Vous ne pouvez pas me rendre ce que votre fils m'a volé ce soir, lady Clara.

— Tu n'aurais pas mis longtemps à la perdre, s'impatienta celle-ci.

Rose tremblait si fort que Clara eut peur d'un malaise. Elle ne pourrait traiter avec elle dans cet état. Ignorant son refus d'être aidée, elle passa un bras autour de la taille de la jeune femme, plaqua une main sur son bras et, ensemble, elles contournèrent le manoir. Elles entrèrent par une porte qui, comme l'avait découvert lady Clara, conduisait directement au bureau du Squire. Elle poussa un soupir de soulagement quand elle alluma une lampe et la posa sur la table. Ici, elles ne seraient pas dérangées.

— Pourquoi le défendez-vous? osa lui demander Rose.

— Parce que c'est mon fils. Un scandale briserait son père et ruinerait son frère.

Clara tapotait les éraflures de la servante avec un linge et de l'eau froide tirée au robinet du jardin. Elle avait trouvé un vieux manteau dans un placard et, à présent, Rose était calmement assise sur une chaise. Pendant que Clara écoutait les méfaits de Gilbert, elle aussi se demandait comment elle pouvait bien le défendre. Mais il le fallait afin que son aîné puisse entrer au Parlement un jour.

— Alors vous ne valez pas mieux que lui, lui asséna Rose.

Clara lâcha le tissu ensanglanté dans l'eau et se sécha les mains.

— Que veux-tu, Rose?

Par expérience, elle savait qu'il y avait toujours un prix à payer – quelle que soit la situation sociale de la victime.

— Je veux qu'il paie pour ce qu'il m'a fait. Je réclame vengeance.

— Ce n'est pas Gilbert qui te donnera de l'argent mais son père qui tient les cordons de la bourse. Je vais voir ce que je peux en tirer.

Rose se leva d'un bond. Le manteau tomba sur ses genoux et Clara constata avec étonnement que, malgré les ecchymoses et les coupures, elle était belle. Voilà pourquoi Gilbert s'était entichée d'elle.

— Je ne veux pas de votre argent, siffla-t-elle. Vous ne m'achèterez pas.

Clara toucha les diamants autour de son cou.

— Prends ceci.

Rose effleura sa lèvre meurtrie et se cacha derrière les manches du manteau.

— Trouvez-moi un autre poste de femme de chambre. Je ne resterai pas ici un jour de plus et je n'irai certainement pas à Londres avec miss Isabelle. Pas maintenant. Comment pourrai-je la regarder dans les yeux, sachant ce qu'il m'a fait?

Clara se rassit. Il s'agissait peut-être là d'une solution à son problème. Une fois Rose partie, Isabelle et sa famille n'entendraient jamais parler des événements désastreux de la soirée et Gilbert n'aurait pas l'occasion de répéter son exploit.

— Mais miss Isabelle compte que tu l'accompagnes à Londres une fois que Gilbert et elle seront installés dans leurs appartements. Comment expliquer ce revirement?

— Je réfléchirai à une excuse, promit Rose. Mais je ne me rendrai pas à Londres avec ma maîtresse pour être abusée par votre fils.

Elle dissimulait mal la colère qu'elle cherchait à contrôler et bien que Clara ne fût pas d'humeur à prolonger cette intimité, elle ressentait une certaine admiration pour son courage.

— Je comprends…

Lady Clara se leva.

— Mais il me faudra un peu de temps pour te trouver un employeur digne de ce nom. Tu devras rester ici jusqu'à nouvel ordre. Gilbert et moi partirons tôt demain matin. Ainsi vos chemins ne se croiseront pas. Si tu gardes le secret, je te promets de te sortir d'ici avant le mariage.

Elle fit un pas vers la jeune femme. Bien qu'intimidée par le dégoût froid dans ses yeux, elle était déterminée à prendre en main la situation.

— Un mot de ta part et je n'agirai pas en ta faveur. Lady Amelia te renverra sans lettre de référence et tu finiras dans une maison de correction. J'y veillerai personnellement.

— Respectez votre part du marché et j'accomplirai la mienne, conclut Rose.

Cinq semaines s'écoulèrent quand Rose fut appelée dans le bureau de Squire Ade. Elle avait expliqué ses égratignures par une chute sur les pavés et, mis à part des regards suspicieux d'Alice la cuisinière, nul n'avait approfondi le sujet.

Sur le seuil du bureau, elle fit la révérence. Dos au soleil, elle eut l'impression qu'une caverne lugubre s'ouvrait devant elle.

— Vous m'avez demandée, messire?

— Entre, Rose. Assieds-toi, gronda-t-il.

Il ôta les pieds de son bureau encombré et se leva.

Nerveuse, Rose se percha au bord d'un fauteuil en crin de cheval. Que lui voulait-il? Ce devait être sérieux car, d'habitude, c'était Mme Patterson qui s'occupait du personnel. Pourvu que lady Clara n'ait pas renié sa promesse.

— J'ai expliqué à Mme Patterson pour la robe, messire. La vieille était trop petite et je n'ai pas pu réparer celle-ci, que j'ai abîmée sur les pavés. Je n'avais pas le choix. Il m'en fallait une autre.

Squire fronça les sourcils et mâchonna sa pipe en argile.

— Une robe? En quoi cela me concerne-t-il, fillette?

Il ralluma sa pipe puis s'adossa à son fauteuil. Il s'empara d'une lettre sur son bureau.

— J'ai reçu ceci aujourd'hui, Rose. Elle a été envoyée par une lady Fitzallan de Grosvenor Square.

Ce fut au tour de Rose de se renfrogner. Elle n'avait jamais entendu parler de cette femme.

— Oui, messire?

— Lady Fitzallan est une amie de lady Fairbrother. Elle me demande tes références.

Il la dévisagea par-dessus l'épais vélin.

— J'ignorais que tu souhaitais nous quitter, Rose.

Lady Clara avait donc tenu sa promesse. Le rouge lui monta aux joues quand elle s'adressa à lui.

— Ce serait mieux pour moi, messire. Mam et les garçons sont partis en Irlande. Je me suis dit que je devais quitter Wilmington moi aussi et chercher fortune ailleurs.

Il jeta la lettre devant lui.

— Fortune? Et comment un bout de femme comme toi peut-elle s'enrichir par des moyens honnêtes? Tu es une fille de la campagne et j'en ai vu des dizaines comme toi mal tourner. Ne compte pas sur moi pour t'encourager dans cette voie!

Comme Rose refusait de répondre, il poussa un long soupir d'exaspération.

— Qu'est-ce que lady Fairbrother a à voir avec tout ceci? Comment as-tu réussi à lui confier ton désir de quitter Milton Manor?

Elle humecta ses lèvres sèches. Elle devait peser chacun de ses mots.

— Lady Fairbrother a dû surprendre une de mes conversations avec Fanny. C'était le jour où j'ai reçu cette fameuse lettre de Mam. J'étais bouleversée et je parlais de partir moi aussi. Cette lady a probablement mentionné qu'elle cherchait une femme de chambre et lady Clara aura pensé à moi...

Charles Ade la regarda un long moment, l'esprit troublé.

— Voilà une histoire bien compliquée, Rose. Tu es sûre qu'il n'y a pas d'autre raison à ton départ?

Elle lui répondit sur un ton résolument naïf:

— Non, messire. Pourquoi?

— Tu souhaites me dire quelque chose, Rose?

Il s'adressait à elle avec gentillesse mais son regard direct et perçant la mettait mal à l'aise. Avait-il deviné la vérité?

— N... Non, messire. J'ai envie d'essayer ailleurs, c'est tout.

— Si tu le dis, Rose, soupira-t-il. Mais ta mère t'a confiée à moi et cela me déplairait beaucoup si tu gardais pour toi un quelconque secret. N'aie pas peur de te confesser à moi. Peu importe la situation difficile dans laquelle tu te trouves.

Elle demeura silencieuse. Le mariage aurait lieu deux semaines plus tard. Lady Clara avait respecté sa part du marché. Son tour était venu.

— Tu n'es pas enceinte? lui demanda-t-il d'une voix plus sèche.

Rose rougit. Au moins elle n'avait pas subi cette humiliation.

— Non, messire, murmura-t-elle.

— Alors que se passe-t-il, Rose? insista-t-il.

L'envie de lui raconter la vérité la tenaillait mais ses aveux blesseraient miss Isabelle. Par ailleurs, le scandale qui s'ensuivrait détruirait cette famille qui s'était montrée si gentille avec elle. Pourtant, son silence ne condamnait-il pas miss Isabelle à une existence malheureuse? Ce dilemme la tourmentait depuis des semaines. Le moment était venu d'avouer mais elle ne pouvait s'y résoudre. Sa vengeance ne concernait pas les Ade.

— Vous avez été si gentil, messire et j'ai été heureuse de travailler pour miss Isabelle. Mais j'ai quatorze ans et j'aimerais voir le monde.

Dans un grognement, Charles reprit la lettre.

— Tu ne crois pas si bien dire, Rose. Tu as une idée du travail qu'on te demande?

— Lady Fitzallan a besoin d'une dame de compagnie, messire?

— Oui, Rose. Il s'agit plus précisément d'effectuer avec elle un voyage spécial.

— Où, messire? À Londres? En Écosse?

Son cœur se mit à battre à toute allure.

— En Irlande?

— Plus loin, Rose. Lady Fitzallan compte se rendre en bateau dans les colonies. Elle part dans deux mois.

— Les colonies, messire?

Rose avait entendu des récits d'aventures ayant lieu à l'autre bout du monde, d'or et d'argent à foison – il suffisait de se baisser pour en ramasser –, d'animaux étranges, de tribus sauvages, de forêts et de déserts, de montagnes touchant le ciel.

— En Amérique?

— Non, Rose. En Australie. La douairière rejoint son fils à Sydney.

Rose ne parvenait pas à imaginer à quoi cette mystérieuse ville de Sydney pouvait ressembler ni ce qu'elle trouverait là-bas. Son excitation fut néanmoins tempérée par le fait que lady Clara avait bien planifié son coup. Comme c'était pratique d'envoyer Rose à des milliers de kilomètres de son fils. Et puis il y avait la peur de l'inconnu. Qu'est-ce que lui réservait l'avenir dans ce nouveau monde ? Souhaitait-elle vraiment partir si loin de son univers familier ? Et John ? Jamais ils ne se reverraient. De toute façon, elle l'avait déjà perdu…

— À quoi ressemble l'Australie, messire ? Est-ce si loin ?

— Viens voir toi-même sur ce globe.

Il traversa la pièce et fit tourner la mappemonde.

— Il faut au moins trois mois pour y aller par la mer, davantage si vous rencontrez des tempêtes. C'est un endroit chaud et sec, peuplé de bagnards et de colons frustes. Certains considèrent ce périple comme une aventure, d'autre comme une manière d'échapper au scandale. Il paraît que la ville de Sydney est assez civilisée à présent, même si ce ne sera jamais Londres !

Il fit la grimace, comme s'il allait vomir.

— Réfléchis bien, petite. C'est très loin de l'Angleterre et je ne pense pas que tu reviennes un jour. Ta vie ne sera plus jamais la même.

« Ta vie ne sera plus jamais la même. » Ces mots magiques flottèrent autour d'elle, lui apportèrent un plaisir vertigineux qu'elle ne pouvait plus nier. Le destin lui offrait la chance de changer d'existence. Oserait-elle relever le défi ? Elle examina la mappemonde, le bout de terre au milieu d'une mer turquoise et réfléchit. Puis parvenant à peine à cacher son excitation, elle déclara :

— Si lady Fitzallan est d'accord, j'aimerais l'accompagner, messire.

Le Gros Billy Clarke n'avait eu qu'une parole. John était désormais le fier propriétaire de trois tenues complètes et d'un petit magot qu'il dissimulait sous le plancher de sa chambre, située au-dessus d'un pub au centre de Bow. Le sol ondulait comme le dos d'un vieux cheval, les fenêtres étaient minuscules, l'air fétide ; quand il se retrouvait à la fin d'une nouvelle journée dans cette ville inconnue, il rêvait de grand air, de sa roulotte et de liberté sur les routes du pays.

Jonchées d'immondices, les rues étroites voyaient passer pickpockets, prostituées, mendiants, colporteurs par dizaines. Il y avait du bruit nuit et jour. Les bagarres violentes se succédaient dans le plus grand fracas possible. Les ivrognes urinaient sans gêne sur les murs du King's Arms et des chiens faméliques écumaient les ruelles en quête de restes à manger quand ils ne s'entretuaient pas.

Il se sentait *moxado* – sale – parmi les *gadjikanes* et, même s'il avait assez d'argent de côté pour retourner à Wilmington et demander la main de Rose, il s'obligeait à patienter. Il ne pouvait décemment pas lui proposer de vivre au milieu de la racaille londonienne. Rose méritait mieux. Bientôt, il achèterait une roulotte rien qu'à eux.

Nuit après nuit, indifférent aux coups reçus lors de son dernier combat, il s'asseyait sur son matelas grouillant de poux et comptait ses pièces. Chacune le rapprochait de son rêve. Chacune représentait une étape vers le titre britannique et le mariage.

Mais la patience n'avait jamais été son point fort. Alors que les jours se transformaient en semaines, les semaines en mois, son désir de retourner dans le Sussex pour retrouver son campement gitan s'accompagna d'une colère noire. Elle se manifestait sur le ring quand il allongeait ses adversaires parmi les cris moqueurs et diffamants. Il craignait de ne bientôt plus pouvoir se contrôler. La manière de réaliser ses rêves risquait tôt ou tard de détruire son âme.

Il fixa le plafond taché puis ferma les yeux. Imperméable aux bruits de la rue, il pensa à Rose. Comme ce serait agréable de se promener avec elle dans les collines, d'écouter ensemble le cri des mouettes, de s'asseoir autour du feu de camp ; les gitans discuteraient entre eux, le vent soufflerait dans son dos, le ragoût de lapin mijoterait dans la marmite.

Il ouvrit les yeux quand il comprit d'un coup que rien ne l'en empêchait. Son prochain combat avait lieu trois semaines plus tard à Sheffield et le Gros Billy entraînait un autre boxeur loin de Londres.

— Et pourquoi pas? marmonna-t-il. Je peux faire l'aller-retour sans que Billy s'en rende compte. J'arrive, Rose. J'arrive.

Rose avait dit adieu à Fanny et aux autres la veille au soir. Miss Isabelle avait été la gentillesse incarnée, même si le départ précipité de Rose la surprenait. Elle lui avait glissé une guinée dans la main.

— Prends soin de toi, Rose. Si tu changes d'avis, ma porte te sera toujours ouverte à Londres.

Il faisait encore nuit quand Rose gravit la colline de Windover pour la dernière fois mais elle n'avait pas besoin de lumière pour la guider. Un vent frais balayait les South Downs si bien qu'elle remonta son châle léger sur ses épaules. Débarrassés de leur bonnet et de leurs épingles, ses longs cheveux noirs flottaient derrière elle et accentuaient ce sentiment exaltant de liberté qui croissait en elle depuis deux semaines.

En haut de la colline, elle reprit son souffle et contempla les étoiles froides et lumineuses. Le murmure du vent dans les arbres noueux et le craquement de la gelée matinale sous les pieds lui rappelèrent qu'elle ne verrait pas l'hiver arriver. L'air froid lui brûlait la gorge, lui engourdissait les doigts. Elle regretta de ne pas avoir mis plus de journaux pour boucher les trous de ses bottes. Elle avait les pieds glacés et l'ourlet de sa robe marron était trempé. Peu importait : c'était son pays et elle voulait imprimer cette image dans son cœur avant de commencer le long voyage vers l'autre bout du monde.

La tranquillité du paysage l'étreignit tandis qu'elle marchait. Une odeur de fumée de bois flottait dans l'air, comme si les fantômes du passé étaient venus faire leurs adieux. Elle fondit en larmes tellement la solitude lui pesait. Elle ne s'était jamais sentie aussi seule au monde, car jamais plus elle ne reverrait ceux qu'elle aimait.

Elle essuya ses larmes, refusant que les regrets remontent à la surface. En effet, elle avait pris sa décision seule. D'un pas lent, elle longea la crête de la colline de Windover et atteignit le campement hivernal des gitans. Sur le terrain désert, il ne restait que les sillons tracés par les roues des roulottes.

— Où es-tu, John? chuchota-t-elle. Pourquoi n'es-tu pas venu me chercher comme promis?

La douleur l'accablait, leurs projets étaient aussi morts que les cendres de leur feu de camp. Pourtant elle mourait d'envie de le revoir, de sentir ses bras autour d'elle. Même si leurs chemins ne se recroiseraient jamais, même si leurs rêves d'enfant ne se réaliseraient pas, ils faisaient partie l'un de l'autre pour toujours.

L'aube naissante lui permit d'emporter dans son cœur des images de ce lieu, des parfums et des sons en prévision des jours de peine.

Après la bienséance étouffante de Milton Manor, la liberté lui donnait le vertige. Elle n'était pas obligée de revenir ici. À présent, elle disposait de temps pour respirer, d'espace pour bouger et être enfin elle-même. L'aventure avait déjà commencé.

L'éprouvant voyage de John dura deux bonnes journées. Sa jument et lui avaient besoin de repos et comme il ne désirait pas l'échanger dans un relais de poste, il campait dans les champs et dormait sous les arbres, simplement enveloppé d'une couverture. Lorsque les douces courbes des South Downs l'accueillirent, il lança son cheval au galop. Il distinguait déjà les tentes colorées et les drapeaux qui flottaient au vent.

La dukkerin l'attendait à la lisière du champ, la main en coupe au-dessus des yeux.

— J'ai rêvé que tu venais, John. Bienvenue à la maison.

Il embrassa sa joue brune et serra son corps frêle contre lui.

— Je suis venu pour Rose.

Elle le tint à bout de bras et plongea son regard sombre dans le sien.

— Le destin ne le permet pas, John, déclara-t-elle avec solennité.

— Au diable, le destin, *puri daj*! Rose est celle que je veux et personne ne m'empêchera de l'avoir.

Il s'empara de ses rênes, mit le pied à l'étrier.

— Je vais la chercher.

La main noueuse de Sarah se posa sur son bras.

— Du calme, John. Elle est partie. Il y a eu du grabuge au manoir. Elle est à Londres.

La dukkerin dut percevoir une étincelle d'exaltation dans ses yeux car elle secoua la tête et ajouta :

— Elle ne doit pas y rester longtemps. Un plus long voyage l'attend. Et tu ne pourras pas la rejoindre là-bas.

Poussé à bout par l'exaspération, il lui serra le poignet et lui cria à la figure :

— Arrête de parler par devinettes, vieille femme. Où va-t-elle ?

Sarah le foudroya du regard jusqu'à ce que, honteux, il lui lâche la main. Elle haussa les épaules.

— Par-delà les océans, c'est tout ce que je sais.

— Quand ? Quand est-elle partie, *puri daj* ? lui demanda-t-il d'une voix plus douce.

Un vide étrange venait de se créer dans tout son être.

— Il y a une semaine, répondit sa grand-mère qui lui prit la main, regarda sa paume et en traça les lignes avec un ongle noir. Un long voyage t'attend toi aussi, John, mais tu ne feras pas le premier pas avant plusieurs mois… Et ce ne sera pas dans la joie, le prévint-elle. Mais dans la hâte et la peur.

Il retira brusquement sa main.

— Tais-toi, marmonna-t-il.

— Tu as tort de ne pas vouloir m'écouter, jeune fou ! aboya-t-elle. C'est le destin qui te propose un choix.

— Fou ou non, *puri daj*, j'ai l'intention de retrouver Rose et de l'épouser. Peu importe le temps qu'il me faudra.

Sous le regard triste de la vieille femme, il conduisit son cheval jusqu'à la roulotte. Il avait fait le premier pas sur la route de l'enfer et elle n'avait pas pu l'en empêcher.

8

Mary avait passé les deux jours précédents au lit. Elle savait qu'elle était allée trop loin dans son désir de ne pas s'alimenter et avait avalé à contrecœur les repas commandés au service d'étage – poulet sans peau, salade verte, fruit. Elle avait bu des litres de jus d'oranges pressées jour et nuit pour se réhydrater, reprendre des vitamines et du sucre.

Chaque bouchée lui donnait envie de vomir mais, peu à peu, elle reprit le contrôle de son corps. En quarante-huit heures, elle avait eu largement le temps de réfléchir et, ce matin, elle était impatiente de relancer la machine. Sa vengeance serait douce. Le ventre plein, les idées claires, elle se sentait assez forte pour passer à l'attaque.

Elle avait téléphoné plus tôt dans la matinée. Son rendez-vous de midi approchait. De retour de chez le coiffeur, elle effectuait les derniers préparatifs. Elle avait choisi un tailleur lilas pâle avec épaulettes et iris pourpres brodés sur le revers. Sa taille fine et la jupe étroite mettaient en valeur sa silhouette. Elle sourit quand elle s'aperçut qu'elle n'avait pas pris de poids malgré son régime forcé. Elle enfila une paire de sandales à talons hauts et examina son reflet dans le miroir : maquillage parfait, nouvelle couleur de cheveux réussie. En effet, elle se méfiait des coiffeurs. Quand la coloriste lui avait suggéré plusieurs tons de brun au lieu du noir habituel, elle avait pris peur. Pourtant, face à son miroir doré, elle devait admettre que la fille avait fait du bon travail. Les mèches ajoutaient de la profondeur et du feu à son visage et s'accordaient mieux avec son teint.

« Tu vieillis, pensa-t-elle. Il te faut de plus en plus de temps pour te préparer à affronter le monde. Il ne reste plus grand-chose de la vraie Mary sous ces couches de peinture et ces colorations. Jusqu'à quand comptes-tu employer ces moyens factices pour fuir les années? »

Dos au miroir, elle repoussa ses doutes. Pas question de capituler devant la vieillesse! Comme il n'était pas question d'être piétinée par cette fichue famille. Ils allaient voir ce qu'ils allaient voir! On frappe à la porte.

— Vous n'allez pas être déçus, les enfants! marmonna-t-elle en allant ouvrir la porte.

— Bonjour! Tu vas bien?

— Ça va. Entre, Sharon. Contente de te revoir.

À l'intérieur, Mary lui versa un verre de Martini glacé. Sharon Sterling et elle se connaissaient depuis des années. Bien qu'intimes, elles n'étaient pas vraiment amies; leur relation tenait plus de l'arrangement réciproque.

Sharon s'assit sur le canapé et croisa ses longues jambes parfaites. Comme d'habitude, elle arborait un magnifique tailleur et des bijoux en or très onéreux au cou et aux oreilles. Ses cheveux blonds et brillants coupés en un carré court encadraient son visage discrètement maquillé. Ses bagues étincelèrent quand elle porta un toast.

— L'heure est venue de remuer la merde!

Mary but juste une gorgée d'eau minérale car elle voulait garder les idées claires.

— Tant qu'on ne me surprend pas le balai de toilettes à la main.

— Tu connais ma discrétion, chérie! ronronna Sharon.

Ses yeux verts et féroces pétillaient de malice.

Mary hocha la tête. Elle avait donné de nombreuses interviews telle que celle-ci par le passé et personne ne l'avait trahie. Pourtant, elle ne se faisait pas d'illusions au sujet de Sharon: journaliste people, elle rapportait des cancans sur les millionnaires et les célébrités depuis des années. Dès qu'il y avait anguille sous roche, elle était la première sur le terrain, prête à tout en cas de gros titre à la clé.

— Aujourd'hui, je te propose de la dynamite. Je te demande simplement de ne pas révéler tes sources, déclara Mary sur un ton sec, sans sourciller. Et de ne pas m'enregistrer.

Sharon grimaça.

— Cela fait longtemps que je n'ai pas pris une interview en sténo. Mais si tu insistes...

Elle posa son Martini à peine goûté et sortit un carnet de son sac volumineux.

— J'en ai déjà parlé à mon rédacteur en chef. Nos avocats éplucheront mon article avant impression. Sache qu'aucun journaliste digne de ce nom ne révèle ses sources, tu n'as pas d'inquiétude à avoir avec moi !

Mary but encore un peu d'eau. Soudain nerveuse, elle avait la bouche sèche, le pouls plus rapide. Elle n'avait jamais osé aller si loin auparavant et elle se demandait si elle ne perdrait pas plus qu'elle ne gagnerait. Combien cela allait-il lui coûter ?

— Tu ne vas pas me faire faux bond ? s'inquiéta Sharon, le crayon à quelques millimètres du carnet.

Mary s'alluma une cigarette, inspira profondément la fumée puis la souffla longuement en direction du plafond. Sharon sentait le scoop et elle ne comptait pas lâcher le morceau. Le black-out imposé par les parents de Mary avait permis aux secrets de famille de ne jamais être dévoilés à la presse. Jusqu'à ce jour.

Mary réfléchit un long moment. Il était trop tard pour reculer à présent. Son désir de vengeance était trop fort.

— Le monde doit savoir quel salaud était mon père, commença-t-elle.

Annabelle avait à peine dormi. Cependant, quand elle sortit du lit, elle se sentit plus revigorée que jamais. Après une longue douche tiède, elle choisit ses vêtements avec soin pour cette journée de travail. En effet, il s'agissait là du premier jour de sa confiance recouvrée.

Délaissant les robes imprimées et démodées qu'elle portait depuis la mort de Martin, elle opta pour une robe droite rouge. Cette couleur mettait en valeur son teint et en disait long sur son amour-propre. Elle ajouta un collier de perles à trois rangs et de petites boucles d'oreilles assorties, puis elle échangea ses confortables chaussures plates pour des escarpins noirs à petits talons. Un soupçon de maquillage, un peu de rouge à lèvres d'un rouge provoquant et elle était prête. Les doutes et les peurs n'eurent pas le temps de remonter à la surface tellement elle était déterminée à reprendre le contrôle de sa vie et à y mettre de l'ordre. Elle avait perdu trop d'années.

Charles l'attendait dans son bureau. Sa secrétaire leur versa un café puis sortit. Il éclata alors de rire.

— Je suis surpris de te voir de si bonne heure ce matin ! Que puis-je faire pour toi, Annabelle ?

En temps ordinaire, elle aurait sursauté en entendant son gloussement. Ce matin, elle se contenta de sourire.

— Dis-moi tout ce que tu sais sur le domaine de Jacaranda.

Ses sourcils bondirent sur son front, il écarquilla ses yeux bleu pâle.

— Tu n'as pas besoin d'encombrer ta jolie petite tête avec des affaires aussi ennuyeuses, Annabelle. Edward et moi faisons tout notre possible pour que tu ne perdes pas d'argent.

Elle posa doucement sa tasse sur le bureau luisant.

— Ne prends pas ce ton condescendant, Charles. J'ai peut-être passé ces dernières années loin de la vraie vie grâce à Martin, mais tu serais surpris par mes connaissances du monde de l'entreprise.

Clairement mal à l'aise, Charles s'éclaircit la gorge.

— Martin discutait de nos affaires avec toi ?

— Ça t'étonne ? répliqua-t-elle. Je ne suis pas une demeurée.

Elle ignora ses excuses bredouillées et reprit :

— Il se servait de moi comme d'une caisse de résonance. À mon avis, il n'envisageait pas que je puisse comprendre car il me demandait rarement mon opinion. Mais cela l'aidait d'exprimer ses inquiétudes à voix haute.

— Je vois… Martin était un excellent manager. La distribution n'avait aucun secret pour lui. Il connaissait son marché et aurait vendu des glaces aux Esquimaux – ce n'était pas ce qu'on lui demandait, bien sûr, ajouta-t-il pour plaisanter. Annabelle, cela prendrait des mois pour t'expliquer le fonctionnement de la compagnie de A à Z. C'est impossible.

— Rien n'est impossible, Charles. Surtout quand on le veut vraiment. Je ne te demande pas un cours magistral. Mais j'apprécierais que tu me permettes de consulter les comptes de l'entreprise. Je pense avoir une idée.

Il lui décocha un sourire indulgent.

— Ma pauvre Annabelle, tu n'es pas en mesure de savoir ce qui est bon pour la compagnie. Tu n'es qu'une femme au foyer. Que connais-tu de la haute finance et de la gestion des entreprises ?

Son ton attisa sa colère.

— Encore cet air condescendant, Charles ! Tu me crois stupide et sans cervelle mais sache que j'ai eu beaucoup de temps libre pendant mon mariage avec Martin et je ne l'ai pas gaspillé.

Il haussa à nouveau les sourcils mais se tut.

Galvanisée, Annabelle le tenait au bout de son hameçon et ne comptait pas le lâcher si vite.

— Je déteste peut-être les disputes et je préfère me taire mais cela ne signifie pas que je suis débile ! J'ai obtenu un master en gestion des entreprises, comptabilité et statistiques. C'est fascinant ce qu'on peut apprendre grâce au télé-enseignement.

— Tu as fait quoi ?

Charles n'avait pas assez de délicatesse pour masquer sa surprise.

— Martin ne nous en a jamais parlé !

— Il n'était pas au courant, rétorqua Annabelle.

Elle sourit en pensant à la tête de son mari s'il l'avait su. D'abord, il aurait été choqué, puis dédaigneux. En résumé, il ne l'aurait jamais prise au sérieux.

— Je bûchais pendant qu'il était au bureau et cachais mes livres quand il rentrait. J'ai même obtenu un doctorat, figure-toi. Mon mémoire s'intitulait : « marketing et gestion d'une entreprise familiale à l'approche du nouveau millénaire ».

Elle plongea la main dans son sac en cuir noir et en sortit une thèse reliée qu'elle avait dissimulée pendant des années parmi ses sous-vêtements.

— Peut-être aimerais-tu la lire à tête reposée ? Elle risque de t'intéresser.

Charles regarda l'ouvrage comme s'il s'agissait d'un serpent de la Mulga.

— Bon sang…, marmonna-t-il avant de rassembler ses esprits et de rougir comme une pivoine. Nom de Dieu, Annabelle, pourquoi restais-tu assise comme une idiote pendant nos réunions?

— Parce qu'aucun d'entre vous ne m'aurait prise au sérieux. Et puis, qui peut émettre une objection quand Catherine, maman et toi exposez vos théories? J'ai préféré attendre mon jour. Il est venu, Charles. Veux-tu m'aider, oui ou non?

Il étendit les mains et poussa un long soupir.

— Nous sommes au bord du gouffre, Annabelle. Ton père avait décidé de faire disparaître cette entreprise avant sa mort. Il ne pouvait pas l'emmener avec lui, donc ce salopard l'a coulée.

— Une bonne chose qu'il soit mort avant qu'elle ait touché le fond, remarqua-t-elle. Malgré papa, je suis sûre qu'il existe une manière d'en sauver une partie.

— Des esprits plus intelligents que les nôtres se sont penchés sur la question, Annabelle. Mais si tu penses pouvoir trouver une solution, ne te gêne pas. De quoi as-tu besoin?

Annabelle se détendit. Elle avait eu peur que Charles lui rie au nez, qu'elle n'ait pas le courage de s'opposer à lui.

— Avant d'aller plus loin, tu dois me promettre de ne parler à personne de cette visite et de mes intentions. Il y a assez de problèmes comme ça sans en rajouter. Je ne veux pas que le reste de la famille fourre son nez dans mes recherches, à moins que ce soit absolument nécessaire.

Pensif, Charles secoua la tête. L'étonnement se lisait dans ses yeux. Elle lui fit néanmoins confiance.

— Je veux voir les comptes de toutes les compagnies chapeautées par Jacaranda. Ensuite, je veux l'offre des Français et tous les contrats qui ont été rédigés. Si j'ai bien compris, Sophie a déjà préparé le terrain en cas d'entrée en Bourse. Il me faut un maximum de chiffres et le cours de la Bourse prévu. Plus particulièrement, j'aimerais regarder le programme d'expansion commencé par papa: les magasins de vente au détail, la chaîne de supermarchés, les projets de renouvellement de la vigne.

Charles poussa un long sifflement grave.

— Cela représente une montagne de travail, Annabelle ! Nous disposons de quelques semaines seulement pour prendre une décision.

— Je n'ai rien d'autre à faire, Charles. Considère ça comme un défi !

Sophie roulait depuis trois heures, l'esprit accaparé par l'histoire commencée par sa grand-mère. Elle souffrait à la seule pensée que John et Rose soient séparés par les océans. Le destin était trop cruel.

Et pourtant, tel le voyage qu'elle était elle-même en train d'effectuer, qui savait ce que la route pouvait réserver, quelles rencontres et quelles aventures incroyables ? Le destin avait-il prévu ce périple avec Cornelia ? Quel but se cachait derrière cette expédition ? Car Sophie croyait au destin. Tout événement dans la vie avait un but, même si on ne le percevait pas tout de suite. Elle en avait eu la preuve chaque fois qu'elle s'était posé des questions sur son avenir.

Elle remua et prit une position plus confortable derrière le volant. Elles étaient parties plus tard que prévu parce que sa grand-mère avait peiné à se lever et Sophie ne souhaitait pas précipiter son petit déjeuner. Le teint pâle de la vieille dame l'inquiétait, et elle jetait de temps en temps un coup d'œil vers Cornelia qui somnolait paisiblement à côté d'elle. Ce voyage était de la folie. Quelle personne sensée traverserait en camping-car de telles étendues désertes avec une femme de quatre-vingt-dix ans ?

Sophie se concentra sur la route. Cette question la taraudait depuis plusieurs jours, même s'il était inutile d'essayer de trouver une explication logique au comportement de Cornelia. Celle-ci aurait de toute façon fait le voyage, avec ou sans elle.

Tandis que le camping-car gravissait une autre colline, le panorama incroyable lui coupa le souffle. Ses pensées moroses furent balayées d'un seul coup.

— On s'arrête prendre le journal, suggéra-t-elle. C'est samedi. Tu me liras les potins pendant que je roule. Cette Sharon Sterling trempe sa plume dans le poison. Je ne sais pas où elle obtient ses informations et comment les gens concernés encaissent ses papiers mais elle me fascine. Je l'achetais chaque semaine en Angleterre pour suivre l'actualité people.

— Son journal est un torchon, marmonna Cornelia. Seuls les scandales l'intéressent. Je trouve cela malsain de fourrer le nez dans les affaires des autres.

Sophie était d'accord mais elle ne résistait pas à sa dose de potins hebdomadaire. Elle se gara le long d'une cabane en rondins. Des milliers d'abeilles bourdonnaient dans les faux-poivriers de la cour. Il faisait frais à l'intérieur, les étagères débordaient ; Sophie acheta son lourd journal du week-end, des bouteilles d'eau froide et un sachet d'abricots, puis elles reprirent la route.

Huit kilomètres plus loin, Cornelia lâcha un cri horrifié.

— Bordel de merde ! Je vais leur coller un procès ! La garce n'écrira plus un mot de sa vie.

Inquiétée par cet éclat soudain, Sophie se gara sur le bas-côté.

— Que se passe-t-il ? Tu as une drôle de mine. Un problème ?

La main de Cornelia tremblait quand elle lui tendit le supplément.

— Cette Sharon Sterling se paie notre portrait sur cinq pages. Si jamais je découvre celui ou celle qui lui a parlé, je... je...

Elle était tellement en colère que les mots lui manquaient.

Sophie s'empara du journal, survola les titres racoleurs et les clichés familiers.

— Merde ! Son informateur savait exactement où planter le couteau...

Cornelia lui arracha le magazine des mains.

— Conduis, Sophie. J'ai besoin de temps et de silence pour digérer cette immondice avant de décider de la suite à donner.

Elle replia les pages, plaça ses lunettes au bout de son nez et reprit sa lecture. Jock avait été cloué au pilori et même s'il méritait la plupart des attaques, des détails de l'article ne pouvaient venir que d'un membre de la famille. Elle fut choquée par l'audace de l'informateur qui les exhibait ainsi sur la place publique. Voilà qui risquait de détruire les siens.

9

Assise sous sa véranda, Catherine laissa glisser le journal de ses doigts inertes. Elle fixa les monts Dandenong. Les plaies du passé avaient été rouvertes et publiées noir sur blanc. Primo, elle n'avait pas épousé son premier mari pour son argent et secundo c'était purement et simplement méchant d'insinuer qu'elle avait une idée derrière la tête en convolant avec son deuxième cher et tendre.

Les larmes lui brouillaient la vue et elle n'avait pas la force de les essuyer. Elle avait aimé Matthew même s'il était plus âgé qu'elle. Ils étaient heureux jusqu'à ce qu'un accident de voiture l'emporte. Aucune somme d'argent n'aurait pu compenser sa perte et elle aurait récuré des sols le restant de sa vie si cela l'avait fait revenir.

Jonathan était arrivé au moment où elle se résignait à une existence de veuve à la carrière brillante. Ils s'étaient rencontrés lors d'une réception au Parlement de Melbourne. Séduisant, doté d'un esprit vif et curieux, il donnait des conférences en sciences politiques à l'université de l'État de Victoria. Il écrivait des livres bien trop intellectuels pour elle et adorait un bon débat avec ses pairs. Pourtant, il ne l'avait jamais traitée de haut et l'avait même encouragée à se cultiver et à voir les choses d'un œil différent. La naissance de leur fils Harry tenait du miracle et on pouvait dire que sa mort les avait rapprochés. Par chance, Jonathan n'avait pas souffert de Parkinson trop longtemps et il était mort dans son sommeil trois ans à peine après avoir été diagnostiqué.

L'article avait raison sur un point. Ces deux mariages l'avaient rendue très riche mais à quoi servait l'argent quand on restait seule? Une larme coula sur sa joue, trembla quelques instants sur son menton puis s'écrasa sans bruit sur son chemisier.

Ce n'était pas tant cette accusation qui la blessait le plus. Mais qu'on la considère comme une mère insouciante qui négligeait son fils l'avait crucifiée. L'article suggérait qu'elle se préoccupait trop de sa vie sociale, de sa carrière, et l'accusait directement de la mort de son enfant. Bien qu'elle ressentît encore aujourd'hui une culpabilité insidieuse, elle savait qu'elle n'était pas coupable mais victime. Cela aurait pu arriver n'importe quand. Harry les avait suppliés de l'envoyer en pension. Il n'avait pas débarrassé le plancher comme le laissait penser l'article. Ses collectes de fonds n'avaient pas tant d'importance que ça aux yeux de Catherine.

Elle ravala ses larmes et feuilleta le supplément. Il y avait même quelques lignes sur Phil. Elle serra le poing. C'était lui le vrai coupable, lui qui s'était marié pour l'argent et elle avait été assez stupide pour prendre ses flatteries pour de l'amour. Elle avait cru ses mensonges et pleuré quand il était parti avec Liliane après avoir vidé leur compte commun.

« Heureusement, pensa-t-elle, que je ne laissais qu'un minimum d'argent sur ce compte. Il n'est parti qu'avec une infime partie de l'héritage de Jonathan et de Matthew. »

Elle posa le journal à plat sur la table de jardin. Sharon Sterling était une belle garce qui avait assassiné ses victimes dans les règles de l'art. Pas un seul membre de la famille n'échappait à sa plume au vitriol.

Pendant deux jours et deux nuits, Annabelle éplucha les registres de l'entreprise. Les ravages provoqués par son père s'affichaient sur chaque page ou presque. Il avait saboté de manière froide et délibérée l'entreprise qu'il avait mis une vie à construire. Le connaissant, elle comprenait ses raisons.

Jock Witney venait d'une famille modeste possédant quelques acres de terre jusqu'à ce qu'il oblige Cornelia et Edward à lui céder cinquante pour cent de Jacaranda. Il avait consacré son existence à son ascension sociale et, comme beaucoup d'hommes ayant réussi, il se moquait bien des gens qu'il piétinait au passage. Avant de mourir, il contempla sa réussite et décida que personne n'était à la hauteur de son œuvre. Ainsi commença la lente et insidieuse destruction du domaine de Jacaranda et de ses filiales. Ses projets d'expansion n'étaient qu'un stratagème pour vider les coffres. L'achat de magasins de vente au détail et de supermarchés était une erreur vu l'économie mondiale mais, tel un rouleau compresseur, il était passé outre aux objections et avait continué. Le tyran intimidait sa famille : ceux qui osaient s'opposer à lui étaient réduits au silence selon une logique démoniaque et imparable.

Annabelle finit par poser ses lunettes et se frotta les yeux. On était samedi matin et elle était épuisée. Pourtant sa fatigue était tempérée par une excitation latente. Elle ne s'était pas trompée : il existait un moyen de sauver Jacaranda, malgré Jock.

Elle s'éloigna de la table qui croulait sous la paperasse. Contrairement aux apparences, ce n'était pas le chaos. Elle se prépara un café avant de se rendre sous la véranda. Le livreur de journaux avait déposé son épaisse liasse du samedi par terre.

Alors qu'elle se penchait pour la ramasser, sa main se figea. Elle fut foudroyée par la photo de Martin en première page du supplément couleur. Tremblante, elle s'écroula sur les coussins du fauteuil et parcourut à toute allure les gros titres puis lut les interminables colonnes.

À la fin de sa lecture, une colère noire s'empara d'elle. L'article de Sharon Sterling la mettait en lambeaux, démolissait sa réputation et celle de son époux. Ses insinuations n'avaient aucun fondement ; ses sous-entendus sournois faisaient d'Annabelle une femme futile et idiote sans aucune volonté qui avait fui un père brutal et indifférent pour épouser son double.

Selon Sharon, Martin l'humiliait sans arrêt, refusait de lui donner le bébé qu'elle désespérait d'avoir, la battait... Il la privait d'argent et d'amour, la soumettait à son bon vouloir comme son père l'avait fait. Quelle série d'inepties ! Martin n'avait jamais ni crié ni levé la main sur elle. Et l'absence d'enfant était due à sa malformation des ovaires ajoutée à une réticence à adopter.

Annabelle eut envie de déchirer le journal en mille morceaux que le vent aurait emportés jusqu'à l'océan. Abasourdie par un tel déferlement de haine, elle resta néanmoins calme et se concentra sur ses objectifs.

Sharon tenait ces histoires de quelque part ou plutôt de quelqu'un. Les détails étaient trop imagés, les personnages trop léchés et trop bien assassinés pour provenir d'une personne extérieure à la famille…

Jane avait déjà reçu un appel d'Edward. Dévasté par les révélations, le pauvre homme menaçait de faire un procès. Sharon Sterling racontait l'épisode où Jock l'avait obligé à rester à genoux dans son bureau pendant trois heures alors qu'il était en réunion. Il l'avait puni pour avoir sous-estimé un concurrent et eu l'audace de demander un jour de congé afin d'assister à la remise de diplôme de Charles. L'incident avait eu lieu plusieurs années auparavant mais il était resté sur le cœur d'Edward et, à présent, tous les lecteurs du journal étaient au courant.

Pauvre Edward. Jock ne lui avait jamais pardonné de posséder cinquante pour cent du domaine de Jacaranda avec Cornelia. Il l'humiliait souvent pour se venger en cas de vote défavorable. Jane ne pleurait pas sur le sort de sa famille, mais sur le sien et la douleur infligée par Sharon Sterling.

Le téléphone sonna à nouveau. Dans un soupir, elle posa le magazine par terre et répondit :

— C'est moi, chérie. Philippe. Je suppose que tu as vu cet article calomnieux.

Jane ravala ses larmes.

— Oui et si je mets la main sur celui qui a parlé à cette garce, je le tue.

— Ne te plains pas, tu t'en tires assez bien ! Toute la ville sait que tu étais la maîtresse de Jock et tu devais avoir l'habitude de ces médisances à l'époque où tu faisais du théâtre. Mais, moi, m'accuser d'être un maquereau et de fréquenter des garçons dans les quartiers chauds de Sydney. Et, pour finir, m'accuser d'avoir le sida !!

Dans sa jeunesse, Philippe avait eu une préférence pour les hommes plus âgés, puis ses goûts avaient changé et son dernier amant en date sortait de l'université. Par le passé, des scandales avaient été évités de justesse par sa rapidité d'esprit et un gros chèque, mais ils n'avaient rien à voir avec du proxénétisme ou de la pédophilie.

— Tu n'as pas le sida, Phil ?

Au bout de longues secondes, Phil répondit d'une voix plus douce, plus hésitante :

— Je n'ai jamais eu le courage de faire le test mais je ne me sens pas malade.

— Alors je te suggère d'y aller, répliqua-t-elle toujours en larmes. Je suis désolée, Philippe. Je ne peux pas te parler maintenant. Rappelle-moi ce soir quand j'aurai eu le temps de digérer.

Une migraine menaçait et ses jambes tremblaient tellement qu'elle tenait à peine debout.

— Courage, Jane. Cette histoire perturbe chacun d'entre nous. Il faut agir. Aujourd'hui. Avant que Cornelia l'apprenne.

— Elle est déjà au courant, Phil. J'ai rendez-vous avec son avocat cet après-midi mais ce matin, au téléphone, il m'a laissé peu d'espoir. Cette Sterling a mis sur le coup des dizaines d'hommes de loi qui ont passé son article au peigne fin. Elle est très intelligente. Les sous-entendus et les opinions personnelles ne sont pas considérés comme de la diffamation. Quant à ses accusations, elle peut les prouver.

— J'aimerais étrangler cette salope de mes propres mains. Ainsi que celui qui lui a apporté sa brouette de merde.

— J'y ai longuement réfléchi et j'ai ma petite idée sur son nom. Mais pas maintenant, Phil, insista-t-elle. J'ai une terrible migraine et je vais me coucher.

— Fais attention, Jane. Je suis désolé que tu sois mêlée à tout ça.

— Ma faute. Je n'aurais jamais dû m'approcher de Jock Witney.

Après avoir raccroché, Jane s'effondra dans un fauteuil et regarda par la fenêtre. Pauvre Philippe. Il venait si souvent pleurer sur son épaule. Comment cette garce parvenait-elle à remuer ainsi la merde ? La colère lui monta encore au nez ; elle ramassa le magazine, le feuilleta jusqu'à atteindre le passage sur sa vie qu'elle relut :

Jane Bruce n'avait que vingt ans quand a commencé sa longue liaison avec Jock Witney alors âgé de quarante ans. Déjà elle faisait l'objet de rumeurs dans l'univers clos du théâtre. Mlle Bruce était une jeune femme très séduisante et l'on parlait de nombreuses liaisons avec des acteurs – rarement célibataires, blancs et disponibles.

Cantonnée à des rôles insignifiants avant cette liaison, Jane Bruce a été catapultée au sommet quand elle a obtenu le rôle phare de Blanche DuBois dans Un tramway nommé Désir *au Théâtre national de Sydney – théâtre sponsorisé par la famille Witney, même si je doute que ce détail ait eu une influence sur la carrière de la jeune comédienne. Puis elle a décroché le rôle de Messaline dans la version australienne de* Moi, Claudius *pour lequel elle a reçu une récompense. À l'époque, Jock Witney avait joué les timides quand un reporter l'avait questionné sur le financement du film. Il faut dire que sans son argent le projet n'aurait jamais vu le jour.*

Cornelia, l'épouse de Jock, devait être au courant de ses aventures extraconjugales car ce n'était pas la première fois qu'il affichait ses maîtresses – et ce ne serait pas la dernière. Mais nous nous demandons si celle-ci a eu vent des rumeurs de grossesse. Peut-être Cornelia savait-elle mais, en tout cas, la vérité est si bien cachée que les enquêteurs de Scoop Magazine ne sont pas parvenus à trouver le moindre élément, ce qui signifie que Mlle Bruce emportera son secret dans la tombe. N'est-il pas fascinant de penser que quelque part une personne ignore ses droits sur la propriété de Jock Witney, soit quelques millions de dollars ? Comme ce serait merveilleux de la retrouver et d'ajouter une pièce au puzzle Witney !

Jane ne put en lire davantage. Sa migraine tambourinait tellement derrière ses yeux qu'elle ne pouvait soulever la tête des coussins. Elle gémit d'angoisse, assaillie par des souvenirs qu'elle pensait bannis de son esprit depuis longtemps. Pourtant une partie d'elle-même parvenait encore à analyser son histoire avec calme.

Bien que toxique et malveillant, l'article prouvait une chose : qui que fût l'informateur, il ne savait pas tout. Oh non ! La vérité aurait été mille fois plus dévastatrice et Sharon Sterling aurait tenu là un vrai scoop.

Charles ne se sentait pas bien. Malgré les fenêtres ouvertes, il respirait mal. Il défit son col et enleva sa veste. Son cœur s'affola sous ses côtes. Il s'allongea pour essayer de se calmer. Son esprit était tourmenté par ce qu'il avait lu dans cette saloperie de journal et il redoutait d'affronter Lydia désormais.

Le supplément était posé sur la table à côté de lui. Il n'avait pas besoin de relire l'article. Chaque mot serait gravé à jamais dans son esprit.

Il n'y a pire imbécile qu'un vieil imbécile. Et Charles remplit toutes les conditions pour être qualifié d'une telle épithète. Sinon comment expliquer son extraordinaire mariage avec la jeune et nubile Lydia ? Scoop *se demande s'il connaissait le passé de sa fiancée avant de lui mettre la bague au doigt. Quoi qu'il en soit, il n'a pas fallu longtemps à notre équipe d'enquêteurs pour établir la vérité.*

Lydia est née dans le nord de la Thaïlande, au sein d'une famille rurale travailleuse mais pauvre. À treize ans, elle s'est enfuie à Bangkok, ville du péché aux néons tapageurs et aux bars sordides. Elle a trouvé du travail dans l'un d'eux – comme stripteaseuse et non comme serveuse. À son salaire s'ajoutait l'argent des hommes venant en masse à Bangkok pour le commerce sexuel des mineurs. Peu après, Lydia s'est installée chez un riche Américain qui l'a finalement jeté dehors dès qu'il a découvert qu'elle continuait ses activités chez lui. Mais Lydia est pleine de ressources et, bientôt, elle s'est déniché un homme prévenant qui lui a offert un toit en échange de ses services.

Cet homme s'appelait Leroy Texas, producteur de films pornographiques que vous ne risquez pas de trouver dans un coin discret de votre vidéoclub habituel. En fait, la police australienne a informé Scoop *que de telles vidéos sont interdites dans notre pays et que M. Texas, alias Fred Brown, croupit en ce moment dans une prison de Sydney pour avoir essayé d'importer ces immondices.*

Lydia est devenue une star de l'écran alors qu'elle n'avait aucun talent, quel qu'il fût. Scoop *s'est procuré une de ces cassettes sordides et, après avoir visionné des scènes d'avilissement et d'orgies sexuelles impliquant des mineurs et des animaux, notre reporter a dû prendre une longue douche avant de se sentir propre à nouveau. La cassette a ensuite été détruite selon les instructions de la police et notre rédaction espère que le fournisseur de ces abjections, M. Texas, restera en prison de nombreuses années encore.*

D'après la rumeur, Charles aurait rencontré Lydia dans un bar à strip-tease miteux dans les quartiers chauds de Bangkok. Ils n'ont pas été présentés l'un à l'autre par un confrère comme il l'a prétendu à son retour en Australie. Le corpulent veuf est un habitué bien connu des bordels de Sydney qu'il fréquentait pendant et après son mariage. Ceux de Bangkok devaient à peine le dépayser.

Voilà le conseil que je donnerais à Charles qui paie sûrement les services de son épouse en diamants et en perles, en sorties shopping dans les boutiques les plus chères de la ville : achète-lui une muselière et une ceinture de chasteté la prochaine fois ! Elles garantiront silence et fidélité car il paraîtrait que Lydia offre ses faveurs à d'autres et qu'elle reçoit davantage que des conseils financiers d'un certain jeune courtier.

Charles ouvrit grand les yeux quand une voiture se gara dans l'allée. Par la fenêtre, il aperçut le chauffeur qui aidait Lydia à descendre, les bras chargés de paquets au nom de grands créateurs. Le pouls instable, il serra les poings et attendit.

La porte s'ouvrit sur elle.

Charles regarda ses traits de poupée, sa silhouette gracile presque enfantine dans une robe de soie ; il se demanda pourquoi il ne l'avait pas davantage questionnée sur sa vie à Bangkok ou pourquoi il ne lui avait pas fait part de ses doutes sur sa fidélité.

Parce qu'il était trop lâche, admit-il en silence. Parce que Sharon Sterling avait raison : il n'était qu'un vieux fou qui avait laissé ses couilles manipuler son cerveau. Il ne voulait pas que ses soupçons soient confirmés. Ce qu'il ignorait ne le blessait pas. Telle une autruche, il avait enfoui sa tête dans le sable et laissé son cul à l'air.

— J'ai trouvé la robe que je cherchais ! s'exclama Lydia sans se rendre compte de sa colère ou de son malaise. Comme d'habitude, ils devront la retoucher, je suis tellement plus mince que la baleine australienne moyenne.

À l'évidence, elle ignorait tout de l'article. Cela ne le surprit pas car elle ne savait ni lire ni écrire. Elle signait à peine son nom.

— Ferme la porte, Lydia, ordonna-t-il sur un ton très calme. Il faut que l'on parle.

Quelques heures plus tard, après des crises de larmes et d'hystérie, des offres de sexe exotique qui n'eurent aucun effet sur Charles, Lydia demeura pétrifiée quand il lui signa un gros chèque et jura que ce serait le dernier qu'elle recevrait de lui. Il n'était pas question de divorcer à l'amiable vu les mensonges qu'elle lui avait racontés pour dissimuler son passé répugnant. La douleur croissait dans sa poitrine mais il choisit de l'ignorer. Il prit son téléphone et réserva un aller simple sur le prochain avion en partance pour la Thaïlande.

Les larmes coulaient à flots ; hystérique, Lydia s'agenouilla devant lui et s'accrocha à ses jambes.

— Ne me renvoie pas, Charles, je t'en supplie. Je vais perdre la face et devoir travailler à nouveau dans les rues.

Il la repoussa et appela la domestique.

— Tu reprendras vite tes vieilles habitudes. Et puis je t'ai donné assez d'argent pour vivre jusqu'à ce que tu trouves un autre pigeon à plumer.

Angelina, leur domestique, écarquillait les yeux mais se garda bien d'émettre un commentaire, et Charles lui en fut reconnaissant. Cet épisode était assez humiliant sans avoir à donner d'explication. Elle devait avoir lu le journal et en avait certainement tiré ses propres conclusions.

— Lydia nous quitte. Veillez à ce que ses vêtements et les affaires qu'elle a apportés de Thaïlande repartent avec elle d'ici à une demi-heure. Je veux que vous me descendiez ses bijoux et ses cartes de crédit. Elle n'emporte rien là-bas, ni sa bague de fiançailles ni son alliance.

Lydia suivait Angelina quand Charles la rattrapa par le poignet.

— Toi, tu restes avec moi. Je n'ai plus confiance en toi. Assieds-toi et cesse de geindre.

Deux heures plus tard, tandis que l'avion de Lydia quittait la piste, Charles étouffa un cri de douleur et se tourna vers son chauffeur.

— Conduisez-moi à l'hôpital. Je ne me sens pas bien.

Mary s'était préparé un bon cappuccino avant de lire les journaux du samedi. Elle faisait évidemment partie du portrait de famille mais on n'apprenait rien de nouveau sur elle car elle n'avait fait que confirmer des rumeurs sur d'anciens amants et autres indiscrétions qu'elle n'avait aucun scrupule à révéler.

Elle sourit de satisfaction. Sharon Sterling avait fait un superbe travail de sape et elle regretta de ne pas voir la tête des autres quand ils liraient le passage les concernant. Papa était bien sûr hors jeu, mais il aurait sûrement apprécié la manière dont Sharon remuait le couteau dans la plaie.

Le passage sur le bébé tenait du chef-d'œuvre. Elle espérait que cette garce de Jane souffrait. Elle avait peut-être eu du succès autrefois mais aujourd'hui elle n'était qu'une chercheuse d'or *has been*, une vieille putain aimant la belle vie.

Mary ne détenait aucune preuve de l'existence d'un enfant, simplement le sentiment qu'il y avait eu une anicroche entre cette femme et son père. Maman ne parlait jamais du passé. Quant à Jane, elle cachait quelque chose, un mystère qu'elle partageait désormais avec Cornelia. Étrange comme les spéculations et l'imagination donnaient naissance à une bonne histoire ! Sharon en bavait au fur et à mesure que Mary déballait ses confidences.

— Il n'y a pas de place dans cette famille pour les bâtards, grogna-t-elle. Si cette salope est tombée enceinte, papa l'a obligée à s'en débarrasser.

L'amertume l'étrangla lorsqu'elle repensa à sa propre grossesse. Si elle avait eu le choix, elle aurait avorté ou donné Sophie à l'adoption. Mais il était trop tard quand Paul l'avait quittée, mère avait pris le relais comme à son habitude et insisté pour élever seule la mioche. Cette gamine lui rappelait sans arrêt Paul, le seul homme qu'elle avait sincèrement aimé sans l'être en retour.

Dans un soupir, Mary posa le journal. L'heure était venue d'appeler ses sœurs et de jouer les incrédules. Elle avait disposé de deux jours pour répéter son rôle. Son silence paraîtrait trop bizarre et, même si elle n'éprouvait aucun regret, elle ne pouvait se permettre d'être démasquée.

10

Quand elle entra dans la salle du conseil, Annabelle fut frappée par le brouhaha. Elle observa la scène rapidement puis s'assit à sa place habituelle. Son absence aurait été remarquée mais sa présence ne serait qu'à peine relevée, comme d'habitude. Elle sourit en douce. Être ainsi ignorée lui donnait le temps de jauger la situation et de prendre la température. C'était fascinant ce qu'on pouvait apprendre !

Le marteau s'abattit lourdement sur la table. Tous se tournèrent vers Edward.

— Asseyez-vous ! rugit-il. Vos cris ne mèneront nulle part.

— Que suggères-tu ? intervint Mary. Qu'on se couche ?

— C'est ce que tu fais le mieux, chérie, ironisa Philippe.

— Pardon ? s'emporta Mary, le visage aussi écarlate que ses ongles tapotant sur la table.

Philippe se pencha en arrière, sûr d'avoir obtenu l'attention de sa famille.

— Allez ! On sait tous que tu conclues tes affaires à l'horizontale. Sharon Sterling ne t'a pas ratée.

— Toi non plus, répliqua-t-elle. Espèce de tafiole.

— Ça suffit ! gronda Edward. Cette réunion ne va pas tourner au règlement de comptes entre pétasses. Mon fils est à l'hôpital et ma sœur morte d'inquiétude au milieu de nulle part. Nous devons discuter calmement et intelligemment.

— Je suis d'accord, affirma Catherine. Le plus important est de trouver qui est l'informateur de Sharon Sterling.

— Tu proposes quoi ? Un détecteur de mensonges ? demanda Philippe. Le responsable ne va pas lever la main et se désigner, tu sais.

— Bien sûr que non, mais nous pouvons déjà éliminer certains membres de la famille.

Catherine prit une profonde inspiration et enchaîna au milieu des dénis. Annabelle adorait voir les diverses expressions passer sur les visages – certains cachaient leurs sentiments, d'autres n'y parvenaient pas.

— Charles n'a pas pu le faire, ni les jumeaux. Ce n'est pas dans leur nature. Au fait où sont-ils?

— J'ai tenté de les contacter, répondit Edward. En vain.

— Oncle Edward est au-dessus de tout soupçon, continua Catherine. Maman et Sophie se trouvaient loin de Sydney quand l'article est paru... Je sais que ce n'est pas moi et Annabelle n'en est pas capable.

Elle sourit à Annabelle et se tourna vers Mary.

— Il reste toi.

Mary leva les bras en l'air.

— Évidemment! Dans le doute, on accuse Mary. Mais tu n'aurais pas oublié un détail ou deux? Je ne suis pas la seule à avoir des comptes à régler. Et Jane?

Tous les regards se braquèrent sur celle qui n'entrait jamais dans la salle du conseil en temps normal.

— Je n'ai pas de comptes à régler; Cornelia a toujours été très bonne envers moi et je n'ai aucune intention de la remercier en détruisant sa famille.

— Belles paroles, grommela Mary. Mais tu ne t'en tireras pas aussi facilement. Depuis combien d'années incrustes-tu cette famille, hein? D'abord papa, ensuite mère. Quelle emprise as-tu sur elle, dis-moi? Pourquoi t'a-t-elle offert un toit alors que tu as brisé son couple?

Jane s'efforçait de garder son calme. Actrice un jour, actrice toujours.

— Je n'ai aucune emprise sur ta mère. Quant au mariage de tes parents, il était terminé bien avant que j'entre en scène.

— Et cette histoire de bébé, c'est vrai? Y a-t-il un bâtard dans la nature qui pourrait réclamer une part de notre héritage?

Annabelle retint son souffle: les yeux de Mary brillaient avec une telle haine que Jane eut un mouvement de recul. Cette violence en était choquante. Pour la première fois,

Annabelle se demanda si cette animosité était due à la peur d'être déshéritée en partie ou à un sentiment plus profond.

— Dans ce cas, crois-tu que j'aurais ouvert mon sac à une journaliste de bas étage au bout de toutes ces années ? Pourquoi infligerais-je une telle douleur à Cornelia ? Ton argument ne tient pas la route, Mary.

Bien que calme, Jane serrait les poings.

— Elle a raison, Mary, intervint Catherine. Laisse tomber.

— Pas question ! Il n'y a pas de fumée sans feu. Nous devrions tous connaître la vérité. Jane, qu'en as-tu fait ? Tu t'en es débarrassé ? Il a été adopté, abandonné ? Ta carrière était donc plus importante que ton bâtard ou papa avait-il compris ton sale manège et avait-il refusé toute forme de chantage ?

— Je t'ai déjà donné ma réponse, répliqua Jane. Je n'ai pas parlé à ce reporter et je ne le ferai jamais.

Elle avait le contour des yeux bleuis par la lassitude quand elle regarda Mary en face et asséna :

— Si quelqu'un à cette table est capable d'une telle méchanceté, c'est bien toi. Tu as toujours été rancunière et cupide. Combien de billets t'a-t-elle donnés pour trahir ta famille ?

— Je ne me laisserai pas insulter plus longtemps, vitupéra Mary.

— Alors sors d'ici, enchaîna Philippe. Va voir ailleurs si les insultes sont d'un plus haut niveau.

Mary lui décocha un regard de haine.

— Vous pouvez rester ici à vous raconter des mensonges toute la nuit mais vous ne saurez jamais la vérité parce que vous en avez trop peur. Papa avait raison, vous n'êtes qu'une bande de losers.

Elle attrapa son sac à main et sortit en flèche. Elle claqua la porte avec une telle férocité que le fracas résonna dans l'immeuble entier.

Un silence de mort s'abattit. Tous étaient perdus dans leurs pensées. Annabelle se mordit la lèvre. Ils avaient assisté à une performance irréprochable de la part de Mary mais elle avait remarqué un détail qui lui avait jusque-là échappé et qui indiquait avec certitude que Jane n'avait pas parlé à Sharon Sterling.

Cornelia rassura Sophie ; elle se sentait simplement fatiguée après le choc provoqué par l'article. À présent que la lumière était éteinte et que sa petite-fille dormait d'un sommeil agité, elle pouvait laisser libre cours à ses propres pensées et souvenirs troubles.

L'article dépeignait Jock avec précision mais il y avait un côté de son mari que nul ne connaissait. Et cela l'avait aidée à tenir le coup lors des moments difficiles. En effet, bien que son mariage se fût effondré et qu'elle ne pût plus vivre avec lui, ils partageaient encore une intimité que ni rien ni personne n'était parvenu à briser.

Leurs premières années de mariage avaient été heureuses et comblées grâce au travail et à leurs projets d'avenir avec les jumeaux. L'apport financier de Jock avait redonné de la vigueur au domaine de Jacaranda. Ils avaient combiné les deux propriétés et engagé du personnel. La plantation de nouveaux ceps et cinq saisons successives de pluie et de soleil raisonnables avaient garanti de bonnes vendanges et promettaient un grand cru.

Chaque année voyait arriver des ramasseurs – femmes et garçons en majorité – aux doigts agiles et au dos résistant qui sillonnaient les milliers d'acres de l'aube au crépuscule. La chaleur était accablante sous le ciel bleu. Ce travail d'esclave était allégé par des chansons, des rires, des anecdotes de plus en plus saugrenues. Cornelia ne s'était jamais sentie aussi en harmonie avec sa terre que durant ces courtes semaines trépidantes.

Il fallait un mois pour récolter les grappes, les presser puis remplir les tonneaux. Pendant ce temps, bien qu'elle fût sur les terrasses chaque jour, elle entrapercevait Jock au loin tandis qu'il observait, contrôlait, réprimandait les ouvriers.

Il se levait avant les premières lueurs et ne rentrait pas avant la nuit. Pourtant, il ne semblait jamais fatigué car l'excitation des vendanges remplissait ses journées. Après la première journée de récolte, il fallait encore quarante-huit heures avant le début de la fermentation mais, dès le deuxième jour, il se rendait dans les caves à vin fraîches et respirait le merveilleux parfum âcre du vin nouveau.

— C'est un miracle, Cornelia ! Le secret consiste évidemment à savoir quand tirer le vin des barriques. Pour un sauternes, il faut conserver le sucre. La période de fermentation doit être brève. Pour les rouges secs, le processus prend plus longtemps.

Jock avait-il oublié que Cornelia était née au milieu de ces odeurs de vin et en savait autant que lui sur la fermentation et l'embouteillage ? Elle lui pardonnait car c'était là qu'elle l'aimait le plus, quand il paraissait jeune, insouciant. Le soleil teintait sa peau acajou, ce qui rehaussait la couleur de ses yeux et blanchissait ses mèches blondes. Il était très beau et attisait cette passion qu'elle ressentait toujours pour lui.

— Ce sera un bon cru ?

Il hocha la tête et lui serra la taille.

— Ce sera un excellent cru, Cornelia. Jacaranda et toi me portez chance !

Elle soupira dans le noir en repensant à la meilleure année de leur mariage, la dernière fois où ils avaient été réellement heureux. Elle s'était accrochée à ces souvenirs les cinq premières années, espérant qu'ils l'aideraient à tenir quand vinrent des jours plus sombres. Mais les multiples aventures de Jock ternissaient immanquablement cette courte période de bonheur.

Qu'elle n'ait pas su, pas deviné que son mari la trompait n'était pas surprenant. L'amour rend aveugle... Quelle idiote de lui avoir fait confiance ; mais peut-être ne voulait-elle pas voir la vérité en face ?

Leur vie était mêlée au vin et réglée par les éléments. Contrairement à Jock, elle se rendait rarement à Adélaïde pour vendre leur production et prendre contact avec des clients potentiels.

Leur mariage vira à l'aigre lors de l'une de ses rares visites en ville et, depuis ce jour, ils n'eurent que les vignes et les jumeaux en commun. Elle l'accompagnait afin de célébrer leurs sixièmes vendanges réussies et avait hâte de porter les belles robes qu'elle avait cousues pour l'occasion. La mode avait changé depuis la Grande Guerre et ses tenues à l'ourlet brodé au-dessus du genou étaient très osées. Cependant, Jock lui avait assuré qu'elle était à la pointe de la mode. Elle se demanda bien comment un homme accaparé par ses vignes pouvait connaître les dernières tendances mais elle fut obligée de le croire.

— Promets-moi de ne pas te couper les cheveux, Cornelia, lui chuchota-t-il avant de l'embrasser dans le cou alors qu'ils se préparaient pour le voyage. J'aime bien les voir détachés. Je trouve la nouvelle tendance des coupes courtes trop masculine.

Le Bal du gouverneur était une grande réception. Cornelia resta ébahie devant les lustres en cristal suspendus aux plafonds richement décorés et par les bijoux des femmes somptueusement vêtues. Jock avait raison. Sa robe était parfaite, même si ses cheveux lui arrivaient à la taille.

Contrairement à Jock qui semblait à l'aise et serrait des mains, Cornelia ne connaissait personne. Quand il la présentait à un client, à un couple appartenant à l'élite... elle souriait et parlait de la pluie et du beau temps. Elle avait même appris le charleston pour l'occasion mais, très vite, elle eut chaud et le souffle court si bien qu'elle s'excusa et partit à la recherche de Jock.

Il dansait avec une brune exaltée qui le regardait avec une candeur impliquant une intimité de longue date. Cornelia les observa un moment, sa joie brisée par la découverte que Jock et cette femme étaient plus qu'amis.

Le cœur au bord des lèvres, elle prit néanmoins un verre de limonade et sortit sur le balcon. Elle avait besoin d'air frais, de temps pour réfléchir. Jock était bel homme. Les femmes flirtaient souvent avec lui. Cela ne signifiait pas qu'il la trompait, insista-t-elle, refusant d'entendre la petite voix discordante.

Après la chaleur de la salle de bal, la fraîcheur du soir et l'air marin furent les bienvenus. Elle s'effondra sur un banc en pierre caché sous les charmilles et ferma les yeux. La brise salée lui rafraîchissait la nuque et les épaules, telle une caresse, mais rien ne pouvait l'aider à surmonter le choc.

Un léger bruit de talons fut accompagné par le frottement de perles contre la soie et une voix anglaise aristocratique.

— Très chère, elle est la risée d'Adélaïde !

L'affirmation fut prononcée sur un ton comploteur avec une note de méchanceté.

— Il joue avec le feu cette fois-ci. Comment a-t-il pu oser l'emmener sachant qu'Éléonore serait présente?

Cornelia n'écoutait pas vraiment. Elle détestait les ragots et priait pour qu'elles s'en aillent. Mais ces femmes s'étaient installées sur les marches donnant dans le jardin et ne semblaient pas pressées de partir. Bien qu'elles ne l'eussent pas vue dans la pénombre, elle ne souhaitait pas être surprise en train de les espionner. Au moment où elle se levait pour révéler sa présence, leurs voix la figèrent sur place.

— J'ai pitié de Cornelia. La pauvre...

— Et pourquoi? Avec un homme aussi beau que Jock, elle doit savoir à quoi s'attendre! Éléonore n'est sûrement pas la première et je doute qu'elle soit la dernière.

Cornelia se redressa, son pouls battait à cent pulsations par minute. Elle porta la main à sa bouche pour étouffer un cri. Elle devait s'éloigner avant d'en apprendre davantage. Pourtant, elle demeurait rivée sur ce banc, curieuse de savoir depuis quand durait la liaison de Jock avec cette mystérieuse Éléonore.

— Ces femmes ont des critères différents des nôtres, ma chère. Elle vit probablement avec un négociant en vin dans la vallée de Barossa. La faute aux grands espaces et à la vie en extérieur. Il paraît qu'on en conçoit du désir pour la nature. Il suffit de voir sa tignasse pour comprendre que c'est une sauvage.

Il y eut des gloussements étouffés et Cornelia manqua se lever pour leur cogner la tête l'une contre l'autre. La pression montait, la chaleur lui brûlait les joues et pourtant elle resta immobile. Elle ne donnerait pas à ces femmes minaudières et ignorantes le plaisir de la voir en furie. Elle attendrait et peu importait les effets dévastateurs de leurs commérages ou l'amertume qui lui rongeait le cœur.

— Vous savez, ça ne me dérangerait pas de fricoter avec Jock Witney. On dit qu'un jour il sera très riche. Ce sera un joli parti, non?

— Tout cela est bien beau, ma chère, mais j'ai cru comprendre que sa fortune venait de sa femme. Il aurait mis le grappin sur la moitié de ses vignes. Il l'aurait même épousée pour son héritage. Il était quasiment ruiné à son retour de la guerre et, même s'il se débrouillait pas mal à Bundoran, la terre n'est pas aussi fertile que celle de Jacaranda. Le forban est peut-être séduisant mais je ne lui ferais pas confiance. Il est trop ambitieux, trop exigeant.

Les deux femmes papotèrent encore un peu puis retournèrent dans la salle de bal. Cornelia eut soudain très froid tandis qu'elle digérait les récentes informations. Jock avait sauvé le domaine ; sans lui, ils auraient coulé. Était-ce son plan depuis le début ? La raison de leur mariage ?

Cornelia enfouit son visage dans son oreiller alors qu'elle se rappelait cette horrible nuit et la scène qui avait suivi.

Jock avait jeté sa veste avant d'entrer dans la chambre de leur suite à l'hôtel.

— Tout s'est passé à merveille, Cornelia ! La Commission vigneronne va étudier nos deux premiers crus et, si tout va bien, nous obtiendrons notre premier label de qualité. Tu as été parfaite. Cela fait plaisir de te voir bien habillée pour changer. On devrait sortir plus souvent.

Cornelia eut beaucoup de difficultés à réprimer sa colère. Elle se moquait de sa fichue Commission vigneronne.

— Qui est Éléonore ?

Sa question ne parut pas inquiéter Jock qui ne la regarda néanmoins pas dans les yeux.

— La veuve d'un ami.

— Mais aussi ta maîtresse.

Le mot était lâché. Les yeux pleins d'espoir, elle scruta son visage. Il allait nier, balayer ces commérages du revers de la main.

— Et alors ? s'exclama-t-il tout en ôtant ses boutons de manchette. Éléonore est très riche. Grâce au carnet d'adresses de son époux, elle fréquente les bonnes personnes dans l'industrie du vin. Elle nous aidera à faire fortune. Allons Cornelia, ne monte pas sur tes grands chevaux, s'il te plaît.

Cornelia dut s'asseoir. Son audace lui coupait les jambes.

— Tu ne nies pas ?

— Pour quoi faire ? Tu préférerais que je te mente ?

— Non, bien sûr que non. Mais tu sembles si… froid et terre-à-terre. Je croyais que tu m'aimais!

Le regard suppliant, elle leva la tête vers lui et frissonna quand elle ne perçut aucune gentillesse dans son sourire.

— Évidemment que je t'aime, Cornelia, marmonna-t-il pendant qu'il se déshabillait pour se coucher. Tu es mon épouse. Mais un homme a des besoins et pourquoi le fait d'être marié ferait une différence? Je me suis toujours montré discret pour ne pas te blesser. Pourquoi n'es-tu pas satisfaite de ce que tu as?

Les larmes coulaient sur les joues de Cornelia. Qui était cet inconnu au cœur de pierre? Pas le mari qui lui avait fait l'amour la veille encore.

— Éléonore n'est pas ta première maîtresse, avoue.

— Non et elle ne sera pas la dernière. Maintenant, viens te coucher. Je suis épuisé et je dois dormir avant la réunion au Club des négociants, demain.

Cornelia se leva. La rage bouillonnait en elle avec une telle férocité qu'elle contrôlait à peine ses tremblements.

— Va en enfer! hurla-t-elle. Je ne me coucherai plus à côté de toi à partir de ce soir!

Le drap à la main, il se figea.

— L'hôtel est complet, Cornelia. Tu n'as nulle part ailleurs où dormir.

Elle jeta ses robes dans sa malle.

— Je retourne à Jacaranda et tu recevras bientôt une lettre de mon avocat, pantela-t-elle. Je te quitte, Jock et je prends mes fils et ma vigne avec moi.

Il se leva et se posta devant elle avant qu'elle ait eu le temps de cligner des yeux. Sa main lui encercla le cou tandis qu'il la toisait.

— Ne me menace plus jamais, Cornelia. Tu es ma femme.

— Non, haleta-t-elle, les mains sur les siennes. Tu t'es servi de moi. C'est Jacaranda que tu convoitais, pas moi.

Il relâcha la pression momentanément puis resserra son étreinte.

— Tu me quittes et je veillerai à ce que tu ne gardes pas Jacaranda. Prends mes fils et je vous brise, toi et ta précieuse famille. À partir d'aujourd'hui, Cornelia, tu agiras à ma façon.

Elle déglutit, se palpa la gorge tout en ravivant ses souvenirs. Elle sentait encore la pression de ses doigts autour de son cou, voyait la rage dans ses yeux et entendait la froide détermination dans sa voix. Elle ne l'avait pas quitté ce soir-là, car elle ne pouvait pas risquer de perdre les garçons ou le domaine. Pourtant une étincelle de volonté s'était allumée en elle et, avec un courage qui les avait choqués tous les deux, elle s'était enfermée dans la salle de bains et s'était coupé trente centimètres de cheveux.

Après ce voyage désastreux à Adélaïde, ils étaient rentrés chez eux et, au bout de plusieurs mois de silence prolongé, ils avaient trouvé une sorte de compromis, établi une trêve. Toutefois, au fil des années, tandis que le catalogue de ses maîtresses augmentait, Jock ne faisait plus preuve de discrétion et Cornelia en vint à considérer ses liaisons comme insignifiantes bien que blessantes et humiliantes.

Dans un soupir, elle s'endormit. Jock n'avait pas tout dirigé à sa façon. Elle gardait certains secrets au chaud. Il avait peut-être eu des soupçons mais n'avait jamais rien découvert. Quand elle s'était enfin vengée, ce fut délicieux de s'asseoir et de le regarder se tourner en ridicule.

11

— C'est très beau ici, grand-mère, déclara Sophie, une tasse de café à la main. J'ai regardé la carte ; tu ne m'avais pas dit que nous allions aux frontières nord de la vallée de Hunter. Coolabah Crossing doit être par là-bas. Thomas en parlait souvent, je comprends pourquoi maintenant.

— Tu étais très amoureuse de lui, pas vrai ? lui demanda-t-elle, l'air de rien.

Sophie sentit qu'il y avait anguille sous roche.

— Je suppose, répondit-elle. Mais nous étions trop jeunes. Que connaissions-nous de la vie ?

— Probablement plus que vous ne le croyiez.

Sophie posa sa tasse et demeura impassible malgré la quantité de sentiments que sa question avait soulevée.

— Où veux-tu en venir, grand-mère ?

— Nulle part... Je me demandais si tu avais eu de ses nouvelles après l'université, c'est tout.

Sophie la dévisagea, perplexe.

— Tu sais bien que non et c'est pour cette raison que nous avons rompu. Puis grand-père s'en est mêlé et je suis partie à Londres.

Elle détourna le regard, le soleil lui piquait les yeux.

— Je me suis toujours demandé ce qu'il reprochait à Thomas.

— Il avait ses raisons, comme pour le reste. Moi, je pensais que Thomas et toi alliez bien ensemble. Vous aviez tellement en commun – les vignes par exemple – et j'ai été déçue que tu épouses Christian par dépit.

— C'est faux, bredouilla Sophie. Je l'adorais. Il était l'homme idéal : indépendant, riche, beau, charmant, issu d'une bonne famille…

Voyant le regard de Cornelia, Sophie rougit.

— D'accord, grand-mère. J'ai commis une erreur et choisi un homme qui ne pouvait pas garder sa braguette fermée. Mais j'avais oublié Thomas quand Chris est entré dans ma vie.

— Vraiment…, murmura la vieille dame qui refusa son aide pour se lever et se dirigea à pas chancelants vers les lavabos.

Seule avec ses pensées, Sophie se demanda ce qu'était devenu Thomas, s'il était resté à Coolabah Crossing. Il devait être marié avec une nichée d'enfants. Elle avait suivi la hausse des Vins Coolabah au fil des années mais les journaux spécialisés et les magazines à potins ne mentionnaient jamais son nom. Avait-il accompli son rêve et repris le domaine familial ?

Elle soupira. Inséparables à l'université, ils semblaient faits l'un pour l'autre. Les yeux et les cheveux brun foncé, Thomas était l'exact opposé de Christian à la blondeur anglaise. Sa peau était noircie par le soleil, ses mains rugueuses à force de travailler sur les terrasses et quand il oubliait de se raser, une barbe noire naissait sur son menton, lui donnant un air méchant terriblement excitant.

Elle eut un sourire triste quand elle se rappela leurs retrouvailles, le soir après les cours ou son dos musclé auquel elle s'accrochait quand ils faisaient de la moto au bord de la rivière, les week-ends où ils exploraient le *bush*. Il lui avait appris à cuisiner la nourriture trouvée sur place, à repérer les koalas dans les arbres. Un été, ils s'étaient rendus sur l'île de Lindeman au niveau de la barrière de corail et avaient gravé leurs initiales dans l'écorce dure d'un palmier, promettant de s'aimer pour la vie.

— Nous n'étions que des gamins, marmonna-t-elle. Les choses ont changé entre nous.

Ils avaient échangé beaucoup de lettres les premiers mois qui suivirent l'obtention des diplômes puis soudain, sans explication, elle n'eut plus de nouvelles, plus de coups de téléphone. Elle lui écrivit deux lettres, téléphona sans qu'on décroche, laissa des messages qui restèrent sans réponse et, finalement, dut se résoudre au fait qu'il ne l'aimait plus et ne voulait plus la voir. Son frère se montrait froid quand elle l'avait au bout du fil. Un jour, il lui annonça sur un ton brusque que Thomas était parti un an dans un vignoble français. Elle se souvenait encore à quel point son silence et ce rejet inattendu l'avaient blessée mais elle était trop fière pour exiger une explication.

Elle contempla la vallée, la douleur revenant après toutes ces années pour lui rappeler ce premier amour qu'elle avait perdu. « Où es-tu, Thomas? Es-tu heureux? Penses-tu encore à moi? »

— Tu deviens sentimentale, se reprocha-t-elle avant de débarrasser la table du petit déjeuner. Trop de nuits blanches et trop de voyages. Ressaisis-toi, Sophie.

— On parle toute seule, ma chérie? Je pensais que ce privilège m'était réservé!

Sophie pivota et sourit à sa grand-mère.

— Je réfléchissais à voix haute. On y va? J'aimerais finir cette expédition avant que le soleil soit trop haut.

Cornelia s'installa sur une chaise de camping sous l'auvent.

— Et moi je voudrais poursuivre l'histoire de Rose avant que nous atteignions notre destination. Pas d'objection! Cela ne prendra pas longtemps. Et puis mon récit expliquera un peu ce que nous trouverons à la fin de notre voyage.

— Tu continues tes devinettes! la gronda Sophie.

— Oui je continue et tout va s'éclaircir.

Le *Faucon* pénétra dans Botany Bay le 22 décembre 1839. Il lui avait fallu trois longs mois pour rallier Londres et la Nouvelle-Galles du Sud. Rose regrettait presque que la traversée s'achève. Accoudée à la rambarde sur le pont, elle entrevit pour la première fois ce pays inconnu qui représentait désormais sa maison et son avenir.

Le vent chaud tirait sur le bonnet et la robe que lady Fitzallan lui avait achetés, le soleil lui réchauffait le visage et son pouls battit la chamade quand elle vit les bâtiments rudimentaires autour de la petite jetée, les étendues de sable couleur miel léchées par l'eau cristalline. Les belles collines boisées, si vertes par rapport à la terre rouge, le ciel turquoise et la mer bleue, semblaient sorties d'un livre d'images.

Bien qu'anxieuse, elle perçut vite des odeurs familières qui lui rappelèrent l'Angleterre. Au milieu du parfum exotique des fleurs flamboyantes et d'arbres bizarres s'élevaient les odeurs chaudes de crottin, de nourriture à bétail et de foin.

Quand le *Faucon* jeta l'ancre, ses voiles claquant contre les mâts, Rose écouta le cri des marins qui grimpaient tels des singes le long du gréement et préparait le navire pour un long séjour au port. De nombreux officiers à bord étaient accompagnés de leur épouse et de leur famille et certaines personnes comptaient, tout comme elle, commencer ici une nouvelle vie.

La douairière lady Fitzallan était une employeuse agréable par rapport à lady Amelia mais bien que leur long voyage ait créé une sorte d'intimité entre elles, il n'y avait aucune garantie qu'elle ait besoin des services de Rose une fois à terre. Dans ce cas, que deviendrait-elle? Rose repoussa cette lugubre pensée. Elle ne reviendrait pas en arrière et n'aurait aucun regret malgré son mal du pays et la peur de l'inconnu.

— Rose, je vous cherche partout!

Petite et grosse, lady Fitzallan semblait flotter sur le pont tel un clipper aux voiles gonflées. Ses jupes grises ondulaient sur ses larges hanches sous une poitrine enserrée dans un corset. Son chapeau à larges bords et couvert de plumes était attaché sous son triple menton avec un ruban noir. Son visage rond était rayonnant.

Rose esquissa une révérence.

— J'observais notre entrée dans le port, madame. Comme c'est beau!

Lady Fitzallan se radoucit.

— Beau, c'est vite dit! Attendons d'être à terre! J'ai égaré mon éventail. Soyez gentille, allez me le chercher.

Rose fit à nouveau la révérence et se précipita dans leur cabine. Lady Fitzallan perdait toujours ses affaires mais cela ne la dérangeait pas de chercher car elle appréciait la vieille dame. D'une certaine manière, elle lui rappelait Alice, la cuisinière. Elles partageaient la même carrure, la même vision de la vie. Leurs crises s'apaisaient vite et sous une apparence autoritaire bouillonnait une âme d'une grande franchise jamais volontairement méchante.

Exceptionnellement, la cabine sombre était rangée car Rose avait fait leurs bagages la veille et il ne restait plus que quelques habits à plier. Très vite, elle trouva l'éventail qui était coincé derrière un fauteuil.

Sur le pont, la douairière éventa son visage écarlate et se tapota le front avec un mouchoir.

— Mon fils m'avait parlé de la chaleur mais celle-ci doit être inhabituelle. Qui peut survivre à une telle température?

Rose, qui transpirait à grosses gouttes sous sa robe épaisse en laine, n'avait pas de réponse. Elle ne rêvait que d'une chose: enlever ses jupons et ses sous-vêtements fournis par son employeuse et se jeter à l'eau.

— Suivez-moi. Il est temps que je descende à terre.

Rose suivit la corpulente silhouette le long du pont jusqu'à l'échelle en bois branlante menant à une petite embarcation en contrebas.

Après une longue dispute pendant laquelle lady Fitzallan refusa de céder, on apporta finalement un siège spécial qui serait descendu le long des cordes. Sous le regard soucieux de Rose, et après bien des embarras, lady Fitzallan fut soulevée au-dessus de la rambarde.

La douairière se tenait droite, les mains agrippées aux cordes, les pieds croisés. Son visage rond avait perdu de sa couleur mais son triple menton borné demeurait brave tandis que le vent frappait son bonnet et froissait ses jupes.

Rose réprima un rire quand la vieille femme fut descendue dans un silence absolu puis déposée avec soin sur l'étroit banc en bois à la proue du canot. Aucun artisan n'aurait pu sculpter plus belle figure de proue.

Quand les passagers finirent d'embarquer, les marins soulevèrent leurs rames et se dirigèrent vers la côte. Lady Fitzallan lui fit un signe de main royal et Rose étouffa un autre éclat de rire. L'aventure semblait amuser la vieille dame.

Rose s'éloigna en courant de la rambarde et, après s'être assurée que leurs bagages étaient chargés dans les bons canots, elle descendit à l'échelle dans la barque réservée aux domestiques et aux passagers de troisième classe.

Elle s'accrocha au flanc du bateau. Le vent souleva son bonnet qui tomba sur son dos, défit ses épingles à cheveux si bien que sa chevelure ondula derrière elle. Le craquement des rames s'accompagna bientôt des gémissements des marins et des cris du maître d'équipage tandis que la petite embarcation plongeait dans les vagues. Des mouettes piaillaient au-dessus de sa tête et les embruns salés la rafraîchissaient au gré de la houle.

Les yeux fermés, Rose présenta son visage au soleil, respira l'air iodé, le parfum chaud de la terre. Quoi que l'avenir lui réserve, elle apprécia cet instant de liberté.

La traversée de la baie se termina trop vite. Les cordes furent jetées sur le quai, puis attachées. Des bras inconnus les aidèrent à grimper sur les marches vertes et visqueuses.

Rose parvint sur le quai pavé et tituba quand elle reprit son souffle. Elle serait tombée si une main puissante ne l'avait pas rattrapée par l'épaule. En riant, elle leva les yeux vers un visage rougi par le soleil et des yeux bleu clair.

— Le bateau m'a complètement déséquilibrée !

— Vous avez le pied marin *meine kleine* Dame, répliqua-t-il avec un fort accent germanique. Ça passera vite !

Il ôta son chapeau poussiéreux et dévoila des cheveux aussi roux que la terre de ce pays.

— Otto Fischer pour vous servir.

Rose rougit, écarta ses cheveux humides de son visage et fit une révérence vacillante. Jamais un gentleman n'avait soulevé son couvre-chef devant elle et elle aimait bien cela.

— Vous voilà, Rose ! J'ai cru que vous ne viendriez jamais ! La chaleur est épouvantable ! Mon fils nous a réservé un hôtel pour quelques nuits avant que nous nous rendions à la mission.

Muriel Fitzallan examina alors Otto Fischer de la tête aux pieds et déclara sur un ton hautain :

— Je ne pense pas que nous ayons été présentés.

L'homme claqua des talons et se pencha bien bas. Les présentations terminées, il se tourna vers Rose.

— C'est un joli prénom pour une jolie dame, affirma-t-il sans une once de flatterie dans la voix. J'espère vous revoir pendant votre séjour en ville.

Rose rougit davantage encore ; son employeuse lui épargna une réponse.

— Rose est ma dame de compagnie, Herr Fisher et c'est notre premier jour dans cet endroit délaissé de Dieu. Nous avons beaucoup à faire.

Puis elle lui tourna le dos.

— Allons-y, Rose.

Elle sourit au géant roux avant de pencher la tête et de courir derrière la silhouette affairée qui se frayait un chemin sur le quai bondé. Rose ne reverrait peut-être jamais cet homme car elles devaient quitter Botany Bay dans quelques jours pour l'intérieur du pays. Elle sentait cependant son regard sur elle et regretta de ne pas avoir eu le temps de mieux le connaître.

— Henry, je te présente Rose, déclara lady Fitzallan à un petit homme mince à la moustache tombante et au regard triste. Elle est un peu jeune, je sais, mais c'est une brave fille et elle s'est bien occupée de moi pendant le voyage.

Il avait la main chaude et douce quand il prit les doigts de Rose et se pencha au-dessus d'eux. Cependant, il ne lui parla pas et, après un coup d'œil hâtif, il s'adressa à sa mère :

— Vos bagages seront déposés directement à l'hôtel. Prenez mon bras, mère. Le trottoir est accidenté ; il ne faudrait pas que vous tombiez.

Rose ramassa son petit sac et les suivit. Ce pays possédait des particularités qui lui rappelaient l'Angleterre. Les chevaux somnolaient au soleil, des mouches volaient autour de leurs yeux et leur queue oscillante. Des prostituées aussi effrontées qu'à Londres attendaient au coin des ruelles et des chiens faméliques fouillaient dans les ordures. Les auberges aux clients titubants ne désemplissaient pas et les garnements aux pieds nus qui couraient les rues avaient peut-être le teint plus rougeaud mais, quand ils regardèrent la grosse veuve passer, ils avaient la même étincelle dans les yeux que les gamins de Londres.

La comparaison s'arrêtait là. Le brouillard de la capitale était remplacé par une fine poussière rouge en suspension. Elle se collait dans votre cou et vous démangeait, zébrait votre visage en sueur, vous grattait les yeux. Pire, elle était soulevée par chaque voiture qui passait. Rose regretta de ne pas avoir de mouchoir pour se couvrir le nez et la bouche, comme lady Fitzallan.

Elle se traînait derrière Henry et sa mère mais enregistrait tous les détails – les magasins semblables à de simples cabanes en bois agrémentées de vérandas, leurs marchandises en profusion étalées sans soin. Il y avait les articles de base comme des casseroles et des outils, des poêles à bois et des habits, mais aussi des perroquets en cage aux couleurs vives, des châles à frange, des commodes orientales laquées au milieu de poteries, de perles et de gourdins qui la captivèrent. Comme elle aurait aimé explorer le pays ! Si seulement lady Fitzallan voulait bien ralentir un peu !

Tandis qu'elle marchait vite derrière eux, elle remarqua que les maisons en bois possédaient de petites barrières blanches pour les séparer de la rue et des vérandas qui offraient une ombre bienvenue. Les arbres ne ressemblaient à rien de connu et le parfum capiteux de leurs fleurs masquait presque l'odeur du fumier et des détritus qui jonchaient la rue. Les oiseaux paraissaient tout droit sortis d'une boîte de peinture pour enfants. Quelques moineaux marron terne vivaient au milieu de volatiles bleus, jaunes, roses, blancs... qui se chamaillaient sans cesse.

On sentait en ces lieux une belle énergie, un désir de vivre rugissant et désordonné, quasiment primitif. Néanmoins on pouvait voir se dessiner la future ville dans les larges avenues et les immeubles simples en grès qui abritaient la petite noblesse. Un jour, ce serait un endroit important dans ce pays tout neuf. Il fallait juste du temps, de l'ardeur au travail et de l'enthousiasme.

Une bousculade attira son attention. Les yeux ronds, elle vit passer un groupe de femmes en haillons, les chaînes aux pieds qui se rendaient vers un grand abri en bois le long du quai. Toutes étaient vêtues de jaune. Pieds nus pour la plupart, couvertes de gale et de plaies, elles ne semblaient pas avoir pris de repas correct et de bain depuis des mois. Celles au crâne rasé semblaient plus effrayées que les autres.

— Des détenues, marmonna lady Fitzallan. Les autorités les habillent en jaune pour les humilier. On leur rase les cheveux si elles ont désobéi à la loi pendant leur voyage. Pauvres âmes. Une majorité d'entre elles n'est jamais sortie des taudis de Londres. Elles doivent se croire en enfer. C'est tout de même mieux que la pendaison !

Rose fut consternée de voir le nombre d'enfants accrochés à leurs jupes.

— Et les petits? Ils n'ont pas été expatriés avec elles?

Henry s'éclaircit la voix.

— De pauvres hères en effet, mère. Mais rappelez-vous pourquoi elles ont été envoyées ici. Ce sont des criminelles. Quant aux enfants... Certains ont déjà été condamnés et les autres ont échappé à une vie de mendiant ou de crève-la-faim. Ici, ils recevront une éducation, apprendront un métier. C'est un bon pays pour ceux qui veulent se retrousser les manches et prospérer. Et puis l'air est sain dans les terres.

Rose le dévisagea. C'était un long discours pour un homme qui économisait ses mots ; sa déclaration avait trahi sa passion pour cette nouvelle nation où quelque chose de bien allait forcément survenir.

— Que va-t-il leur arriver? demanda Rose. On les conduit en prison?

— Elles viennent de débarquer du *Posthume*. On va leur trouver du travail dans le foyer de colons, des fermes d'élevages, des magasins... Les autorités n'aiment pas emprisonner les femmes – elles causent trop de problèmes et il faut construire davantage de baraquements pour les séparer des hommes.

— Quel travail? demanda lady Fitzallan sur un ton grognon. Jamais je n'emploierai de domestique condamnée. Je ne pourrais pas lui faire confiance.

Quand Henry sourit, ses yeux brun clair brillèrent et il parut soudain plus jeune, moins usé par les soucis.

— Chaque nouvel arrivant dit cela mais ils changent vite d'avis, mère. Le travail des forçats ne coûte rien et il n'y a pas une maison, pas un magasin qui n'emploie un bagnard. La plupart sont en liberté conditionnelle. Hommes et femmes ont effectué une bonne partie de leur peine et ont l'autorisation de travailler pour se réinsérer. Cet emploi leur permet de construire leur avenir. Très peu retournent en Angleterre.

— Ne sont-ils pas dangereux? s'enquit Rose, les mains en coupe sur les yeux pour mieux voir passer une longue rangée d'hommes aux jambes entravées.

Ils semblaient si misérables et pourtant ce n'était pas possible!

— Pas ceux dont je viens de parler. Mais ces hommes que tu vois là sont des criminels endurcis. Ces forçats seront affectés aux carrières dans les collines. Ils ne seront jamais libérés.

Rose les regarda s'éloigner d'un pas traînant. Leurs pyjamas gris faisaient d'eux des réprouvés. Tête baissée, ils semblaient avilis. On aurait dit qu'ils ne se considéraient plus comme des êtres humains.

Henry dut remarquer son désarroi car il soupira encore.

— Les mêmes règles s'appliquent à celui qui vole une miche de pain et à l'assassin sans remords. S'ils les brisent, les bagnards recevront plusieurs coups de fouet et leur condamnation sera prolongée. Au pire, il ou elle sera renvoyé à Port Arthur ou sur les îles pénitentiaires de Maria et Sarah. Nul ne le souhaite. Il paraît que c'est l'enfer sur terre là-bas. En revanche, ceux qui font leur temps sans commettre d'infraction seront accueillis avec plaisir s'ils désirent s'installer dans ce pays avec leur famille. Beaucoup d'anciens détenus vivent aujourd'hui honnêtement. Femmes et hommes de volonté et de courage conduiront notre pays vers le siècle prochain.

Dans un frisson, lady Fitzallan lui prit le bras.

— Des prisonniers auxquels on confie des responsabilités? La reine ne le permettra jamais.

— Sa Majesté vit très loin d'ici, mère. Si un homme ou une femme a réussi à survivre à plusieurs années de travaux forcés, c'est qu'ils sont faits d'un bois dont Sa Majesté peut être fière.

Il sourit aux deux femmes.

— Assez de bla-bla. Vous paraissez épuisées. Allons prendre le thé à l'hôtel. Ensuite vous vous reposerez. Dans trois jours commencera notre voyage vers la mission.

Il y avait seize bœufs en tout. Leur dos large roulait comme des navires sur une mer de poussière rouge tandis qu'ils avançaient le long de la piste. Ils tireraient des chariots pleins jusqu'à Yantabulla où Henry possédait des terres.

Rose et son employeuse avaient vite appris qu'il serait plus raisonnable de se débarrasser de leurs épaisseurs de vêtements et de porter des cotonnades fines. Rose fut ravie de poser son épaisse robe en laine et ses jupons qui l'entravaient. De son côté, lady Fitzallan refusa qu'une dame du monde se promène sans ses corsets. Il lui fallut faire un malaise lors d'un dîner chez le gouverneur et entendre l'épouse de ce dernier lui garantir que personne dans les colonies ne mettait jamais de gaines – et encore moins une douzaine de jupons – pour qu'elle renonce.

La douairière apprécia bientôt ce sage conseil à sa juste valeur ; à cause de son teint pâle, elle dut porter un chapeau et des gants fins, ainsi qu'une ombrelle. Rose, quant à elle, appréciait la chaleur du soleil sur sa peau après ces années passées dans la froide et humide Angleterre. Elle abandonna donc chapeau, corsets et jupons et arbora vite une couleur acajou.

Lors du voyage, lady Fitzallan fut tellement épuisée par la chaleur, la poussière et les longues heures assises sur un siège en bois que, contrairement à Rose, elle ne s'extasia pas longtemps devant la beauté du paysage et cessa rapidement de demander le nom des différents oiseaux et animaux. Avachie sous son ombrelle, le menton sur la poitrine, elle ronflait doucement. Son petit corps potelé avait minci, son visage rond s'était affaissé et, même si elle se montrait courageuse en fin de journée, Rose et Henry savaient qu'elle prenait sur elle.

Rose ne tenait pas en place tandis qu'elle observait les cacatoès blancs perchés dans les arbres et les aigles qui planaient au-dessus des gorges. Des nuées de perroquets gris et roses tourbillonnaient non loin. Ce pays magique et merveilleux était aussi vieux que le temps mais aussi neuf et frais que le jardin d'Éden. Elle s'extasiait de savoir qu'elle faisait partie des premiers à longer cette route sinueuse nivelée par des prisonniers à travers le *bush* montagneux. Les roues de leurs chariots et les sabots de leurs bœufs imprimaient un territoire nouveau dans ce pays qu'elle comptait bien s'approprier.

Pendant ces longues semaines, Rose eut maintes fois l'occasion de comparer sa vie actuelle à son ancienne vie. Le paysage était plus impressionnant que les plaines jaunes et vertes du Sussex mais on s'y sentait seul, surtout les femmes. Dans cet univers d'homme, on avait besoin de muscles pour travailler les terres, combattre les éléments et bâtir un empire. Elle se sentait si petite et insignifiante parmi ces immensités vides. Pourtant, elle était assez mûre pour comprendre que la femme avait sa place en ces territoires, comme au pays. En effet, si l'Australie voulait prospérer, il fallait augmenter sa population, ce que les hommes ne pouvaient pas accomplir seuls.

Ce manque de femmes expliquait peut-être l'obstination d'Otto Fischer et les regards admiratifs des hommes à Sydney. Elle sourit en repensant à l'Allemand, un homme énergique, plein d'idées et d'enthousiasme pour son vignoble récent. Oui, elle avait apprécié sa compagnie lors de leur court séjour dans la ville.

Rougissante, elle se tourna vers lady Fitzallan. À force de proximité, elles avaient fini par s'apprécier et une amitié inconcevable en Angleterre était née entre les deux femmes. Lady Amelia, elle, n'aurait pas supporté le voyage ! Rose se rembrunit à la pensée de John dans ce chariot. Comme il aurait adoré ce périple en toute sécurité vers l'inconnu, cette liberté de vivre parmi des personnes qui verraient en lui l'homme et non le bohémien.

Rose chassa ses larmes. Elle devait oublier John. Il faisait partie du passé. Seul l'avenir importait à présent.

Les bouviers étaient l'une des confréries que l'on croisait sur la piste, réputés pour leur langage cru et leur fort penchant pour l'alcool. Ils voyagèrent avec l'un d'eux durant plusieurs semaines. L'homme qui menait le troupeau de seize bœufs était revêtu de la tenue habituelle : chemise rouge, pantalon de moleskine et chapeau en feuilles de palmes tressées. Il montait un poney marron au pied sûr et portait un fouet redoutable de cinq mètres de long qu'il agitait au-dessus des bêtes afin de les garder en ligne et en mouvement. Il connaissait les moindres trous d'eau, ruisseaux, rivières aux alentours de la piste et les histoires qu'il racontait autour du feu de camp devenaient de plus en plus pittoresques au fil des soirs.

Rose adorait écouter ses aventures. Qu'elles fussent réelles ou imaginées, elle lui accordait le bénéfice du doute. Bob le Bouvier faisait un pain délicieux qui cuisait dans les braises et le thé le plus fort qu'elle ait jamais goûté dans une gamelle métallique appelée « billy ».

Bien que laid, le visage creusé par le soleil, les mains rugueuses, les ongles cassés et sales, Bob laissait transparaître une vraie fragilité. Il n'apprécierait certainement pas que quelqu'un le sache, mais Rose l'avait surpris en train de sortir un médaillon de sa poche graisseuse de pantalon et observer longuement le portrait à l'intérieur. Rose brûlait de savoir quel genre de femme l'attendait au bout de cette piste solitaire mais jamais elle n'osa le lui demander.

Ils voyageaient depuis longtemps et l'épuisement les gagnait. Quand il pleuvait, ils étaient trempés jusqu'aux os en quelques secondes ; la poussière se transformait en bourbier et un rideau d'eau s'abattait sur le *bush*. Les bœufs mugissaient, Bob le Bouvier jurait et faisait claquer son fouet, Rose et la vieille dame essayaient de s'abriter sous la bâche. La chaleur persistait et la pluie aidant, les moustiques pullulaient ; la vapeur s'élevant du *bush* les enveloppait dans une humidité fétide. Le paradis dévoilait alors son côté perfide.

Henry les avait devancés afin de vérifier l'état de la rivière Darling et était revenu couvert de boue en agitant son chapeau.

— Nous devons nous dépêcher, hurla-t-il à Bob. Le Darling est bientôt en crue.

Bob mâchonna son tabac, cracha dans la boue et donna un coup de fouet.

— C'est pas à moi qu'il faut le dire, mais à ces couillons de bestiaux !

Les bœufs refusaient d'avancer mais le fouet les fit soudain changer d'avis si bien que les femmes faillirent basculer en arrière. Accrochée aux flancs du chariot, Rose jeta un coup d'œil à travers l'averse. La large rivière était enflée, les eaux se fracassaient sur les gros rochers, moussaient par-dessus les petites cascades et tourbillonnaient dangereusement. Les rives abruptes brillaient.

— Descendez ! cria Bob. Le chariot risque de se retourner.

Rose aida lady Fitzallan à mettre pied à terre et, avec l'aide d'Henry, elle la hissa derrière lui sur la selle.

— Accrochez-vous, mère ! Quoi qu'il arrive, ne me lâchez pas.

La vieille dame lança un regard apeuré à Rose puis enfouit le visage dans le dos trempé de son fils.

Rose grimpa derrière Bob.

— Tout ira bien si tu te cramponnes, petite ! la rassura-t-il. Reste assise et laisse-moi faire le travail.

Les bœufs attendaient l'air morose au bord de la rivière. Leurs oreilles remuaient, leurs beuglements étaient engloutis par le bruit de la pluie et du torrent d'eau. Bob le Bouvier fit claquer son fouet, Rose s'agrippa à sa taille tandis qu'il manœuvrait le cheval de droite et de gauche, encourageait le troupeau à avancer. Bien que terrorisée, elle ne souhaitait pas perdre une miette de cette aventure.

Avec une forte réticence, les deux bœufs de tête descendirent dans l'eau. Les autres durent suivre et bientôt le troupeau pataugeait et rugissait dans les eaux tourbillonnantes.

L'eau glaciale leur montait jusqu'aux genoux et menaçait à tout moment de les désarçonner. Pourtant, la peur ne calma pas l'excitation de Rose qui considérait cela comme une nouvelle expérience à ajouter à celles qu'elle avait vécues ces derniers mois. S'ils survivaient, elle s'en souviendrait à jamais.

La grosse tête mouillée des bœufs miroitait, leurs grandes cornes visaient le ciel maintenant qu'ils approchaient de l'autre rive. À présent, ils avaient besoin de toute leur énergie pour grimper à contre-courant au risque d'être emportés. S'ils perdaient l'équilibre, ils disparaîtraient ainsi que les vivres, les meubles et les fournitures empilés dans les chariots derrière eux.

— Allez, bande de bâtards, sales fainéants. Bougez vot' cul, salopiots pleins de puces.

Bob le Bouvier travaillait dur depuis trop longtemps pour perdre son troupeau si bien qu'il jurait, crachait et faisait claquer son fouet à qui mieux mieux. Rose s'accrochait à lui, ses cheveux mouillés plaqués sur son visage et son dos. De la vapeur s'élevait des bêtes et des rives, des moustiques tournoyaient et mordaient avec avidité, l'eau tourbillonnait autour de ses mollets. Le vaillant petit cheval sous elle ne perdit jamais l'équilibre. Il opposait sa force nerveuse à celle de l'eau. Les chariots dont le précieux chargement était solidement attaché par des cordes et des lanières en cuir s'inclinaient, craquaient, grinçaient. Les roues en bois cahotaient sur les rochers enfouis, grondaient sur le lit en pierre de la rivière.

Soudain, ils atteignirent sains et saufs la berge opposée. Rose glissa de la selle et s'enfonça dans la boue, à la fois enthousiaste et craintive. Elle avait réussi le premier test !

Bob la toisa.

— Toi, t'es un vrai petit bout de femme, ça on peut le dire ! s'exclama Bob sur un ton bourru quand il ôta son chapeau tressé et s'essuya le visage. T'as pas bougé quand ça menaçait. Bon, tu ferais mieux d'aller voir la Ma. L'a l'air malade.

Rose se précipita vers Henry et aida lady Fitzallan à descendre de cheval.

Elle était blême mais il y avait le feu de l'excitation dans ses yeux.

— Si de loin j'ai la même tête que vous, je remercie Dieu que personne ne nous voie, s'exclama-t-elle. Que diraient-ils dans le salon du gouverneur !

Rose écarta ses cheveux trempés de son visage.

— Ils diraient que vous êtes un sacré petit bout de femme ! cria-t-elle sous la pluie battante.

Comme la vieille dame ne comprenait pas, Rose continua :

— Je vous expliquerai plus tard. Bon, il faut que je vous trouve des vêtements secs. Bob doit établir le campement un peu plus loin.

Le lendemain, en fin d'après-midi, ils arrivèrent dans la nouvelle colonie de Yantabulla. Le ciel était redevenu bleu et la chaleur implacable donnait des coups de marteau sur les têtes et les nuques.

Tandis que le troupeau de bœufs cheminait le long de la rue principale, Rose et lady Fitzallan regardaient les maisons en bois au toit de tôle rouge, et la petite parade de magasins abrités par des vérandas offrant les articles indispensables à la survie dans le *bush* – casseroles et poêles, toiles pour tentes, pelles et pioches, haches, seaux, gamelles, selles et brides... Aucune babiole pour touristes ici, ni éventail coloré, ni châles fantaisie.

Il y avait un hôtel, le seul bâtiment en hauteur de la rue principale. On distinguait la peinture blanche sous la couche de poussière rouge. Des hommes étaient assis dans des rocking-chairs sous la véranda en fer forgé, les yeux protégés par un chapeau poussiéreux tandis qu'ils contemplaient le passage de la procession. Des chevaux accrochés à des poteaux somnolaient, queue et oreilles remuant pour chasser les mouches. L'église en bois possédait un clocher étroit et une cour en broussailles derrière une clôture en piquets. Le cimetière se trouvait sous un grand sumac envahi par les abeilles et les papillons.

Rose chercha la maison de la mission parmi les nouveaux bâtiments mais les bœufs continuèrent leur chemin et, bientôt, la ville fut derrière eux, masquée par un nuage de poussière rouge. Quinze kilomètres plus loin, ils firent une pause.

Henry enleva son chapeau et désigna une cabane rouillée et délabrée qui tenait debout grâce à un arbre.

— Nous sommes arrivés. Bienvenue à la mission de Yantabulla.

Lady Fitzallan blêmit.

— C'est une remise, chuchota-t-elle. Tu m'as fait faire tout ce chemin pour vivre sous un appentis?

— Quelque temps seulement, mère ! la rassura-t-il. Vous voyez ces terres au loin ? Et le bâtiment ? Ce sera bientôt chez nous.

Rose suivit son regard. La structure d'une grande maison s'élevait au milieu d'un champ en friche.

— Personne n'y travaille, remarqua-t-elle.

Henry fronça les sourcils.

— J'avais prévu d'achever les travaux avant votre arrivée, expliqua-t-il. Mais les autochtones sont impossibles à former et ils n'ont aucune compétence. Les détenus sont arrivés deux mois seulement avant mon départ pour Sydney.

Il ne sembla pas voir l'horreur sur le visage de sa mère et continua joyeusement :

— De braves hommes. On dirait qu'ils apprécient le travail manuel après tous ces mois sur ces terribles bateaux. Les menuisiers sont des artisans compétents et fiers de leurs œuvres. Ils savent aussi occuper les indigènes. Une bande de tire-au-flanc ces Aborigènes. Ils préfèrent rester assis sous un arbre-bouteille plutôt que de gagner leur pain et leur tabac.

Il désigna un arbre étrange qui ressemblait en effet à une bouteille grise renversée. À son pied se prélassaient des hommes et des femmes à la peau si noire qu'on aurait pu les confondre avec des ombres.

Les yeux écarquillés par l'horreur, lady Fitzallan porta la main à sa gorge.

— Tu emploies des détenus et des sauvages ? Je ne me sentirai pas en sécurité dans mon lit, Henry ! Si j'avais su, jamais je ne serais venue.

Sa mâchoire en tremblait.

— J'ai essayé de vous prévenir, mère, répondit-il sur un ton exaspéré tout en tordant son chapeau mou dans ses mains. Les indigènes sont assez familiers, je vous assure. Ils deviennent belliqueux uniquement quand ils rendent visite au marchand de vins, et seulement entre eux.

Lady Fitzallan était au bord des larmes.

— Je n'imaginais pas qu'il existait un endroit aussi horrible. Quand je pense à ma jolie résidence de Londres, à notre maison de campagne dans le Berkshire, mes goûters sur l'herbe, j'en pleurerais.

Rose se hâta de la réconforter.

— Je vais m'occuper de la cabane, lady Fitzallan, s'exclama-t-elle avec autant de gaieté possible étant donné les circonstances.

Ces hommes noirs avaient l'air sinistre avec leurs marques à l'argile blanche, leurs cheveux en bataille et leur corps nu.

— Nous avons des meubles, de la nourriture et, regardez, il y a un puits !

Lady Fitzallan renifla et, au bras de son fils, traversa la clôture cassée tout en gardant un œil sur les visages sombres qui les observaient avec curiosité.

La porte de la masure était si vieille qu'elle s'avachissait contre l'encadrement. Le toit et les murs se composaient de plaques de tôle rouillées et clouées à une pauvre structure en bois ; les fenêtres sans vitre comportaient du grillage pour empêcher les nuées de mouches d'entrer.

Tandis que Rose se frayait un chemin parmi les détritus et les débris jetés dans l'herbe épineuse, son moral qui était monté si haut pendant leur traversée de la rue principale tomba bien bas. Jamais dans ses rêveries les plus folles elle ne s'était attendue à cela.

L'intérieur de la bicoque composée d'une seule pièce étouffante la déprima davantage. Il y avait un petit lit gigogne en bois, une table à trois pieds étayée par un tas de pierres, une chaise qui avait vu des jours meilleurs et un fourneau qui n'avait pas été nettoyé depuis des années. Pour la vaisselle ? Un simple évier taché en équilibre précaire sur un cadre de bois qu'un coup de vent risquait à tout moment de faire tomber. Il était rempli d'assiettes couvertes de moisissures et, quand Rose entra, une créature à gros yeux s'enfuit par un trou dans le grillage, sa longue queue touffue oscillant derrière elle. La vermine avait attaqué les draps et le sol en terre battue était jonché de crottes de rat et d'os rongés.

Rose prit une profonde inspiration, poussa un long soupir et se retroussa les manches. Elle retourna vers la vieille femme et son fils qui attendaient, l'air triste, dans la cour.

— J'ai vu mieux mais il ne faudra pas longtemps pour nettoyer, affirma-t-elle avec une bonne humeur forcée. Avec ce que nous avons apporté, cette bicoque ressemblera vite à une vraie maison.

Six mois plus tard, la cabane en tôle dans le *bush* paraissait encore sur le point de s'écrouler mais la porte avait été réparée, le grillage aux fenêtres aussi et Rose avait persuadé Henry de confier à un détenu la restauration du toit et de la cheminée. Elle avait frotté les couches de crasse et de graisse pendant des heures et des heures mais ça en valait la peine. Elle avait un mal de chien à cuisiner parce que le feu devait être rallumé sans arrêt. Il fallait dire qu'elle avait trois gros repas à préparer par jour pour les détenus et les indigènes. Avec la chaleur du soleil, la pièce unique se transformait en sauna.

Le sol avait été aplani puis recouvert de planches pour décourager les opossums et les serpents. Des rideaux flottaient aux fenêtres, des draps propres claquaient sur le fil à linge tendu entre deux arbres. Le contenu des chariots avait été stocké à l'abri sous une épaisse toile goudronnée derrière la cabane, car il n'y avait simplement pas de place pour un lit à baldaquin, de lourdes commodes et une salle à manger complète.

Lady Fitzallan et Rose s'étaient si bien rapprochées que la première considérait quasiment cette dernière, comme la fille qu'elle n'avait jamais eue.

Rose adorait la vieille dame mais, parfois, elle regrettait sa propre mère. Kathleen n'avait peut-être pas été la meilleure maman du monde mais elle était la sienne et elle aurait donné n'importe quoi pour lui parler à nouveau.

Par vagues, le mal du pays la prenait au moment où elle s'y attendait le moins – quand elle transpirait sous le toit de tôle, quand des araignées poilues grosses comme la main sortaient des coins sombres. L'endroit était si désert, si vide en comparaison du Sussex.

Cet après-midi-là, Rose prenait l'air devant la cabane. Elle cuisinait depuis l'aube et s'accordait quelques instants de répit avant de penser au lendemain. La transpiration détrempait sa robe et plaquait ses cheveux sur son visage et son cou.

La cuisine ressemblait à une fournaise avec des armées de mouches qui se posaient sur le moindre morceau de nourriture qui traînait hors du garde-manger suspendu.

Elle avait enlevé ses chaussures un peu plus tôt et voilà que ses pieds étaient rouges comme la terre, ses plantes durcies à force de marcher autour du potager, entre le baquet et le fil à linge. Ses cheveux emmêlés tombaient en masse sur ses épaules, mouillés et pleins de poussière. « Comme Alice serait choquée si elle me voyait ! pensa-t-elle le sourire aux lèvres. Je suis sans doute pieds nus et pauvre, mais au moins je suis libre ! Et cela vaut tout l'or du monde. »

Appuyée contre le chambranle, elle regarda par-delà les prés les eucalyptus sous lesquels se réfugiaient les quelques bovins d'Henry. Elle soupira de plaisir. Les fraîches journées humides d'Angleterre lui manquaient peut-être mais la beauté sauvage de cet endroit la séduisait. Quelque chose de primitif résonnait en elle et ne pouvait être nié.

Elle se retourna au bruit des marteaux et des scies. La nouvelle maison était quasiment terminée. Elle lui rappelait les grandes résidences qu'elle avait admirées lors de son court séjour à Londres avant de s'installer avec lady Muriel. En bois, sur deux étages, elle possédait un élégant balcon et une véranda cernée de dentelle en fer forgé. De grands volets verts habillaient les fenêtres parées de moustiquaires. La lourde porte d'entrée en chêne ouvrait sur un immense hall carré. La cheminée couleur ambre occupait quasiment tout le mur nord et pourrait les chauffer en hiver. Il y avait cinq chambres, un salon, une salle à manger, une cuisine, un office et un bureau pour Henry.

Toute leur vie tournait désormais autour du travail mais celui-ci les rendait plus forts et, à la fin de la journée, ils ronflaient dès que leur tête touchait l'oreiller. Rose était responsable de la cabane, des repas et des tâches domestiques. Lady Fitzallan avait pris en charge les détenus et les indigènes avec un panache qui avait surpris son fils après sa répugnance initiale et, grâce à elle, ils travaillaient mieux que par le passé. Son comportement avec les hommes inspirait le respect et bien que son ton soit parfois un peu autoritaire, elle parvenait à le contrebalancer par un franc-parler et une attitude droite. Elle apprit l'hygiène aux « gars noirs », comme ils se surnommaient, et les obligea à porter des vêtements occidentaux pour cacher leur nudité. Sans grand succès sur ce point. Lady Muriel soupirait de désespoir quand ils se servaient de leurs chemises comme couvre-chef ou de jupons en guise d'écharpes.

Quand Henry lui fit remarquer son étonnante réussite, elle se contenta de hausser les épaules. Elle avait donné des ordres à des domestiques toute sa vie, pourquoi serait-ce différent avec des détenus et des Aborigènes?

Il s'occupait des gros travaux mais aussi de la mission. Les autochtones adoraient les histoires et Henry, le pasteur, s'en servait pour les convertir au christianisme mais, bientôt, il s'aperçut qu'ils préféraient la cuisine de Rose. Après réflexion, il les expédia au jardin où ils bêchèrent et plantèrent, arrachèrent les buissons qu'ils firent brûler, et tracèrent un chemin de cendres jusqu'à la nouvelle porte d'entrée. Pendant ce temps, il leur narrait des chapitres de la Bible et espérait qu'ils apprennent ainsi quelque chose. Il les considérait comme des gens simples, habitués à vivre de la terre, à chasser et à pêcher leur nourriture, à chercher des baies et du miel sauvage dans les buissons. Ils portaient peu de vêtements, malgré les efforts maternels pour les civiliser et baragouinaient une langue étrange qu'il ne comprenait toujours pas. Il savait qu'ils se moquaient de lui, qu'ils travaillaient uniquement contre la promesse de repas et de tabac. Pourtant il persévérait. Car il avait été appelé pour faire le travail de Dieu dans cette région sauvage et rien ne se mettrait en travers de son chemin.

Le soir tombait, le soleil plongeant derrière l'horizon dorait les prairies qui s'étendaient à perte de vue. Le bétail errait, heureux que les mouches soient parties; les corbeaux croassaient et l'odeur de la terre chaude et du pain s'envolait avec la brise rafraîchissante. Le faux-poivrier assailli par les abeilles projetait son ombre dans la cour nettoyée et le potager arrosé. Quelques poules poussiéreuses grattaient le sol et le coquelet pavanait au milieu de son harem, s'assurant qu'elles lui laissaient des miettes pour son souper. Un des détenus avait ajouté une pompe à eau à un moulin à vent et cette roue primitive en fer rouillé grinçait sous la brise tardive tandis qu'elle puisait l'eau. C'était un son réconfortant que Rose n'entendait presque plus. Et pourtant quand il s'arrêtait, on remarquait son absence.

Rose bâilla. Il s'agissait du meilleur moment de la journée quand la chaleur avait disparu et que la brise venant des montagnes lointaines agitait les feuilles du faux-poivrier et soulevait des spirales de poussière. Il restait encore quelques dernières tâches et, le lendemain, ils emporteraient les meubles dans la nouvelle maison. Elle regarda par-dessus son épaule la petite cabane obscure. Elle serait presque désolée d'en partir car, malgré la chaleur, la poussière et les mouches, elle lui rappelait le cottage de Wilmington.

Un bruit de sabots sur le chemin lui fit lever la tête. Elle mit la main en coupe au-dessus de ses yeux : le cavalier semblait flotter dans un mirage. Il se tenait droit sur sa selle ; ses larges épaules et son chapeau se démarquaient sur le ciel orange. Il y avait quelque chose de familier chez lui, mais quoi ?

Il ralentit, avança au pas. Le harnais cliqueta quand le cheval s'ébroua et secoua la tête.

— Mademoiselle Rose ! appela l'homme. Je te trouve enfin !

— Otto ? murmura-t-elle en reconnaissant son accent allemand. Otto Fischer ?

Vite, elle tenta de dompter sa chevelure. Elle devait faire bonne impression mais son tablier était sale, sa robe quasiment transparente à cause de la transpiration et elle ne trouvait pas ses bottes.

Il bondit de sa selle, lâcha les rênes et s'approcha à grands pas de Rose, les bras grands ouverts, un sourire flamboyant aux lèvres.

— Rose, ma Rose ! Je suis venu te sauver !

Il la serra fort dans ses bras et la fit virevolter jusqu'à ce qu'elle ait le tournis.

— Pose-moi ! lâcha-t-elle hors d'haleine, coincée contre son torse puissant.

Il la reposa en douceur par terre. Il lui faisait penser à un jeune chiot démesurément grand. Rose recula. Il était trop immense, trop voyant, trop étouffant.

— Je n'ai pas besoin qu'on me sauve, bafouilla-t-elle.

Elle tentait désespérément de retrouver ses chaussures et sa dignité.

— Je vois, murmura-t-il en regardant le taudis lugubre derrière elle.

— Viens avec moi, Rose. J'ai une belle maison, pas une cabane dans le désert.

Rose tendit les bras pour parer un nouvel assaut et rencontra un mur humain qui cachait le soleil et empêchait toute tentative d'évasion. Elle leva la tête vers le visage épanoui couvert de taches de rousseur et aux yeux bleus amicaux. Il avait de belles dents, remarqua-t-elle au passage.

— Tu ne peux pas venir ici et penser que je vais tout laisser tomber pour m'enfuir avec toi ! déclara-t-elle, son désarroi faisant ressortir son accent du Sussex. J'ai déjà une maison.

Elle désigna avec fierté le superbe bâtiment.

Otto ne souriait plus. Les bras lui en tombèrent.

— C'est ta maison ? Tu as épousé le pasteur ?

Ce n'est pas faute d'avoir essayé, pensa Rose. Henry lui faisait les yeux doux depuis que sa mère et elle avaient emménagé dans la cabane. Elle appréhendait le jour où il la demanderait en mariage. Lady Fitzallan y avait fait suffisamment allusion et Rose cherchait une formule pour éconduire Henry sans le froisser.

Elle éclata d'un rire qui lui parut trop aigu et trop cassant pour être sincère.

— Non, Dieu merci ! C'est la maison de lady Fitzallan. Mais j'ai ma chambre ! Je fais un peu partie de la famille.

Il poussa un grand soupir.

— Dieu merci ! Je croyais t'avoir perdue, Rose.

Il devint soudain sérieux et, malgré son apparente envie, il ne tenta pas de la toucher.

— J'ai fait un long voyage pour te demander de m'épouser, Rose. Je ne pense plus qu'à toi depuis que j'ai quitté Botany Bay.

Rose regarda l'homme deux fois plus grand qu'elle. Oui, ses intentions étaient sérieuses et honorables. Mais un souvenir douloureux survint soudain : John, ses cheveux et ses yeux noirs, sa bouche riante, sa voix douce. Si différent de ce géant aux cheveux de feu, à l'étrange accent et au caractère exubérant.

Elle cligna des yeux pour le renvoyer dans la partie la plus éloignée et sombre de son passé. Ce n'était pas la peine de penser à John. Jamais plus ils ne se reverraient. Ils n'avaient aucun avenir ensemble.

Si elle partait avec Otto, cela signifierait un nouveau départ, une chance d'explorer une région différente de l'Australie avec un homme qui la faisait rire et la protégerait. Elle aimait bien Otto et, malgré cette étincelle entre eux, ce n'était pourtant pas de l'amour ni de la passion comme celle qu'elle ressentait pour John.

— Je ne te connais pas, Otto, finit-elle par lui dire. Nous nous sommes vus quelques fois seulement. Comment sais-tu que tu veux passer le restant de tes jours avec moi?

Le colosse posa les deux mains sur son torse.

— Je le sens… ici, répondit-il en touchant son cœur. Tous les jours, je vois ton visage pendant que je travaille dans mes vignes. Tous les jours, je me dis: « Otto, tu dois la retrouver. »

Quand il sourit, les plis au coin de ses yeux se creusèrent.

— Alors me voilà. S'il te plaît, veux-tu me faire l'honneur de devenir ma femme?

Rose sourit à ce visage ouvert et sans prétention. C'était un homme bon avec un cœur bon mais elle ne pouvait pas l'aimer avec la passion qu'il méritait. Il était trop honnête pour qu'on le trompe ainsi.

— Je t'aime bien, Otto. J'aime ton sourire et la couleur de tes cheveux. J'apprécie ta compagnie et tu me fais rire.

— Mais?

Son grand sourire avait disparu et ses yeux se troublaient.

— Je ne t'aime pas d'amour. Je te connais à peine. Comment pourrais-je te suivre?

Il hocha la tête. Le coucher de soleil enflammait ses cheveux.

— C'est *gut*, Rose. Je resterai à la mission le temps que tu apprennes à me connaître. Ensuite tu verras que je suis un homme bien. Tu m'épouseras et tu viendras dans mon vignoble.

Les résolutions de Rose fondaient comme neige au soleil face à tant de détermination.

— Mais on n'aura pas besoin de toi là-bas?

— Pour l'instant, c'est moi qui ai besoin d'être avec toi. Tu es plus importante.

Otto résida à Yantabulla pendant près de six mois. Il rata ses vendanges – il espérait que le responsable qu'il avait nommé s'en était sorti. Et il eut de la chance car cet autre Allemand partageait sa passion pour le vin, et le cru de cette année-là fut le meilleur depuis longtemps.

— Un bon présage pour l'avenir, murmura Sophie. Rose l'a-t-elle épousée ou a-t-elle décidé de rester avec le pasteur?

— À ton avis? lui demanda Cornelia. Évidemment qu'elle a épousé Otto. Muriel Fitzallan a été un peu contrariée, mais elle a fini par comprendre que son fils était trop calme et avait les idées trop arrêtées pour Rose. Elle savait que la jeune femme avait besoin de liberté, ce que Henry et sa mission ne pouvaient lui offrir. Comme cadeau de mariage, elle leur a donné son lit à baldaquin, et ils en ont bavé pour le ramener dans la vallée de Hunter car, cette fois-ci, ils n'avaient pas de bœufs pour tirer le chariot d'Otto.

Cornelia sourit. Elle se rappelait comme sa grand-mère Rose riait en lui racontant ce voyage et comme elle avait rougi quand elle lui parla de leur première nuit ensemble.

— La route était aussi accidentée qu'à l'aller, continua Cornelia. Mais au lieu d'un troupeau de bœufs et de Bob le Bouvier ne voyageaient que Rose, son mari et deux mules qui portaient les réserves et tiraient le chariot. La cérémonie de mariage eut lieu dans une petite église en bois à la lisière de la ville.

Cornelia voyait encore cette photographie sépia qu'elle conservait dans son album de famille. Rose était superbe ce jour-là, si délicate et brune contre ce mari aussi large que robuste.

— Rose portait une robe lilas donnée par lady Fitzallan. Elle l'avait retouchée pour l'occasion et quand elle est apparue dans l'église, lady Muriel a éclaté en sanglots. Des fleurs sauvages composaient son bouquet – des rince-bouteilles et des pattes de kangourou mélangées à des feuilles de fougère et nouées par un ruban blanc. Dans ses cheveux flamboyait une branche de mimosa. La petite réception a compté peu d'invités – lady Fitzallan et Henry, les détenus et un ou deux Aborigènes curieux. Ils ont porté un toast avec le vin râpeux d'Otto avant de filer vers leur nouvelle vie dans la vallée de Hunter. Henry et sa mère les ont observés sur la route poussiéreuse jusqu'à ce qu'ils ne soient plus que deux minuscules points.

— Rose a donc appris à l'aimer? s'enquit Sophie. Je ne suis pas surprise, il paraissait bon. J'aurais aimé le connaître.

Cornelia baissa la tête et regarda ses mains noueuses.

— J'ai toujours regretté de ne l'avoir jamais rencontré.

Elle poussa un long soupir, comme pour chasser les mauvais souvenirs et poursuivit son histoire :

— Leur nuit de noces a eu lieu sur la route, sous une toile tendue entre des troncs d'arbres. Comme lit, ils se sont fait un matelas moelleux en feuilles d'eucalyptus, fougères et mousse. Otto était un amant doux ; il a tempéré sa fougue naturelle et son enthousiasme, désireux que cette expérience laisse de bons souvenirs à Rose.

Elle ne lui avait pas parlé de l'attaque de Gilbert et appréhendait un nouvel acte de violence. Les gestes d'amour d'Otto réveillèrent quelque chose en elle qui lui fit oublier Gilbert ; elle découvrit une chaleur et une tendresse pour son mari qu'elle pensait ne jamais éprouver. Peut-être était-ce l'amour? se dit-elle pendant qu'il ronflait à ses côtés. Peut-être était-ce ce sentiment de paix, de tranquillité, de contentement que promettait le mariage et non sa passion enfantine pour John?

— Je suis contente qu'elle ait fini par l'aimer, s'enthousiasma Sophie. Elle aurait trompé Otto sinon. Au fait, le lit qu'ils ont rapporté, c'est celui qui se trouve dans ton appartement, pas vrai?

— Oui, et il t'appartiendra un jour. Un héritage de famille. Tu sais que quatre générations de bébés sont nées dans ce lit? Oui, oui, ton tour viendra!

Sophie ne releva pas. Elle en avait terminé avec les hommes et ce n'était pas la peine d'en discuter.

— On ferait mieux d'y aller, grand-mère. Le soleil est déjà haut et je n'ai aucune idée de l'endroit où nous nous rendons.

Cornelia se leva et s'appuya sur ses cannes.

— Je connais le chemin maintenant, on n'a plus besoin de cartes.

Sa grand-mère installée dans le siège derrière elle, Sophie sortit sur la grande route. Au bout d'une demi-heure, elle reprit la parole :

— Pourquoi gardes-tu le secret sur notre destination ? Que me caches-tu ?

Cornelia demeura silencieuse un long moment. Lorsqu'elle parla, elle ne répondit pas à la question de sa petite-fille.

— N'est-ce pas merveilleux de se dire que des hommes et des femmes comme Rose et Otto ont tracé ce chemin dans le *bush* et les montagnes, pour que nous, les générations suivantes, puissions découvrir la beauté qu'ils ont su conserver à force d'obstination ?

Avant que Sophie ne puisse répondre, elle se pencha en avant.

— Tourne ici ! Monte cette colline !

Sophie obéit. Le camping-car grogna en première sur le sentier rocailleux et plein d'ornières. Le soleil était très haut quand elle se gara enfin sur le plateau et coupa le contact.

Le panorama s'étendait d'est en ouest aussi loin que l'horizon le permettait. Les pentes douces de la vallée de Hunter étaient sous la protection de collines basses.

Sophie aida sa grand-mère à descendre et, la main sur son coude, elle la guida vers une table de pique-nique, à l'ombre d'un eucalyptus.

Cornelia contempla la terre de son enfance dont elle se souvenait si bien. Elle n'avait pas beaucoup changé. Les terrasses étaient toujours ornées de pieds de vigne vert foncé, les journaliers n'étant que de simples points au loin. Elle entendait le pépiement des grillons et le bourdonnement des mouches dans les feuilles. Il faisait chaud et pas un gramme d'air ne dérangeait la riche terre noire ou le feuillage vert pâle des eucalyptus.

Des larmes lui brouillèrent la vue tandis qu'elle se rappelait sa première visite ici avec sa mère. Tant de choses s'étaient passées depuis.

— Otto a conduit Rose en ce lieu. Ils avaient mis des semaines pour y arriver. Il a approché son cheval épuisé de celui de sa femme et, ensemble, ils ont contemplé le petit royaume d'Otto, soupira Cornelia. Il était moins vaste à l'époque et la demeure que tu aperçois là-bas moins magnifique...

— Regarde Rose, annonça-t-il avec fierté. Ce sont nos terres, notre petit empire.

Rose admira la vallée verdoyante où, rangée après rangée, des pieds de vigne poussaient sur les terrasses, à l'ombre des pins et des collines. Cette beauté différait de celle de la campagne isolée mais ne l'inspirait pas moins.

— Tout? s'étonna-t-elle. Mais c'est plus grand que le domaine de Squire Ade!

— Qui est cet homme? Un négociant en vins? Un vigneron?

Rose éclata de rire.

— Non, il fait trop froid à Wilmington pour cultiver des vignes.

Elle scruta à nouveau le paysage, refusant de croire que son avenir se tenait là. Il paraissait si frais à l'ombre, si vert et luxuriant en comparaison de la poussière et des mouches de la cambrousse. Le rêve devenait la réalité. Elle rentrait enfin chez elle.

12

Catherine avait passé une nuit blanche à ressasser la réunion. Sans surprise, tous avaient deviné que Mary était celle qui avait parlé à la presse, mais cette attaque venimeuse la choquait car elle s'interrogeait une nouvelle fois sur les motivations de sa sœur.

Mary était la plus jeune et la plus gâtée des trois. Leur mère lui consacrait plus de temps, cédait à ses moindres caprices et abdiquait dès le premier accès de colère. Même leur père alors cinquantenaire avait comblé cette dernière enfant qu'il n'attendait pas. Il lui offrit un poney avant qu'elle sache marcher, de nombreux voyages en avion sur des îles exotiques, une voiture de sport flambant neuve pour ses dix-huit ans. Pas étonnant qu'elle soit devenue une garce cupide!

Catherine grimaça. Si quelqu'un devait être chagriné, c'était Annabelle et elle. Car leurs parents étaient trop occupés à construire la légende de Jacaranda pour accorder du temps à leurs deux aînées. En conséquence, les petites avaient été ballottées de nourrice en nourrice. Jusqu'à la fin de sa vie, Jock était resté ce père distant, autoritaire et effrayant. Pas question de chevaux et de destinations lointaines pour les filles mais des vélos rouillés et des pick-up d'occasion pour les amener aux bals country dans le *bush*.

Pourtant, la maturité aidant, elle prit conscience que sa mère les aimait. Elle avait toujours eu le temps pour regarder leurs dessins et leur raconter des histoires le soir. Et puis il y avait les pique-niques au bord de l'eau, les jours de vendanges quand leurs doigts collaient à force de manger du raisin, les promenades dans le *bush*, les balades à vélo sur les collines ou les randonnées dans la partie la plus reculée de Nouvelle-Galles du Sud, à la recherche d'opales ou de vieilles pointes de lances aborigènes.

Souriante sous sa véranda, Catherine regarda un petit wallaby gris qui se goinfrait d'herbe verte. Non, en ce qui la concernait, il n'y avait pas de sentiment d'injustice. Mary avait peut-être reçu de beaux cadeaux mais Cornelia avait montré aux deux aînées comment s'amuser simplement. Elles pouvaient courir sans chaussures dans la poussière, nager nues dans l'étang où les grenouilles coassaient parmi les joncs tandis que le soleil leur brunissait la peau. Elle leur avait enseigné les histoires aborigènes du Dreamtime, le Temps du rêve, appris à dessiner les esprits magiques dans le sable.

Elle se rappelait encore le grand serpent arc-en-ciel qu'elles avaient tracé dans la terre rouge. Il leur avait fallu la journée et, à la fin, Cornelia lui avait mis une étrange pierre jaune en guise d'œil. Puis elles avaient dansé tout autour.

Catherine finit son café et contempla la ville en contrebas sans se départir de son sourire. L'arrivée de Mary avait été une surprise. Maman avait quitté le château pour l'appartement de Melbourne trois ans avant sa naissance. Papa lui rendait rarement visite et dormait dans la chambre d'amis quand il restait la nuit. En général, leur cohabitation se terminait par une dispute. Un jour, Annabelle avait demandé à sa mère pourquoi elle ne sortait pas afin de leur trouver un gentil papa, mais maman avait déclaré qu'elle ne serait pas la première dans cette famille à subir la honte d'un divorce.

Catherine comprit plus tard que leurs trois filles et Jacaranda les liaient à jamais. Maman ne voulait pas perdre sa part dans son précieux vignoble et voir une des maîtresses de Jock prendre sa place. Elle préférait garder les rênes en main et son humiliation pour elle. Jock pouvait courir les femmes, il ne trouverait rien à lui reprocher, aucun scandale à exploiter. Elle se contentait de demeurer en paix avec ses enfants.

La tasse cliqueta dans la soucoupe quand Catherine la rapporta en cuisine. Ces vieux souvenirs remuaient beaucoup d'émotions et, depuis cet horrible article, son cœur battait plus vite et sa main tremblait quand elle rédigeait des rapports. Ce n'était pas son genre de réagir avec violence. Sûrement une manière d'extérioriser sa frustration...

De retour sous la véranda, elle essaya de consacrer un peu de temps à ses œuvres de charité. L'argent entrait encore mais tout cela manquait d'organisation. Son esprit ne cessait de revenir à cette réunion. Car quelque chose d'étrange s'était produit, un détail lui avait échappé, et elle ne trouverait pas le repos tant qu'elle n'aurait pas élucidé cette énigme.

— Annabelle ! murmura-t-elle.

Catherine abandonna ses rapports et s'adossa à son fauteuil. Sa sœur s'était comportée comme à son habitude : silencieuse, invisible pendant le tohu-bohu. Mais, dans ce silence, elle avait décelé une certaine confiance en elle, une vigilance inhabituelle.

Plus Catherine repensait à sa sœur, plus elle la trouvait différente – d'abord ses vêtements, puis son maquillage discret, cette assurance qui brillait dans ses yeux, son port de tête.

Pourquoi ? Qu'était-il arrivé à Annabelle ? Elle n'avait ni pris part à la dispute, ni donné son opinion. Et pourtant...

Catherine se redressa lorsqu'elle revit en un flash la seconde qui précéda le départ fracassant de Mary. Qu'avait discerné Annabelle ? Pourquoi avait-elle écarquillé les yeux et entrouvert la bouche ?

Catherine attrapa son sac et ses clés puis sortit en courant de la maison. Elle voulait voir le visage de sa sœur quand elle lui poserait la question.

Mary était retournée à l'hôtel. Elle avait jeté ses affaires dans une valise et pris le premier vol pour Sydney. Elle se trouvait maintenant sur le canapé du salon, dans sa villa près du port, entourée d'assiettes sales, de bouteilles vides et de vêtements. L'homme qu'elle avait ramassé dans l'avion enfilait son pantalon, apparemment pressé de partir.

Elle le regarda un moment, les yeux vitreux à cause du gin. Elle ne se souvenait pas de son visage mais se rappelait qu'il s'était montré brutal et exigeant. Elle préférait la compagnie à la solitude. Elle cacha sa nudité sous la couverture. L'air conditionné la faisait frissonner.

— Tu dois vraiment partir? marmonna-t-elle. La bonne pourrait nous préparer le petit déjeuner.

Il remonta sa braguette, attacha sa ceinture et chercha ses bottes.

— Tu l'as chassée hier soir. Oui, je dois partir. Je suis déjà en retard.

Quand elle tendit le bras, sa tête cogna si fort qu'elle s'effondra sur les coussins.

— Reste encore un peu, le supplia-t-elle. Je me sens si mal dans cette grande maison.

Il la toisa ; le dégoût s'afficha sur son visage juvénile.

— Cela ne m'étonne pas, grommela-t-il. Cet endroit est une poubelle et tu devrais voir ta tronche.

Mary tressaillit.

— Ce n'est pas ce que tu disais hier soir ! rétorqua-t-elle. T'étais plutôt content de tirer ton coup.

— Disons que c'est ma manière d'aider les vieilles.

— Salaud ! cria Mary qui lui jeta son réveil à la figure.

Il esquiva l'objet, ramassa son sac et prit la porte. Dans l'encadrement, il secoua lentement la tête.

— Tu as de la chance de m'avoir trouvé bourré et en manque hier soir, parce que là, rien que de te voir, ça me donne envie de vomir. Salut !

Mary s'assit au bord du lit, le souffle court, la tête prête à exploser. Elle entendit le bruit de ses pas dans l'escalier en pin, le claquement de la porte donnant sur la rue.

— J'espère que ce sale con retournera à pied en ville.

L'idée qu'il puisse voler sa voiture ou un bibelot hors de prix l'effleura, mais elle était de toute façon assurée. Et puis il y avait des choses bien plus importantes auxquelles penser. Comme boire.

— À toi, papa ! À toi et à tous les autres connards qui ont foutu ma vie en l'air. Que tu pourrisses en enfer !

Tenant la bouteille par le goulot, elle tituba jusqu'à sa couverture chiffonnée. Incapable de se baisser pour la ramasser, elle s'écroula sur le sol et s'assit en tailleur, la bouteille et le verre entre les cuisses. Elle frissonna quand les larmes dégoulinèrent sur ses joues.

— Pourquoi as-tu cessé de m'aimer, papa ? demanda-t-elle à la pièce vide. Je sais que je me suis mal comportée, mais tu n'étais pas obligé de m'ignorer ainsi !

Le téléphone sonna mais elle ne décrocha pas. Elle ne voulait parler à personne. Seuls les bras d'un homme lui manquaient. La couverture sur les épaules, elle s'allongea et plia les genoux. Papa était le seul qui l'avait aimée. Maintenant qu'il était mort, il ne restait que le souvenir de son bannissement.

Jock l'avait gâtée, elle le savait et avait abusé de cet avantage contre ses sœurs. Il lui achetait ce qu'elle voulait, lui offrait de merveilleuses vacances sur la barrière de corail et en Extrême-Orient, la traitait comme une princesse. Elle savait qu'il y aurait un prix à payer : un mariage arrangé avec le fils d'un négociant en vins très riche, ce qui servirait les affaires déjà flamboyantes de Jacaranda. Elle avait accepté le marché de son père car tous les deux considéraient le pouvoir comme un puissant aphrodisiaque. Malheureusement, ses liens très forts avec Jock se brisèrent quand il revint un jour au château à l'improviste et la trouva dans sa chambre avec un de ses ouvriers agricoles.

Mary avait terminé ses études à l'université et s'ennuyait en l'absence de son père. Sa vie à Melbourne était mille fois plus excitante que dans la cambrousse. La chaleur de l'après-midi ne lui permettait pas de rester en place. Son agitation combinée à une irrépressible attirance pour le danger la poussèrent à sortir.

Elle partit faire un tour dans les champs. Elle ne connaissait pas cet étudiant qui travaillait là pour les vacances. Jeune, beau, bronzé, il fut flatté qu'elle s'intéresse à lui et elle ne mit pas longtemps à le convaincre de monter dans sa chambre.

Ils étaient trop occupés pour entendre Jock. Trop perdus dans l'enchevêtrement de leurs corps pour remarquer sa présence dans la chambre.

— Traînée ! rugit-il. Espèce de sale pute !

Mary et le garçon pivotèrent pour lui faire face, tout plaisir envolé à la suite de l'apparition soudaine de Jock, au visage livide sous un Akubra taché de sueur.

— Sors de là ! cria-t-il au garçon. Tu es viré !

Mary s'assit, nue sous les draps pendant que son amant cherchait ses habits à tâtons. Bien que pétrifiée par la colère paternelle qui ne s'était pour l'instant jamais abattue sur elle, et honteuse d'avoir été surprise, elle se mit à glousser quand le garçon cul nu passa en courant devant Jock. Puis elle éclata de rire quand il évita un méchant coup de pied et dévala l'escalier.

D'un pas lourd, Jock se dirigea vers le lit, l'attrapa par les cheveux et la jeta sur le sol. Choquée par la force inattendue de cet assaut, elle le regarda abasourdie, les yeux secs et écarquillés. Plus question de rire à présent.

Il se posta devant elle, son fouet à la main.

— Tu me dégoûtes, tempêta-t-il. Fille de Sodome et Gomorrhe. Sous mon toit avec un ouvrier ! Tu ne vaux pas mieux que ces chats de gouttière qui pullulent dans la grange.

Il leva son fouet, le visage transpirant la colère et la frustration.

— Non, papa ! Ne me fais pas mal ! sanglotait-elle. Je suis désolée, je ne recommencerai plus.

— Tu ne crois pas si bien dire ! grogna-t-il, tandis qu'il abaissait son fouet, gagné par la lassitude. Pourquoi, Mary ? Pourquoi avoir fait ça quand nous avions de si beaux plans pour l'avenir ? Tu pouvais avoir le monde à tes pieds. Je pouvais avoir le monde... Et maintenant...

Il lui lança un regard glacial qui la fit frissonner.

— Maintenant tu n'es plus que du matériel usagé. Une cible pour les commères, une honte pour la famille. Aucun homme décent ne voudra de toi désormais et encore moins le fils de la pieuse famille McFadyn.

Tout en secouant la tête, elle tira un drap pour se couvrir. Pour la première fois de sa vie, elle avait peur de lui. Peur de sa colère froide. Elle n'eut pas le temps de lui parler. Il tourna les talons et ses mots tombèrent comme des morceaux de glace dans la pièce surchauffée.

— Tu as une heure pour faire tes valises. Ensuite, je ne veux plus jamais te voir et te parler.

Elle tomba à genoux, le cœur tambourinant dans sa poitrine quand elle comprit qu'il ne plaisantait pas.

— Il m'a forcée ! Je ne voulais pas mais il était plus fort que moi. Je n'ai pas eu le choix... Tu as raison d'être en colère, papa, mais je te répète que ce n'est pas ma faute. Il m'a violée. M'a obligée à faire des choses horribles et dégoûtantes avec lui. Ne me punis pas, je t'en supplie, papa !

— Ne rajoute pas le mensonge à ton péché. J'ai entendu des rumeurs sur toi. Jusqu'à aujourd'hui, je ne voulais pas les croire.

Mary fut glacée par l'amertume qu'elle lut dans les yeux de son père.

— Mais papa...

— Tu vivras avec Cornelia désormais. Quand je lui rendrai visite, je ne veux pas te voir. À partir de cet instant, il ne me reste que deux filles. Tu n'existes plus.

— Tu ne peux pas me faire ça ! hurla-t-elle. Et toutes les femmes que tu t'es tapées ? Pourquoi me punir parce que je te ressemble ?

Il la dévisagea depuis le seuil.

— La réputation d'une femme n'a pas de prix. Toi en particulier, tu devrais savoir qu'une fois souillée elle est irrécupérable. Tu ne m'es plus d'aucune utilité.

Ils ne s'étaient plus jamais adressé la parole depuis. La silhouette sinistre et droite en bottes et manteau de fourrure l'avait regardée se traîner jusqu'à l'avion qui l'emportait loin de Jacaranda. Depuis le hublot, elle l'avait fixé jusqu'à ce qu'il ne soit plus qu'un point dans l'immense paysage. Cette blessure ne guérirait jamais. Car Jock Witney ne pardonnait pas. Une fois trahi, à jamais perdu.

Mary se roula en boule sur le sol de sa villa de Sydney et gémit. Le gin se déversa sur la moquette sans qu'elle s'en rende compte ; quelque part, pas très loin, le téléphone continuait de sonner.

Annabelle s'était rendue à l'hôpital au chevet de Charles. Entouré de machines bruyantes, branché de partout, son cousin avait tellement été dopé qu'il était incapable de tenir une conversation. Après un long entretien avec son médecin, elle rentra chez elle. À présent assise sous sa véranda, face à l'océan, elle pensait à la beauté de la vie, à sa valeur. Quelle idiote d'avoir gaspillé son temps à vivre au travers de Martin!

C'était la faute de Jock, bien entendu. S'il l'avait soutenue dans son désir d'aller à l'université, comme sa vie aurait été différente! Mais Jock Witney ne changeait jamais d'avis, qu'il ait pris la bonne ou la mauvaise décision.

Son existence se résumait à un vaste mensonge. Bien que fière de s'être occupée d'œuvres caritatives, elle rêvait d'un défi plus important où elle pourrait voler de ses propres ailes et ne craindrait plus le jugement paternel. Quand l'avenir de Jacaranda serait en marche, elle exigerait d'avoir sa place, d'être reconnue comme une personne ayant beaucoup à apporter. Jamais plus elle ne resterait sur le bas-côté.

Ses pensées furent interrompues par l'arrivée de Catherine. Quand sa voiture de sport freina dans l'allée, les gravillons volèrent dans les parterres. Annabelle soupira. Elle les avait nettoyés le matin même!

— Contente que tu sois là, s'exclama Catherine sous la véranda. Tu as eu des nouvelles de Mary?

Elle s'effondra sur la balancelle qui grogna et pencha.

— Putain, qu'il fait chaud! Il y avait un monde fou sur la route.

Annabelle lui tendit un verre de thé glacé.

— Pourquoi aurais-je des nouvelles de Mary? Elle ne m'appelle jamais!

Catherine but son verre d'une traite.

— Voilà qui est mieux, soupira-t-elle. Je crevais de soif.

Catherine chercha une cigarette au fond de son sac.

— Mary a quitté son hôtel, lui annonça-t-elle. Je lui ai téléphoné ce matin pour lui dire le fond de ma pensée, mais elle était déjà partie. Je suppose qu'elle est retournée à Sydney mais elle ne répond pas au téléphone et mes messages s'empilent sur son répondeur.

— Elle ne va pas faire de bêtises, dis? Elle a dépassé les bornes hier à la réunion.

Catherine souffla un rond de fumée et regarda la brise chaude l'emporter au loin.

— Soit elle se goinfre à s'en rendre malade, soit elle baise et boit comme un trou. Dans tous les cas, je m'en fiche, mais cela m'inquiète qu'elle ne réponde pas au téléphone.

— Mary a toujours aimé vivre dangereusement. Souviens-toi de ce conducteur de troupeau avec qui elle a vécu quelque temps et qui la battait. Elle disait qu'elle avait parfois besoin d'un peu de brutalité. Cela la changeait des citadins mollassons avec qui elle traînait en général. Si maman n'était pas intervenue, il aurait fini par la tuer un soir de beuverie.

Catherine sourit.

— Cette chère maman. Toujours là en cas de crise.

Elle fuma sa cigarette en silence tandis qu'elles admiraient ensemble l'océan. Il brillait tel un tissu de soie bleue incrusté de diamants.

— Je pense que tu n'es pas venue pour me parler de Mary, remarqua Annabelle quelques minutes plus tard.

Elle connaissait Catherine. Mary n'avait jamais été en haut de sa liste de priorités.

Catherine écrasa son mégot.

— Il y a quelque chose de différent chez toi et j'aimerais savoir ce que c'est, déclara-t-elle sans prendre de pincettes.

Annabelle sourit. Rien n'échappait à sa sœur!

— Cela s'appelle « croire en soi ». Je ne veux plus vivre au travers des autres et tu serais surprise si tu connaissais mon programme.

Catherine la fixa un long moment avant de hocher la tête.

— Je le savais! Tu avais l'air si sûre de toi hier tout en restant la même Annabelle, calme et ignorante. Fonce ma fille. Il est temps qu'on en ait pour notre argent! Bon, dis-moi, qu'as-tu vu hier qui t'a coupé ainsi la chique?

Annabelle détourna le regard, un petit sourire au coin des lèvres.

— J'ai vu la vérité. D'ici peu, il n'y aura plus la moindre zone d'ombre. Tout se met en place, tout s'explique.

Sophie dirigeait le lourd camping-car sur la piste escarpée; le moteur se plaignait, les roues projetaient des pierres et de la poussière. Elle poussa un soupir de soulagement quand elles rejoignirent enfin la route.

— Cet engin est trop gros pour gravir les collines, grand-mère. J'espère que c'est le dernier panorama que tu veux voir.

— Oui. Regarde. Nous y sommes.

Sophie passa une vitesse et regarda par la fenêtre. Elle freina brusquement.

— Tu plaisantes? s'emporta-t-elle. Pourquoi ici? Pourquoi cet endroit en particulier? Tu disais que nous allions voir le vignoble de Rose! Celui qui a permis l'expansion du domaine de Jacaranda! À quoi joues-tu? Ta plaisanterie n'est vraiment pas drôle.

Cornelia se sentit soudain mal à l'aise. Elle ne tenait pas à blesser sa petite-fille, mais il était trop tard pour changer ses plans.

— Ce n'est pas une plaisanterie, Sophie. Nous sommes au bon endroit. Voici le vignoble où Rose et Otto ont assis les fondations de notre famille.

— Nous serions parents avec les gens qui vivent ici? Je n'ai jamais entendu parler d'une autre branche de la famille!

Sophie ravala ses larmes et mit la marche arrière.

— Je retourne à Melbourne! déclara-t-elle. Il n'y a rien pour moi ici.

Cornelia posa une main tremblante sur celle de Sophie pour l'apaiser.

— Bien au contraire, mon enfant. Attends de voir. Un peu de patience, s'il te plaît.

Elles regardèrent par la vitre l'arche en fer forgé au-dessus de la route poussiéreuse, chacune plongée dans ses pensées, ses souvenirs. L'arche noire brillait sous le soleil de cette fin d'après-midi, son message net contre le ciel éblouissant:

Domaine de Coolabah Crossing
1839

Deuxième partie

13

Mary ouvrit les yeux et se demanda un instant si elle n'était pas morte. Une lumière blanche et aveuglante l'entourait, des gens discrets remuaient non loin. Il régnait un merveilleux parfum de fleurs. Les yeux mouillés, elle tourna la tête sur l'oreiller et vit une personne assise près de son lit.

— Annabelle? marmonna-t-elle. Que s'est-il passé? Que fabriques-tu ici? Où sommes-nous?

— Je m'assure que tu restes en vie, déclara sa sœur sur un ton sinistre. Dieu seul sait pourquoi je m'inquiète pour toi après tout le mal que tu as fait à notre famille.

— Je ne t'ai rien fait, protesta faiblement Mary. C'est moi qui suis dans un lit d'hôpital, tu te souviens?

— Tu aurais au moins dû signer cet article, cracha Annabelle avec dégoût. Toi seule as pu déballer de telles obscénités...

— Ce n'est que la vérité. Vous êtes les fautifs, ajouta-t-elle après s'être humecté les lèvres. J'ai soif.

— Tiens.

Elle lui tendit un verre d'eau.

— Tu devrais essayer plus souvent. Ça fait un bien fou au teint et tu n'as pas la gueule de bois après.

Mary la dévisagea derrière des yeux mi-clos, se releva sur un coude et sirota l'eau glacée. Sa bouche avait un goût infect et quelque chose chez Annabelle la mettait mal à l'aise. Épuisée par l'effort, elle s'effondra sur son oreiller.

— Tu n'as pas répondu à ma question, grommela Mary. Que fabriques-tu ici?

— On n'arrivait pas à te joindre au téléphone et, après avoir parlé à ta gardienne, j'ai contacté la police de Paramatta.

Ils ont défoncé ta porte et t'ont trouvée couchée dans ton vomi, nue et inconsciente. Tu parles d'une vision. Ils t'ont conduite à l'hôpital sous un nom d'emprunt – on n'avait pas besoin d'un nouveau scandale, surtout en ce moment. J'ai pris l'avion et je suis arrivée il y a environ deux heures.

Mary examina sa sœur. Sa voix avait changé mais ce n'était pas seulement ça. Elle paraissait plus forte, plus posée. Elle demeurait une petite souris grise et effacée mais, à présent, elle imposait sa loi. Maquillée, elle portait une robe et une veste de couturier. Elle ferma les yeux à cause du soleil. Annabelle devait avoir un homme en vue. Sinon pourquoi se donnerait-elle tout ce mal?

— Pourquoi es-tu venue à mon chevet?

— Parce que tu es ma sœur.

— Et?

Il y avait anguille sous roche. Cette nouvelle version d'Annabelle ne pouvait pas lui pardonner aussi facilement sa trahison.

— Tu es peut-être une garce de première classe plaquée or, mais tu ne mérites pas de crever comme une poivrote dans ton dégueulis. On a un travail à finir, Mary, et je ne veux pas que tu te défiles.

Les yeux fermés, Mary grogna. Elle se sentait au bord du gouffre et la dernière chose dont elle avait besoin, c'était que sa crétine de sœur joue les maîtresses d'école autoritaires.

— Ma vie personnelle ne te regarde pas! tempêta Mary. Et vous m'avez tous clairement dit que vous n'aviez plus rien à voir avec moi. Maintenant, dégage ou je sonne l'infirmière pour qu'elle te mette dehors.

Hésitante, Annabelle se mâchonna la lèvre.

— Casse-toi! aboya Mary si bien que sa sœur sursauta. Laisse-moi tranquille!

Annabelle se leva. Les joues rosies, elle triturait la lanière de son sac à main.

— Ta grossièreté ne me fera pas changer d'avis, déclara-t-elle avec une fermeté qui étonna sa cadette. Tu repars avec moi à Melbourne, que tu le veuilles ou non. Il y a certaines choses que tu dois savoir avant la réunion du conseil et, quand je t'aurais parlé, tu comprendras pourquoi il fallait que je vienne.

La route menant à la propriété de Coolabah Crossing était longue et sinueuse, régulière car bétonnée et bordée de chaque côté par de grands eucalyptus. La main posée sur le levier de vitesses, Sophie rechignait à effectuer ce voyage vers le passé. Thomas lui avait tellement parlé de cet endroit et même si elle n'était jamais venue auparavant, elle savait ce qui l'attendait à son arrivée.

— Ils sont au courant qu'on vient? demanda-t-elle à sa grand-mère avec nervosité.

— J'ai téléphoné avant de quitter Melbourne, répondit-elle en lui tapotant la main. Ne sois pas si nerveuse, ma chérie. J'ai parlé à Thomas et il a hâte de te revoir.

Sophie garda les yeux sur la route ; un grand trouble agitait ses pensées.

— Tu n'aurais pas dû me faire ce coup-là. Ce n'était pas à toi de prendre cette décision.

Pourtant, quelques années plus tôt, que n'aurait-elle pas donné pour le revoir, lui parler, lui demander pourquoi il avait cessé de lui écrire? Mais ils avaient tous les deux déménagé, construit des vies séparées chacun à un bout du globe. Proches autrefois, étrangers aujourd'hui.

— Je suis désolée, Sophie. Je n'avais pas compris à quel point ce serait dur pour toi. Mais Thomas ne t'en veut pas.

Ses vieilles colères et blessures remontèrent tout d'un coup à la surface.

— Il quoi? s'emporta-t-elle. C'est lui qui a arrêté de m'écrire, qui n'a pas pris la peine de m'appeler et de m'expliquer pourquoi ! C'est lui qui a brisé toutes ses promesses ! Pas moi !

D'une main tremblante, elle chercha une cigarette dans son sac. Ce serait la première depuis plus d'une semaine et, tandis que la nicotine s'infiltrait dans son système, elle fit craquer les vitesses et appuya sur l'accélérateur.

— Il ne m'en veut pas ! marmonna-t-elle.

— Je ralentirais si j'étais toi, remarqua gentiment Cornelia. Tu rates un fort joli paysage.

« Rien à foutre du paysage », pensa Sophie. Mais elle prit une profonde inspiration et décida que ce serait peut-être une bonne idée de se calmer. Après un rapide coup d'œil, elle dut admettre que Coolabah Crossing l'impressionnait.

Des eucalyptus se balançaient sous la brise chaude, leur ombre tachetait la route. Des barrières fraîchement peintes entouraient les champs où des chevaux magnifiques paissaient dans les herbes hautes. Au détour du dernier virage, le panorama éblouit Sophie. Le long de la crête d'une colline basse, les briques ocre du ranch rougeoyaient sous le soleil. Au loin s'élevaient les montagnes couvertes de pins. Sous la véranda aux colonnes et au treillis en fer-blanc, des fauteuils confortables en rotin attendaient les invités lassés de la chaleur. Des bougainvillées éclaboussaient de pourpre et de rose le toit aux tuiles rouges et des fougères plume d'autruche débordaient des poteries en terre cuite. Les tons vert citron des faux-poivriers contrastaient avec le vert foncé des terrasses qui semblaient s'étendre à l'infini.

— Un peu différent de Jacaranda, admit-elle à contrecœur.

Qu'elle soit maudite si sa grand-mère remarquait son émerveillement car elle était encore fâchée contre elle.

— Je n'ai jamais considéré le château de Jacaranda comme une « maison ». Il était trop grand, trop imposant. Mais Jock souhaitait un symbole à la hauteur de sa réputation croissante de viticulteur prospère. Il a donc abattu la construction d'origine et érigé cette horreur à la place. Il l'a remplie d'objets d'art et de porcelaine. On se serait cru dans un musée, soupira-t-elle. Je me souviens de l'époque où il y avait une simple petite maison en bois sur la colline ; bien que grande selon les critères du début du XXe siècle, elle ne reflétait pas assez sa réussite.

Cornelia replongea dans ses souvenirs. Elle était arrivée avec sa mère peu avant la fin de la Grande Guerre. Elles avaient emprunté les longues routes sinueuses entre la vallée de Barossa et celle de Hunter dans un chariot tiré par des chevaux, s'arrêtant dans des hôtels poussiéreux où elles avaient côtoyé des bouviers, des ouvriers agricoles itinérants, des chercheurs d'or... Cornelia adorait cette vie sur la route; Rose devait avoir ressenti la même excitation – se lever chaque jour en se demandant ce que la vie vous réserverait, rencontrer des inconnus, découvrir des paysages nouveaux... Ce voyage en compagnie de Sophie avait ravivé tant de souvenirs... et tant de regrets.

Elle regardait les pâturages verdoyants mais ses yeux étaient rivés sur le passé. Elle ne voyait que la petite maison en bardeaux sur la colline, à l'ombre des eucalyptus.

Sa mère avait ressenti à la fois de la nervosité et de l'excitation, les mains serrant les rênes de ses deux chevaux gris qui trottaient sur le chemin de terre.

— La dernière fois que je suis venue, c'était avec ton arrière-grand-mère, confia-t-elle à Sophie.

Cornelia se rappelait qu'à cet instant-là elle avait trouvé sa mère particulièrement animée.

— Pourquoi ne nous rendent-ils jamais visite? lui avait-elle demandé, surprise d'apprendre qu'il existait une branche de la famille qu'elle ne connaissait pas.

Le visage de sa mère s'était assombri.

— Il y a eu une querelle familiale, répondit-elle sur un ton hésitant. Ta grand-mère n'était pas ravie par notre expédition contrairement à Rose. Le désaccord est allé trop loin et elle était contente que quelqu'un agisse enfin avant qu'il ne soit trop tard.

— Ce doit être sérieux, commenta Cornelia alors âgée de dix-sept ans.

Sa mère fit claquer les rênes.

— Oui. Et même si ma mère refuse de céder, cette visite permettra peut-être un rapprochement. Il n'y a rien de tel qu'un mariage pour tirer un trait sur le passé.

Cornelia détourna le regard, déçue. Elle aurait aimé en savoir plus sur cet intrigant désaccord mais l'expression de sa mère lui indiquait de patienter. Pourtant elle se dérida quand les chevaux s'arrêtèrent dans un nuage de poussière et de sueur devant la véranda. Car se tenait là le plus beau des hommes qu'elle ait jamais vus.

Walter avait dix-huit ans. Il avait menti sur son âge afin de partir à la guerre et en était revenu blessé trois ans plus tard.

Amaigri, le teint bistre, il avait une jambe infirme qui lui donnait l'air fanfaron d'un pirate alors qu'il traversait la cour pour les accueillir. Leurs yeux se croisèrent par-dessus le dos des chevaux. Cornelia tomba alors profondément et irrévocablement amoureuse.

Elle soupira tandis que l'éclat du soleil la ramenait au présent. Dire que cette visite si prometteuse s'était terminée par un échec. En effet, le mariage prochain de Walter était la raison de leur visite, l'excuse pour guérir la brouille familiale. Et, bien qu'ils partagent les mêmes sentiments, il était trop tard.

La mère de Cornelia avait surpris les regards échangés, le père de Walter également. Et, afin d'éviter d'autres disputes, ils les avaient éloignés l'un de l'autre. Cornelia dut donc assister à la cérémonie de mariage avant de retourner à Barossa avec sa mère dès le lendemain. La visite avait permis une trêve précaire entre les deux clans, mais, jusqu'à sa mort, la grand-mère refusa de parler à sa sœur et au fil des années, comme la distance empêchait toute nouvelle visite, la communication entre les deux parties se limita à une carte pour Noël.

Cornelia inspira avec fébrilité. Elle était de retour où tout avait commencé et elle éprouvait autant de nervosité que Sophie. Walter serait-il content de la revoir après tant d'années? Reconnaîtrait-il la jeune fille qu'il avait aimée chez la vieille femme qu'elle était devenue? Son pouls accéléra lorsque le camping-car stoppa. De l'eau avait coulé sous les ponts mais certaines choses ne changeaient pas. Bien que ce fût impossible, le jeune et beau Walter l'attendait sous la véranda.

Le cœur de Sophie battait à toute allure quand elle arrêta le camping-car. Quelqu'un attendait sous la véranda. L'homme était peut-être plongé dans l'ombre mais elle reconnaîtrait sa silhouette entre toutes.

Thomas s'avança au soleil. Grand et mince, il possédait une force nerveuse qui s'affichait dans sa démarche assurée et ses larges épaules. Ses fines hanches étaient serrées dans un pantalon de moleskine blanc et des bottes marron à talon plat suivaient les courbes de ses mollets musclés. Il était peut-être plus bronzé que dans ses souvenirs mais ses cheveux avaient toujours cette couleur brun foncé au soleil. Son sourire chaleureux et ses yeux bruns aux longs cils faisaient encore s'emballer son cœur et flageoler ses jambes.

Elle rassembla ses esprits et attrapa son sac. Dieu sait ce qu'il va penser de moi... Il était trop tard pour se passer un coup de brosse dans les cheveux ou se maquiller et, bien que furieuse contre elle-même, elle se félicita d'avoir enfilé un short et un T-shirt propres ce matin-là.

Il la regarda longtemps, lui sourit sans un mot, puis il contourna le véhicule pour aider Cornelia à descendre. Sophie resta plantée là, déroutée. Elle ne s'attendait pas à des effusions mais au minimum davantage qu'un silence après tant d'années.

« Sale petit prétentieux », pensa-t-elle tout en s'emparant du sac de voyage de sa grand-mère à l'arrière du camping-car. S'il avait choisi comme arme l'indifférence polie, ils seraient deux à jouer cette stupide partie.

— Comment allez-vous, tante Cornelia? Vous m'avez l'air en pleine forme pour quelqu'un qui a avalé autant de kilomètres.

La voix grave de Thomas était aussi riche que du chocolat noir quand il se pencha pour embrasser la vieille dame.

La jalousie déchira Sophie. Autrefois, c'était elle qu'il tenait dans ses puissants bras bronzés. Vite, elle chassa ce souvenir et contempla l'air de rien les champs. Ses sentiments ne devaient pas transparaître.

— Tu vas bien Sophie? Ça fait longtemps!

Mal à l'aise, elle savait qu'elle devait se tourner et lui faire face. Ses yeux bruns et profonds la toisaient fixement.

— Ça va, répondit-elle d'une voix rauque.

Elle s'éclaircit la voix et s'efforça de ne pas regarder sa bouche sensuelle et son menton robuste.

— Si j'avais su que je venais ici, je n'aurais pas fait le déplacement, affirma-t-elle sur un ton glacial alors que son pouls battait la chamade.

— OK Sophie, répliqua-t-il d'une voix traînante. Inutile de me faire un dessin.

Il ne semblait pas affecté par sa froideur et son regard lui donnait l'impression d'être une enfant capricieuse.

— Accompagnons cette dame à l'ombre, finit-il par déclarer.

Il la prit par le bras et, ralentissant le pas pour s'accorder au sien, il la conduisit sous la véranda.

Se sentant quelque peu seule, Sophie les suivit le long de l'allée rouge, puis en haut des marches. Il faisait merveilleusement frais tandis que la brise agitait les fougères et les fleurs de bougainvillées. Thomas installa Cornelia dans un fauteuil et tapota les coussins. Ses attentions plaisaient à la vieille dame. Thomas s'était toujours montré prévenant, se rappela Sophie. Elle déposa les sacs sous la véranda et s'avachit dans le fauteuil le plus proche. S'il comptait l'impressionner, il perdait son temps !

Après leur avoir apporté deux grands verres de limonade maison, Thomas plongea les mains dans les poches de son pantalon. Le col ouvert de sa chemise à carreaux laissait entrapercevoir des poils bruns sur un torse bronzé.

— Papa est au milieu des terrasses avec mes frères mais ils rentrent manger. Grand-père fait un petit somme ; il ne va pas tarder à descendre. Il a hâte de vous revoir, tante Cornelia.

— Comment se porte-t-il ?

— Bien. Un peu rouillé bien sûr mais il ne nous laisse pas une minute de répit, le vieux brigand.

— Et ta mère ?

— Partie à cheval, comme d'habitude. Elle n'est pas du genre à s'attarder dans la cuisine ou à la maison maintenant que son élevage de chevaux marche bien.

Comme pour le contredire, la porte moustiquaire claqua et un visage rayonnant et doré apparut.

— Bonjour ! s'exclama une femme. Vous devez être Cornelia. Heureuse de vous rencontrer enfin. Moi c'est Béatrice mais tout le monde m'appelle Betty et je suis responsable de ce grand gaillard ! Dire que j'en ai eu quatre autres comme ça !

Ses mots sortaient à toute allure de sa bouche comme si on la chronométrait.

Betty n'était absolument pas maquillée, un simple serre-tête retenait ses cheveux blonds. Comme bijoux, elle ne portait qu'un médaillon en argent autour du cou et des clous aux oreilles. Son goût pour le grand air se remarquait à ses jodhpurs tachés, ses bottes éraflées et une chemise à carreaux qui avait vu des jours meilleurs. Elle demeurait néanmoins une belle femme qui contrastait drôlement avec son fils.

Sophie fut surprise par son accent bourgeois car Thomas ne lui avait jamais dit que sa mère était anglaise. Elle se demanda comment elle avait pu partir aussi loin de chez elle tout en paraissant si à l'aise dans cette région exigeante et sauvage, parmi des hommes et des chevaux, des vignes et des paysages immenses.

Des yeux très bleus s'intéressèrent à Sophie.

— Tu dois être Sophia. Je comprends que tu aies plu à Thomas autrefois.

La poignée de main fut ferme, les doigts râpeux à force de travail dans les écuries mais le sourire fut ouvert et amical.

Sophie sentait qu'il l'observait. Elle tenta de l'ignorer et de se concentrer sur sa mère.

— Sophie, je vous prie. Sophia me donne l'impression d'être une star du cinéma italien.

— Si tu le dis, répliqua Betty sans méchanceté. J'ai toujours pris les Sophie pour des personnes mollassonnes que l'on pouvait facilement piétiner. Mais, d'après Thomas, tu es trop intelligente pour ça, ajouta-t-elle dans un éclat de rire.

Quand elle écarta une de ses mèches de cheveux blanchies par le soleil de son front large et sans rides, Sophie reconnut un geste de Thomas qu'elle trouvait attachant à l'époque.

— On mange dans une demi-heure, déclara Betty qui s'alluma une cigarette. Thomas, si tu faisais un tour du propriétaire avec Sophie pendant que Cornelia et moi faisons connaissance? J'étais curieuse de vous voir enfin toutes les deux. J'ai comme l'impression que vous n'effectuez pas une simple visite de courtoisie, pas vrai?

Sophie se tourna vers sa grand-mère pour fournir une excuse mais celle-ci farfouillait comme par hasard dans son sac à main. Elle regarda Thomas, adossé nonchalamment contre une colonne blanche. Pas d'aide de sa part non plus, quand elle surprit un pétillement de défi dans ses yeux...

— Il fait un peu chaud pour aller se promener, répondit-elle. Je préfère rester ici à l'ombre.

— N'importe quoi ! s'exclama Betty. Il est temps que Thomas et toi agissiez en adultes. Fichez-moi le camp. Cornelia et moi avons des ragots à nous raconter.

— Maman a parlé, conclut Thomas sur le ton de la plaisanterie, des plis au coin des yeux. Nous n'avons pas le choix.

Sophie se leva de son fauteuil avec autant de grâce que possible et le suivit dans la chaleur de midi. Cela lui faisait bizarre de marcher à nouveau à côté de lui. Déconcertée par son bras nu qui effleurait le sien et lui envoyait des ondes de choc dans tout le corps, elle s'écarta de lui.

Thomas ne sembla pas le remarquer, à moins qu'il préférât se taire tandis qu'ils longeaient la maison.

— Papa a tombé la vieille bâtisse avant qu'elle ne se désintègre, annonça-t-il sans émotion, tel un guide touristique. Maintenant, l'endroit est formidable mais il a perdu de son cachet. Je me souviens, quand je m'asseyais sous le vieux porche pour regarder les lucioles le soir. La maison craquait, le vent soufflait autour des piliers en pierre qui la soutenait.

Sophie le suivait en aveugle. De tels sentiments n'auraient pas dû l'assaillir. Enfin, pas tout de suite. Christian avait-il eu raison de traiter leur mariage d'imposture ? De romance par dépit ? À Londres, cela lui avait paru impensable, mais la vérité était bien plus difficile à digérer. La voix de Thomas, l'odeur des écuries et la chaleur de sa peau lui rappelaient trop de souvenirs, l'hypnotisaient.

— Papa a arraché les broussailles et construit les écuries après s'être marié avec maman, poursuivit-il, comme s'il ignorait le tumulte qui régnait en elle. Maman vient d'une vieille famille riche anglaise habituée à avoir des chevaux. Selon papa, ils n'étaient pas très contents qu'elle s'installe ici avec un colon sauvage à l'accent à couper au couteau et tenant l'alcool comme un roc. Mais maman aime cette vie et, mis à part une visite au pays à l'occasion, elle se dit ravie de rentrer à Coolabah Crossing auprès de ses chevaux.

— D'où vient ce nom ? bredouilla-t-elle enfin. Qu'est-ce qu'un coolabah ?

— Non, Sophie ! Une Australienne pur jus comme toi ignore ça ? Tu es restée trop longtemps en Angleterre ! Toute une éducation à refaire !

Dans un sourire, il écarta ses cheveux brun foncé de ses yeux et l'affola à nouveau.

— Chez les Aborigènes, tous les eucalyptus sont des coolabahs, mais, en vérité, il s'agit de petits arbres à l'écorce rugueuse et au feuillage épais. Les graines sont moins grosses que celles du bloodwood et ils ne mesurent pas plus de dix mètres. Quand ce pays a été défriché pour la première fois, ils ont laissé les coolabahs, des brise-vents bienvenus pour leur ombre.

— Comme les jacarandas, murmura-t-elle. Quand les premiers colons se sont installés, les jacarandas étaient en fleur et, grâce à leur merveilleuse couleur lilas, ils sont devenus l'emblème des vignes. Nous perpétuons la tradition. Jusqu'à quand?

— J'ai entendu parler de vos ennuis, remarqua-t-il, les mains dans les poches, les yeux plissés. Ce ne doit pas être facile.

— On va s'en sortir, répondit-elle sur un ton ferme. Je n'ai pas étudié le droit des sociétés pour rester là à me tourner les pouces.

Il se tourna vers elle, dos au soleil, si proche qu'elle en eut le souffle coupé.

— Qu'ai-je fait pour te mettre aussi en colère, Sophie ? On peut être amis maintenant.

Elle le foudroya du regard.

— Si tu l'ignores, ce n'est pas la peine d'en discuter.

Sur ce, elle tourna les talons. Ses grands yeux brun avaient un effet étrange sur elle.

— Je retourne voir grand-mère.

Sa douce voix grave la suivit tandis qu'elle se dépêchait dans l'allée. « Bien, décida-t-elle. Le plus tôt serait le mieux. » Cornelia devrait comprendre que c'était une erreur d'être venues ici. Comment avait-elle pu penser que la présence de Thomas et tous les souvenirs qui l'accompagnaient ne l'affecteraient pas. Qu'avait-elle comploté dans son vieil esprit tordu ? Et pourquoi ?

Cornelia s'amusait. C'était très agréable d'être assise sous la véranda après un dîner maison et d'évoquer des souvenirs avec Walter, le grand-père de Thomas. À quatre-vingt-onze ans, son cousin lointain se portait bien. L'étincelle dans ses yeux faisait mentir ses cheveux gris et sa barbe grisonnante.

Walter n'avait jamais accordé d'attention à ses tenues et, ce soir-là, il portait un pantalon débraillé, attaché à la taille par une vieille cravate ; sa chemise qui avait perdu plusieurs boutons laissait voir un tricot de corps taché de graisse et un torse tanné.

— Bon Dieu, que ça fait du bien de te voir, Cornelia. Comme au bon vieux temps, pas vrai ?

Il croisa les doigts sur la montagne de son ventre et la regarda avec plaisir.

— Tu as raison, Walter. J'aurais dû venir plus tôt mais tu sais comment va la vie.

Elle examina ses doigts noueux en pensant aux années lourdes de souvenirs qui s'étaient écoulées.

— Tant que tu étais mariée à ce salaud, cela n'aurait fait de bien à personne. Mon Emily est partie il y a plus de trente ans, Cornelia. Tu aurais pu revenir à ce moment-là. Tu aurais emmené les gamines avec toi. Ma maison t'était ouverte, tu sais.

Elle lui tapota le bras.

— Ce n'était pas aussi simple. Il y avait Jacaranda.

Il hocha la tête, le regard lointain.

— Oui, soupira-t-il. Les vignes ont une manière d'emprisonner les hommes, de les attacher à un endroit. Mais je suis ravi que tu te sois enfin décidée.

— J'aurais dû venir quand j'avais encore la force de monter à cheval et de galoper dans les prairies. Mais tant que Jock était en vie…

Elle ne finit pas sa phrase. Ils étaient tous deux d'une génération qui vivait avec ses erreurs et ils comprenaient pourquoi cela n'aurait pas pu marcher entre eux. Ce qui n'empêchait pas les tentations.

Soixante-dix ans s'étaient écoulés – Dieu savait à quelle allure fuyait le temps – depuis cette dernière soirée ensemble. Ils se trouvaient au sommet de la colline et contemplaient Coolabah Crossing à leurs pieds. Le clair de lune colorait la vallée en argent, les ombres sombres des vignes s'étalaient sur les terrasses. C'était la veille du mariage de Walter et ils avaient réussi à filer pendant que leur famille dormait.

Il se tenait près de Cornelia sans la toucher mais elle sentait néanmoins sa chaleur et son énergie. Cette nuit resterait gravée en elle à jamais, elle la garderait précieusement dans son cœur.

— Si seulement… commença-t-elle.

Il fit courir ses doigts sur ses lèvres pour qu'elle se taise.

— Je sais. Conservons simplement ce souvenir. Pensons l'un à l'autre dès que nous verrons un clair de lune, peu importe la distance qui nous sépare. Si nous prenons ce que nous désirons le plus maintenant, nos vies seront détruites.

Il la serra alors contre elle, lui déposa un baiser sur le front. Cornelia s'était accrochée à lui, avait respiré son odeur de tabac et de cheval, de grand air et de terre chaude. Elle le voulait, elle avait besoin de lui mais il avait raison.

La douce voix de Walter la ramena au présent.

— Tu te souviens du clair de lune?

Il eut un sourire triste, ses yeux autrefois sombres embués par l'âge et les regrets.

— Combien de nuits ai-je passées à réfléchir ici? Cela m'aidait que tu fasses pareil.

— Nous avons trop vécu dans le passé. Les choses changent, rien ne demeure figé.

Il fuma en silence quelques instants.

— J'ai appris tes ennuis dans le journal, grogna-t-il. Comment puis-je t'aider?

Mary avait fait semblant de dormir toute la journée. Annabelle patientait dans la salle d'attente et lisait un livre mais, tôt ou tard, elle devrait se lever pour aller aux toilettes ou à la cafétéria, ce qui lui laisserait la voie libre.

— Et merde, grogna-t-elle quand Annabelle sortit un sandwich de son sac et une thermos. Fallait s'y attendre! Pourquoi cette connasse ne me laisse pas tranquille?

Elle s'avachit dans son lit et donna des grands coups de poing dans l'oreiller. Elle se trouvait au quatrième étage, au-dessus d'une allée bétonnée. La seule porte donnait sur le couloir et... Annabelle. Elle ne pouvait pas tenir ainsi plus longtemps. Le médecin effectuerait bientôt sa ronde et, d'expérience, elle savait qu'ils ne la garderaient pas une nuit supplémentaire. Annabelle devait être également au courant, ce qui expliquait pourquoi elle jouait les chiens de garde.

Mary enleva le sparadrap sur sa main et, grimaçante, arracha le goutte-à-goutte. Un œil sur sa sœur, puis elle s'assit au bord du lit, fourra l'oreiller sous le drap et, cachée par la porte entrouverte, trottina jusqu'au placard et chercha ses habits.

La tête lui cognait, ses jambes la supportaient à peine mais c'était fascinant ce qu'une personne pouvait accomplir avec un peu de volonté. Elle sortit le pull en soie et la jupe qu'Annabelle lui avait rapportés de chez elle. Elle batailla avec ses sous-vêtements avant de renoncer au soutien-gorge et aux collants. Éreintée, elle prit une chaise et observa Annabelle par la fente de la porte.

— Je ne partirai pas avec toi, marmonna-t-elle. Tu peux rester assise toute cette putain de journée mais jamais je n'obéirai à tes ordres.

Une heure plus tard, Annabelle leva la tête, fronça les sourcils et posa l'emballage de son déjeuner dans son sac. Après un dernier regard hésitant, elle se leva et longea le couloir.

Mary se leva avec difficulté, s'approcha de la porte et eut juste le temps de voir Annabelle, de dos, tourner au coin. L'adrénaline lui donna assez d'énergie pour courir dans la direction opposée.

Au bout du couloir, elle tourna à droite, puis à gauche. Il devait bien y avoir un ascenseur quelque part! Elle n'avait ni sac, ni argent, pas même une carte de crédit. Mais, avec un peu de chance, elle atteindrait sa maison de Paramatta avant que l'alarme ne soit donnée. Elle jetterait quelques affaires dans un sac, prendrait ses cartes de crédit et se cacherait jusqu'à ce que l'heure soit venue de retourner à Melbourne.

14

Sophie se tenait sous la véranda. Une heure après l'aube, le soleil arrosait déjà la terre de sa lumière extraordinaire. Les hommes étaient partis depuis un moment. En leur absence, la paix et la tranquillité étaient presque palpables.

Les mains enfoncées dans les poches des jodhpurs empruntés à Betty – plus pratiques dans les herbes hautes qu'un short –, elle respira le parfum des eucalyptus, de l'herbe couverte de rosée, des mimosas qui n'avaient pas encore été étouffés par la chaleur. Elle se trouvait loin de la ville et de ses rues oppressantes, sa foule pressée et ses tours menaçantes, très loin de l'hiver londonien gris et sinistre. Même si elle ne s'était pas rendue au château de Jacaranda depuis des années, cet endroit lui rappelait sa sérénité, la liberté de respirer et d'être soi-même, l'espace et la grandeur qu'aucune ville ne pouvait offrir. « Si seulement Thomas avait tenu ses promesses, pensa-t-elle, amère. Coolabah Crossing aurait été le lieu parfait pour fonder une famille. »

Pensive, elle quitta la véranda et se dirigea vers les écuries. Au moins ses jeunes frères étaient accueillants ; la veille au soir, elle avait écouté leurs histoires avec intérêt tandis qu'ils essayaient de se surpasser les uns les autres. Elle n'avait pas cru la moitié de leurs fanfaronnades mais elle avait joué le jeu et s'était amusée.

Trois des frères se ressemblaient – mêmes yeux et cheveux sombres, même sourire. Blond comme sa mère, le quatrième avait les yeux bleus et les longs cils paternels. Célibataires, John et Thomas étaient les seuls qui vivaient encore dans la maison avec leurs parents et leur grand-père.

Sophie s'arrêta pour regarder les pâturages. Cet endroit l'attirait. Peut-être était-ce à cause de l'histoire de Rose? Ou des descriptions de Thomas quand ils se fréquentaient? Des perruches tournoyèrent au-dessus d'elle avant de s'installer dans un faux-poivrier. Elle refusait de croire que la magie des lieux avait un lien avec Thomas.

Elle reprit sa marche. Les écuries se trouvaient à l'autre bout du paddock, loin de la maison pour que les taons n'entrent pas. Cornelia dormait encore, ce qui ne la surprenait pas après la nuit précédente. Sophie sourit. Walter et sa grand-mère avaient discuté longuement après le départ de tous – la jeune fille les soupçonnait de lui cacher quelque chose. Elle l'avait deviné à la manière dont ils se regardaient, leur décontraction en compagnie l'un de l'autre. Cornelia arrivait encore à la surprendre!

Les herbes hautes cinglaient ses bottes, leur parfum montait jusqu'à ses narines tandis qu'elle marchait jusqu'au paddock. Cette brouille mystérieuse entre les deux branches de la famille ne s'expliquait pas encore mais sa grand-mère ne manquerait pas de lui raconter le fin mot de l'affaire avant leur retour à Melbourne. Vu que Sophie en savait déjà beaucoup sur Rose, pourquoi ne lui dévoilerait-elle pas toute son histoire?

Les écuries étaient propres et rangées, la cour débarrassée du crottin et de la paille. Des têtes curieuses apparurent pardessus les portes à deux vantaux, leurs longs cils chassant les mouches qui pullulaient déjà. Sophie caressa leur nez en velours et murmura à l'oreille de chacun. Il s'agissait de beaux reproducteurs, pas de chevaux de selle comme ceux qu'elle empruntait à Londres.

— On s'est déjà fait des amis? Tu montes à cheval? demanda Betty, apparue au coin des écuries, un seau d'eau dans une main, une balle de foin dans l'autre.

Sophie s'empara de la paille qu'elle posa dans une stalle vide.

— Pas aussi souvent que j'aimerais. Nous avions des chevaux dans le Kent, mais les canassons des villes ne m'intéressent pas. Disons que j'ai abandonné par manque de temps.

— Je n'y crois pas. Viens. Tu peux emmener ce vieux Jupiter en promenade. Un peu d'exercice lui fera du bien, il devient gras et paresseux.

Elle lança un casque à Sophie et sella un énorme étalon noir qui reniflait, tapait du pied et secouait la tête tandis qu'elle essayait de le brider.

— Arrête de bouger, espèce d'emmerdeur. Le mors ne fait pas mal.

Sophie se mâchonna la lèvre. L'étalon mesurait plus d'un mètre quatre-vingts et paraissait en pleine forme malgré ses moustaches grises.

— Je ne sais pas...

— Tu tu tu ! s'exclama Betty qui claqua l'encolure noire et brillante de l'animal. Un vrai père tranquille quand il est parti. Là il fait son malin. Allez, hop !

Sophie fut hissée sur la selle. Elle attrapa les rênes, chaussa les étriers et chercha son équilibre tandis que le cheval dansait sous elle.

— Parle-lui, qu'il s'habitue à toi, lui ordonna Betty. S'il n'obéit pas, donne-lui un petit coup de cravache pour lui montrer qui est le patron. Bonne balade ! Thomas ne doit pas être bien loin, ajouta-t-elle avant de rentrer dans la stalle et de ratisser la litière. Demande-lui de te montrer les alentours.

— Pas question ! marmonna Sophie qui finit par maîtriser Jupiter.

Ensemble, ils firent une sortie royale dans la cour.

— Allez, Jupiter ! En route !

L'étalon sembla comprendre et, tandis qu'ils quittaient le paddock pour se diriger vers l'horizon, il tendit le cou et partit au galop. Sophie se pencha sur ce cou gracieux, le soleil lui caressait le visage, le vent chaud la poussait. Elle s'apercevait que la liberté d'être en selle par une belle journée ensoleillée lui avait manqué.

Le rythme du cheval sous elle et la joie de vivre procurée par tant de liberté et d'espace lui firent oublier Thomas, sa grand-mère et même Jacaranda. Si seulement la vie pouvait toujours être ainsi.

Ils finirent par ralentir, les gros poumons du cheval se soulevaient, la sueur sèche formait une écume salée sur son encolure. Ils se rendirent dans un bois d'eucalyptus bloodwood rouges. Elle descendit, puis conduisit Jupiter vers un petit ruisseau qu'elle avait repéré. Des oiseaux piaillaient à la cime des arbres, des mouches bourdonnaient et des grillons chantaient sous la lumière humide et verte de la canopée feuillue.

Elle s'agenouilla à côté du cheval et, ensemble, ils burent l'eau de montagne froide et limpide qui s'écoulait entre les touffes de spinifex et les immenses blocs rocheux gris. Puis, pendant que Jupiter paissait joyeusement dans le sous-bois, Sophie s'adossa contre l'écorce dure d'un bloodwood, abaissa le rebord de son chapeau mou et s'installa pour écouter les oiseaux.

— Tu vas te faire piquer, remarqua une voix familière.

Sophie avait dû s'assoupir car le soleil était haut dans le ciel. Quand elle s'assit, son chapeau tomba sur son visage et la lanière s'accrocha à ses cheveux. Les dents serrées, elle batailla avec son couvre-chef alors que Thomas ricanait.

— Là, c'est pire. Laisse-moi t'aider.

Bouillonnante et embarrassée, elle tenta une dernière fois de se dégager, mais sa colère fut de courte durée quand ses doigts chauds lui effleurèrent les mains. La respiration rapide, elle eut un mouvement de recul lorsqu'il se mit à genoux devant elle. Elle trouvait ce visage bronzé, mal rasé, aux yeux sombres trop près d'elle. Soudain, elle fut fascinée par une petite cicatrice qu'elle ne lui connaissait pas au bord de ses sourcils noirs. Il manquait un bouton à sa chemise… Elle détourna les yeux par peur de ce qu'elle pourrait lire dans son regard, par peur d'un nouveau rejet.

Il respirait aussi de manière saccadée quand il la libéra enfin.

— Voilà.

— Merci, murmura-t-elle.

Hypnotisée, elle ajusta son chapeau. La tension était palpable. Tellement d'électricité crépitait entre eux. Elle tressaillit quand il lui caressa les cheveux.

— Je suis content que tu ne les aies jamais coupés. Ils sont si beaux.

Tout son bon sens s'envola. Elle était piégée tel un papillon dans une toile d'araignée tandis que son regard soutenait le sien et leurs lèvres se frôlaient presque. Malgré les rancœurs, elle voulait qu'il l'embrasse, que ses lèvres soient sur les siennes, ses bras autour de son corps.

Puis elle se rappela les promesses qu'il avait brisées, son silence. Il l'avait simplement écartée de sa vie et oubliée.

— Stop ! s'écria-t-elle d'une voix rauque en se levant avec peine. Je ne peux pas.

Les bras ballants, il la regarda avec un sourire moqueur.

— Mais je croyais…

— Tu te trompais ! trancha-t-elle.

Elle s'empara des rênes et remonta en selle. Il était plus facile de l'affronter maintenant qu'elle se trouvait en hauteur et s'apprêtait à s'enfuir. Comment osait-il se moquer d'elle ? N'y avait-il pas un gramme de sentiment dans ce corps débordant de testostérone ?

— Ne me suis pas, Thomas ! le prévint-elle quand il s'approcha de son cheval. Je n'ai rien à te dire.

Assise sous la véranda ombragée, Cornelia observait l'activité dans le paddock et admirait juments et poulains. Avec leur robe de soie et leurs longues jambes délicates, il s'agissait de beaux spécimens. Betty connaissait son métier car elle n'avait pas acheté des poneys de bouvier à moitié domestiques mais de vrais pur-sang. Elle s'adossa aux coussins et sirota la limonade que Betty lui avait apportée un peu plus tôt. Sophie n'était pas revenue de sa promenade et Thomas avait disparu, un bon présage ! Walter se baladait sur son vieux toquard.

« Vieux fou », pensa-t-elle avec tendresse. Il tombera un jour et se brisera le cou. Lui au moins est encore capable de monter à cheval. Malgré sa vieille blessure de guerre et un genou rouillé, il n'avait pas des saloperies de jambes qui le lâchaient. Elle examina ses pieds avec dégoût. Ses chevilles enflaient à cause de la chaleur.

Elle ferma les yeux et essaya d'imaginer les lieux des dizaines d'années plus tôt, quand Rose et Otto s'installèrent. Elle se souvenait de sa visite dans les années 1920, de la vieille maison en bois sur la colline – un congélateur en hiver, une serre en été d'après Rose. Les terrasses n'allaient pas si loin à l'époque car les broussailles envahissaient les alentours et les écuries ressemblaient à une série d'abris en tôle ondulée.

Cornelia sourit en se rappelant les paroles de Rose. Otto s'était montré si enthousiaste qu'il l'avait entraînée avec lui et lui avait appris un tas de choses. En vérité, le récit joyeux de Rose cachait des années de souffrances. Cet avant-poste colonial avait subi tellement de changements que Rose avait dû s'adapter.

En 1847, Rose avait vingt-trois ans. Ces années à travailler sur les terrasses et à débroussailler avaient été marquées par le décès de quatre nouveau-nés. Tandis qu'elle s'apprêtait à mettre au monde son cinquième, Otto faisait les cent pas dans le couloir. L'atmosphère était tendue dans la chambre.

— Où est le médecin, Muriel? Pourquoi ne vient-il pas? pantelait Rose tandis qu'une autre contraction l'agitait.

Lady Fitzallan, qui avait emménagé à Coolabah Crossing à la suite du décès de son fils Henry mordu par un serpent, secoua la tête. Ses yeux gris fixaient la porte avec inquiétude.

— J'ai envoyé un des garçons le chercher mais il est chez un autre patient. Il va venir aussi vite que possible, ma belle. Tiens le coup, je t'en prie.

— Je ne peux pas, j'ai besoin de lui maintenant, hurla Rose, tordue de douleur et prise d'une furieuse envie de pousser.

Lady Fitzallan gémit d'impatience. Soudain, elle se ressaisit et redevint la petite bonne femme efficace et dynamique qu'Otto et Rose avaient appris à aimer.

— Si tu veux pousser, vas-y! lui ordonna-t-elle. Mais doucement!

Rose grinça des dents, agrippa l'un des piliers sculptés du lit et poussa.

— Pitié, Seigneur, que cet enfant naisse en vie. Je Vous en prie...

Impatient de voir le monde, le bébé glissa dans les mains compétentes de Muriel.

— Regarde ! s'exclama-t-elle, triomphante.

Elle coupa le cordon et donna une claque sur le petit derrière. Les cris du nouveau-né résonnèrent dans l'air pendant que Muriel lui nettoyait les yeux et la bouche puis l'enveloppait dans un linge propre.

— C'est une fille, Rose ! Une fillette en bonne santé et on ne peut plus vivante !

Rose pleurait des larmes de joie et de soulagement, de triomphe et de gratitude lorsqu'elle serra son précieux bébé au visage rouge. Puis, sans prévenir, une autre douleur irradia en elle.

— Qu'est-ce qu'il m'arrive ? hurla-t-elle, terrifiée à l'idée de mourir.

— Dieu du Ciel, Rose. Il y en a un autre ! cria Muriel, rouge d'excitation à l'autre bout du lit.

Elle lui arracha le bébé et le déposa sans cérémonie dans le couffin sur le sol avant de retourner auprès de Rose.

Quand elle poussa à nouveau, une deuxième vie glissa hors d'elle. S'ensuivit un long silence. Bien qu'épuisée, elle se souleva sur ses coussins pour voir ce qu'il se passait. Son pouls s'accéléra quand l'appréhension l'assaillit. Elle connaissait la signification de ce lugubre silence.

Muriel Fitzallan se hâta de nettoyer la bouche et le nez du deuxième nouveau-né, puis elle le tint par les pieds et le fessa vivement. Pas de réaction. La couleur abandonna son visage et ses lèvres se figèrent quand elle recommença. Aucun signe de vie.

Rose éclata en sanglots mais Muriel semblait déterminée à défier le destin. Sans un mot, elle plongea le bébé dans le seau d'eau glacée qu'elle avait montée pour rafraîchir Rose pendant le travail. Quand elle le sortit, bleu et dégoulinant, le minuscule torse se bomba et le premier cri explosif emplit la pièce, se joignant à ceux de sa sœur.

— Elle est vivante ! soupira Muriel. Dieu merci, elle est vivante.

Elle se tourna vers Rose et leva bien haut le bébé qui braillait.

— Rose, déclara-t-elle fièrement. Tu as des jumelles !

Otto dut écouter derrière la porte car il se rua dans la chambre et tomba à genoux à côté de sa femme. Il ne cessait de regarder ses enfants.

— Nous avons *zwei* bébés? s'étonna-t-il, son accent allemand reprenant le dessus.

Il semblait si incrédule et craintif que Muriel et Rose éclatèrent de rire.

— Exact! s'exclama fièrement Rose tandis que Muriel déposait les deux bébés dans ses bras.

La peur, la douleur et les larmes avaient été chassées.

— Voici Emily, déclara Rose en câlinant la première. Et voici... Muriel.

Elle déposa un baiser sur le front duveteux puis leva les yeux vers la petite femme stoïque qui était devenue une mère pour elle.

— Si cela ne vous dérange pas.

Muriel caressa la douce joue du bébé d'un doigt tremblant; les larmes ruisselaient de ses yeux.

— Bien sûr que non! chuchota-t-elle. C'est un honneur.

Elle renifla et sortit un mouchoir de sa ceinture.

— Ce sont les petits-enfants que je n'aurai jamais, car je te considère à présent comme ma fille, Rose, tu le sais. Chère Rose. Cher Otto.

Elle se précipita hors de la pièce, les paroles lui manquant pour la première fois de sa vie.

Otto fit tanguer le grand lit quand il serra dans ses bras sa petite femme et ses minuscules bébés.

— Maintenant, nous sommes une vraie famille! Je te promets Rose qu'un jour nous aurons le meilleur vin de toute l'Australie.

Cornelia sortit de ses pensées quand Sophie apparut dans l'allée devant elle. Ses grands pas indiquaient à la vieille dame que quelque chose n'allait pas. Elle dégageait une espèce de colère, comme du mépris. Cornelia poussa un soupir. Cela signifiait que Thomas et elle ne s'étaient pas rabibochés. Des mesures plus drastiques s'imposaient...

— Belle balade? lui demanda-t-elle sur un ton innocent.

Sophie déposa une bise sur sa joue et s'effondra dans un fauteuil à côté d'elle.

— Jupiter a été merveilleux, répondit-elle, hors d'haleine. Et le paysage est magnifique.

— Mais? enchaîna Cornelia avec un mélange d'exaspération et d'affection.

Le visage neutre, Sophie prit le temps de boire le restant de limonade.

— J'aurais préféré rester seule.

Le silence s'installa et Cornelia attendit l'explosion qui ne manquerait pas de se produire. Il ne fallut pas longtemps.

— Il est d'une telle arrogance! tempêta-t-elle. J'étais là, je ne demandais rien à personne et, lui, il arrive et essaie de...

Elle prit une profonde inspiration et se mordit la lèvre.

— Il doit penser que je suis stupide, bafouilla-t-elle.

— Peut-être veut-il rattraper le temps perdu?

Cornelia s'efforçait de ne pas sourire. À l'évidence, Sophie était plus en colère contre elle-même que contre Thomas.

— C'est un peu tard, grand-mère, marmonna-t-elle. On ne rattrape pas des années de silence par un câlin rapide.

Cornelia haussa un sourcil et sirota sa limonade pour cacher ses lèvres qui la démangeaient. L'avenir semblait prometteur.

— Qu'est-ce qui te met en colère, Sophie? Sa tentative lourdingue de réconciliation ou ta réticence à la rejeter?

— Je ne dirais pas lourd, répliqua Sophie. En fait, c'était assez romantique.

Elle détourna le regard car le rouge lui montait aux joues.

— Tu as raison, affirma-t-elle après un long silence. Je suis furieuse après moi parce que je l'ai laissé s'approcher.

Avec un sourire, Cornelia hocha la tête.

— Si l'étincelle est toujours là, pourquoi résister? La vie est trop courte, Sophie. Nous méritons tous un peu de bonheur.

« Mon Dieu! pensa-t-elle, je parle comme une ces affreuses rédactrices du courrier du cœur! » Elle regarda sa petite-fille qui avait eu la même impression...

— Bon, grand-mère. Ce type m'a quand même larguée. Il ne peut pas reprendre notre histoire où il l'avait laissée pour la simple raison que je suis la seule femelle potable de la région.

Cornelia passa outre à son amertume.

— Que s'est-il passé exactement entre vous à l'époque, Sophie? Tu ne me l'as jamais vraiment expliqué.

Tremblante, elle prit une profonde inspiration puis les mots se précipitèrent hors de sa bouche, dégringolèrent au fur et à mesure que la douleur se ravivait et les souvenirs affluaient.

La main sur celle de sa petite-fille, Cornelia l'écouta avec attention. Quand la tirade fut terminée, elle secoua la tête.

— Il est temps que vous ayez une petite conversation tous les deux.

— Je n'ai rien à lui dire.

— Sottises! Tu es encore amoureuse de lui, même si tu as épousé cet idiot de Christian. Essayez d'en discuter calmement, et tu verras que les choses ne sont pas noires et blanches comme tu le crois.

Sophie lui décocha un regard hanté mais, au fond, Cornelia aperçut une étincelle d'espoir.

— Que veux-tu dire, grand-mère?

— Tu n'as pas étudié la question en profondeur. Il y a une raison à tout et il ne fait aucun doute qu'il y a eu un malentendu.

La vieille dame réfléchit un moment. Son regard erra au-delà des paddocks, vers les collines lointaines. Quelque chose ne collait pas dans l'histoire de Sophie et elle ne pouvait lui faire part de ses soupçons car les implications auraient été trop cruelles. Il y avait suffisamment de détresse dans cette famille sans en rajouter.

— Thomas est fou amoureux de toi. Je l'ai remarqué à sa manière de te regarder, de suivre chacun de tes mouvements. Il ne dit pas grand-chose mais c'est la manière d'agir des hommes du *bush*. Laisse-lui sa chance, Sophie. Fais-le pour toi si tu ne le fais pas pour lui.

Sophie se leva de son fauteuil et s'accouda quelques minutes à la rambarde de la véranda. Puis, sans un mot, elle ouvrit en grand la porte moustiquaire et se rendit dans sa chambre.

Cornelia soupira : la balle était dans leur camp mais un petit coup de pouce ne nuisait pas. Un sourire aux lèvres, elle fit signe à Betty qui revenait du paddock. Maintenant que le clivage entre les deux branches de sa famille s'amenuisait, il y avait de l'espoir pour l'avenir du domaine de Jacaranda. Il lui suffisait à présent de convaincre Walter et sa famille de voir les choses de son point de vue.

15

Sophie se doucha, se changea puis, les cheveux encore mouillés, elle s'assit sur le bord de la fenêtre et savoura la brise légère en provenance des collines. Il faisait bon à l'ombre de la véranda de derrière et, même si le spectacle des silhouettes se déplaçant sur les terrasses au loin l'apaisait, elle ne parvenait pas à chasser son trouble. Que signifiait le conseil énigmatique de Cornelia?

Elle secoua sa chevelure. Ses réflexions ne la conduisaient nulle part. Mais si l'occasion se présentait, alors, oui, elle demanderait une explication à Thomas. C'était le moins qu'elle puisse faire après l'épisode de ce matin.

Tout en brossant ses cheveux emmêlés, Sophie contempla Coolabah Crossing. La disposition ressemblait à Jacaranda mais les horribles cuves en Inox et l'usine d'embouteillages se trouvaient hors de vue, tandis qu'à la maison c'était la première chose que les visiteurs voyaient quand ils remontaient la longue allée du château.

Elle rêvait de ce même paysage au temps de Rose et d'Otto quand on frappa à la porte. Sa grand-mère entra :

— Ça te dirait d'en apprendre un peu plus sur la famille? Descends avec moi.

— Où allons-nous? demanda Sophie en se faisant une queue-de-cheval à la va-vite. Je dois me changer si tu as prévu de marcher.

— Tu verras. Dépêche-toi! Walter nous attend dans le cabriolet. Garde ton chemisier et ton short. Ça ira.

Sophie enfila une paire de chaussettes et des baskets; le temps qu'elle les lace, Cornelia arrivait déjà sous la véranda et Walter la soutenait tandis qu'elle descendait les marches. Il l'aida à monter dans l'attelage tiré par un poney, comme s'il s'agissait d'une reine. Sous ses airs débraillés et bourrus, Walter se comportait en vrai gentleman. Dommage que cela ne s'appliquât pas à l'aîné de ses petits-fils.

Guindée sous son ombrelle, Cornelia attendait Sophie. Celle-ci remarqua néanmoins le rouge de ses joues et l'étincelle dans ses yeux. Walter fit claquer les rênes et ils partirent. Le doux balancement du véhicule démodé, le craquement des roues et le tintement du harnais se combinaient au martèlement léger des sabots du poney. Tandis qu'ils se dirigeaient vers l'est, Sophie s'adossa au bois verni. Le visage au soleil, le siège chaud sous sa main, elle n'avait jamais ressenti un tel contentement.

— Rose avait beaucoup à apprendre quand elle arriva à Coolabah Crossing, commença Cornelia. Otto était un homme bon mais sa passion pour la vigne passait avant tout et, pour comprendre son mari, Rose devait d'abord maîtriser cette étrange manière de vivre.

Elle pencha l'ombrelle.

— Mais tout a un prix comme tu le constateras dans quelques minutes.

Sophie regarda par-dessus l'épaule de Walter les wilgas dont le tronc se perdait dans la chaleur miroitante qui s'élevait du sol. La clôture en piquets blancs qui délimitait le cimetière familial offrait une vision habituelle dans l'arrière-pays. Là se situaient les vraies racines de cette famille – de sa famille.

Ils descendirent du cabriolet et, soutenue par le bras de Walter, Cornelia marcha dans les ombres des arbres hauts jusqu'au paisible cimetière. Des papillons d'un bleu incroyable fonçaient entre les pierres tombales, des grillons chantaient et des mouches bourdonnaient. Tous ces petits bruits se détachaient nettement dans le silence environnant.

Sophie suivit les deux nonagénaires à l'autre bout du cimetière. Les noms étaient gravés simplement et les épitaphes décolorées par les éléments couvertes de mousse.

— Rose a eu quatre bébés mort-nés avant de donner naissance aux jumelles, lui apprit Cornelia. Elle n'a pas eu d'autres enfants ensuite mais a subi des années de labeur, de pauvreté et de lutte interminable contre les éléments. Cependant, ses filles sont devenues des femmes fortes, en pleine santé, ayant le même amour pour les vignes que leur père.

Sophie enfonça les mains dans ses poches tandis qu'elle longeait la rangée. Les monticules avaient quasiment disparu dans le sol mais ils étaient propres et désherbés.

Ils s'arrêtèrent devant une tombe en marbre.

— Lady Muriel Fitzallan n'est jamais retournée en Angleterre, indiqua Cornelia. Elle a rendu visite à Rose et Otto une fois la Mission reprise par un jeune homme de confiance et elle est finalement restée auprès d'eux.

Sophie lut l'épitaphe. Lady Muriel avait trouvé un foyer accueillant et un lieu de repos éternel donnant sur Coolabah Crossing. Elle se demanda si la petite femme maniaque et survoltée observait toujours son royaume d'adoption avec fierté.

Plus loin, elle fronça les sourcils quand elle découvrit l'inscription.

— Ce n'est pas possible, grand-mère?

Celle-ci s'était installée sur le banc rustique construit sous les branches retombantes des wilgas.

— Et si malheureusement. Qui sait ce qu'il se serait passé si les choses avaient été différentes.

— Raconte-moi, s'il te plaît.

Sophie s'assit à côté d'elle pendant que Walter fumait sa pipe.

— Rose et Otto se sont installés ici, ont fondé une famille et se sont occupés de leurs vignes. Lady Muriel est devenue une mère et une grand-mère de substitution; elle leur a même offert assez d'argent pour ajouter une extension à la maison et leur permettre de vivre dans un confort relatif. Otto a engagé trois bonnes à tout faire et plusieurs détenus en liberté conditionnelle. Ensemble, ils ont débroussaillé et labouré avant de semer. Ces hommes vivaient dans des cabanes éloignées de la maison. Parfois, Rose les entendait hurler comme des chiens quand ils se rendaient dans les caves et buvaient le vin âpre après les vendanges.

Cornelia frissonna.

— Ce son l'a accompagnée jusqu'à la fin de sa vie et elle n'a jamais oublié que le travail de ces gens a pavé la voie de son succès futur.

— Ce ne devait pas être évident de vivre parmi ces hommes contraints de venir en Australie, marmonna Sophie.

— Non, en effet, mais ils avaient quasiment purgé leur peine ; certains sont restés, se sont mariés à des filles du coin et ont fait fortune. À la fin, on pouvait parler de communauté à Coolabah Crossing.

— À la fin? répéta Sophie. Mais Coolabah Crossing est toujours là.

Cornelia s'essuya le front.

— Ne me presse pas. Je t'en parlerai le moment venu.

Tandis que les tombes silencieuses miroitaient sous la chaleur de l'après-midi, Sophie se sentit attirée vers le passé, quand ce petit coin de Coolabah Crossing constituait le monde de Rose et Otto.

Avec ses deux bébés, Rose était coincée à la maison. En grand-mère gâteuse, lady Muriel leur racontait nombre d'histoires et leur chantait des chansons. Elle passait aussi des heures à les pousser dans leur landau sur la pelouse naissante que Rose arrosait consciencieusement.

Les trois domestiques engagées par Otto étaient les filles de colons libres de Paramatta. Elle rappelait à Rose sa jeunesse au manoir mais leur sort était plus dur que le sien à cause de la chaleur implacable et du travail incessant. Elle essayait de se montrer juste avec elles et s'assurait qu'elles avaient assez de temps pour rendre visite à leur famille.

Rose se réjouissait d'avoir de l'aide à la maison car il y avait toujours quelque chose à faire – les meubles raffinés de lady Muriel à cirer ou ceux d'Otto, allemands et massifs. À cause de la chaleur, elles devaient garder les fenêtres ouvertes et les courants d'air apportaient beaucoup de poussière fine, tenace et rouge. Elle tourbillonnait en spirale et recouvrait tout, pesait sur la langue, irritait les yeux, collait aux cheveux. Par chance, les pluies d'automne la faisaient disparaître – annonce des prochaines vendanges.

Otto se levait avant l'aube, embrassait les bébés et sa femme puis se rendait sur les terrasses. Il mangeait dans les champs avec les détenus puis rentrait bien après le coucher du soleil, en sueur, couvert de poussière. Malgré cela, son enthousiasme ne s'éroda jamais. Bien qu'elle le vît rarement, Rose comprenait son besoin de surveiller son investissement. Le moindre penny partait dans la terre et les ceps ; leur maison ressemblait néanmoins à un palais par rapport à la plupart des ranchs.

Le dimanche était différent. Personne ne travaillait ce jour-là et Rose attendait avec impatience de quitter la maison et de se rendre en boghei à l'église, à huit kilomètres de là. Elle se croyait alors en vacances. Otto débarrassait la poussière de ses cheveux, se curait les ongles et enfilait son costume. Rose et lady Muriel en profitaient pour porter leur chapeau et leurs plus beaux vêtements, car il s'agissait de leur seule sortie de la semaine. De plus, elles rencontraient d'autres vignerons et leurs femmes. Les jumelles étaient lavées et pomponnées et on exigeait d'elles qu'elles restent propres et assises à leur place.

Ils formaient une drôle de procession sur la route défoncée, avec les trois jeunes domestiques qui s'accrochaient à leur chapeau fleuri, Hans tenant les rênes et les détenus suivant à pied loin derrière.

Rose ne trouvait pas juste de les obliger à marcher autant, car Otto possédait d'autres carrioles. Mais l'usage l'exigeait et, malgré son désaccord, elle apprit à garder ses objections pour elle.

La loi obligeait ces pauvres hères à assister à la messe, quelle que soit leur religion. Et si leur chant vigoureux faisait plaisir à entendre, elle se demandait s'il ne s'agissait pas d'une excuse pour évacuer leur colère rentrée. En effet, bien qu'ils travaillent dehors et logent dans des cabanes confortables, ces hommes maigres au regard triste arboraient encore les cicatrices de leurs longs internements. Ils savaient qu'ils ne seraient jamais réellement libres, qu'ils ne reverraient jamais leur patrie humide et brumeuse.

Rose détourna le regard et pensa au lendemain. Elle aussi rêvait du jour où elle retournerait dans les champs et échapperait aux contraintes domestiques car, depuis l'arrivée des jumelles, elle se sentait comme un lion en cage. Elle adorait ses bébés évidemment mais le soleil lui manquait, comme le travail sur les terrasses, la terre chaude sous ses pieds... Maintenant que les filles développaient leur propre personnalité, apprenaient à marcher et à parler, elle considérait qu'elle pouvait les laisser aux bons soins de Bess, leur nouvelle bonne, et de lady Muriel.

Le lendemain matin, ils furent réveillés avant l'aube par des cris. Otto bondit hors de l'immense lit double et ouvrit les volets.

— Que se passe-t-il? gronda-t-il avec son fort accent allemand.

— Des kangourous! Ils arrivent par dizaines du nord-est.

Rose se leva, enfila un pantalon, une chemise, des chaussettes et des bottes. Otto la dévisagea tandis qu'il arrachait sa chemise de nuit et enfilait son pantalon de moleskine et ses bottes.

— Retourne te coucher. Je m'en occupe.

Elle finit de lacer ses bottes et chercha une ceinture avant de lui répondre :

— Ce sont mes vignes autant que les tiennes. Et je sais ce dont est capable un troupeau en maraude.

Otto sourit, ses yeux bleus éclairant son visage basané.

— Tu as raison. Allons nous battre ensemble!

Au rez-de-chaussée, la pagaille régnait. Les jumelles pleuraient, les bonnes cassaient la vaisselle, lady Muriel donnait des ordres à tout-va. Rose et Otto se ruèrent dans les écuries. Il n'y avait personne dehors. Un calme terrible régnait et un poids étouffant semblait peser sur le paysage.

— Un orage arrive, remarqua Otto. De trop fortes pluies détruiront les fruits.

Encore peu habituée à monter un cheval à moitié sauvage, Rose tâchait de ne pas tomber. Tandis qu'ils approchaient de la partie nord de la propriété, une vision d'enfer les attendait. Les kangourous avaient piétiné rangée après rangée leurs précieuses grappes en train de mûrir, soit une année de travail. Les hommes couraient entre les terrasses, agitaient leur veste, criaient, brandissaient des fourches et des houes afin de les faire fuir.

Rose et Otto descendirent de cheval et se joignirent à la bagarre. Les grands marsupiaux gris les regardèrent brièvement, bondirent hors de leur portée et poursuivirent leur repas.

Otto décrocha alors un fusil à canon lisse de sa selle. Hans l'imita et, tandis que les coups de feu résonnaient dans la vallée et que les animaux mordaient la poussière, les autres comprirent le message et s'enfuirent.

— Allez réparer les clôtures ! ordonna Otto. Qu'elles soient plus solides, plus hautes ou bien ils reviendront !

— Mais on ne les empêchera jamais d'entrer, protesta Rose. Ils bondissent trop hauts, ils sont trop puissants.

Les cheveux roux collés par la transpiration, le regard noir de colère, il la toisa et aboya :

— J'ai une année de travail et tout mon argent dans cette récolte, Rose. Si nous n'agissons pas, il ne nous restera plus rien. Plus rien, tu m'entends. Otto Fischer ne baissera pas sa culotte devant des kangourous.

Rose se tut. Elle savait qu'aucun mot ne le réconforterait. Les grappes attiraient les wombats et les opossums, les bandicoots et les échidnés. Comme si toutes les créatures des alentours dépendaient de ces vignes pour survivre.

— Allons constater les dégâts, proposa-t-elle. Ce n'est peut-être pas aussi grave que tu le penses.

Il secoua la tête et désigna le ciel bas.

— Si une tempête se déclare d'ici à trois jours, nous aurons tout perdu. Une gelée nocturne, et notre travail n'aura servi à rien.

Il avait raison. Il ne leur restait plus qu'à prier pour que pluie et froid ne ravagent pas tout. Les grappes mûrissaient bien et promettaient de belles vendanges malgré les dégâts mais elles n'auraient pas lieu avant six semaines au moins. Le pire comme le meilleur pouvait arriver. Pas assez de pluie, et les raisins se gorgeaient de sucre. Trop, et ils pourrissaient sur le pied. Le gel les tuerait, l'humidité les ferait moisir. Le mildiou les anéantirait.

Otto aurait peut-être dû suivre le conseil des autres vignerons et investir dans un troupeau de moutons ou planter du blé et du maïs par précaution. Mais il n'était pas homme à se disperser. Il cultivait des vignes et produisait du vin. Il n'avait ni le temps ni l'argent pour une autre activité et préférait confier son avenir à mère Nature.

Deux semaines plus tard, ils observaient le ciel depuis la véranda. Un vent léger soufflait et des nuages ondulaient devant la lune en cette belle soirée de fin de printemps.

— Il ne fera pas plus froid que d'habitude, déclara Otto. Nous pouvons nous coucher sans crainte.

Ils dormaient à poings fermés quand on monta l'escalier d'un pas lourd. Leur porte s'ouvrit en grand.

Blême, Hans avait du mal à respirer.

— Il gèle dur dehors, Otto... Les hommes sont déjà en train d'allumer les réchauds.

— Qu'ils aillent vite sur les terrasses, Hans. Je viens avec toi.

Une nouvelle fois, Rose et Otto s'habillèrent en quatrième vitesse et se ruèrent à l'extérieur. Ils avaient redouté de telles gelées tout l'hiver. À la moindre variation du baromètre, Otto reniflait l'air. Il se levait parfois la nuit pour arpenter les vignes et étudier les étoiles. Une gelée tardive serait fatale à ses ceps.

Les Français avaient eu l'idée d'envelopper les grappes de fumée et, les premières années, Otto se servait de broussailles, de paille et de feuilles vertes pour obtenir une fumée épaisse. Comme il n'avait pas beaucoup gelé, les plants avaient survécu. Depuis il s'était équipé de centaines de réchauds à vigne remplis d'huile. Rose pria pour que cette nouvelle méthode les sauve.

Dès qu'elle sortit dans la cour, elle comprit ce qui les attendait. Le froid lui donnait la chair de poule, la glaçait jusqu'aux os. Les bonnes sortaient en tremblant dans leur robe de chambre et lady Muriel hésitait sur le seuil, son bonnet de nuit de travers sur ses boucles grises, tandis que les fillettes jetaient un coup d'œil derrière sa volumineuse chemise de nuit.

— Restez avec les enfants, Muriel, ordonna Rose. Les filles, mettez des manteaux et suivez-moi.

Elles rejoignirent la procession d'hommes qui portaient des pots enflammés et fumants entre les terrasses. Les grappes étaient ainsi progressivement recouvertes d'un film goudronneux. Rose fut bientôt noire de la tête aux pieds, les yeux lui piquaient, la fumée la faisait tousser. Ils menaient une lutte silencieuse et désespérée dans ce froid scintillant et aucun d'eux n'osait exprimer ses craintes.

La nuit s'éternisait. Quand une des domestiques tomba de fatigue, Rose se précipita pour ramasser son réchaud brûlant et poisseux. Un incendie les aurait achevés.

Otto se démenait comme un beau diable, encourageait les hommes épuisés, leur apportait de l'eau, rallumait les appareils et tentait d'arroser toutes ses vignes avant qu'il ne soit trop tard.

Il marchait tel un gros ours sur les terrasses, en homme responsable et plein d'espoir. Mais elle avait peur pour lui, en cas d'échec.

Trois heures plus tard, l'obscurité s'éclaircit et, aux premières lueurs de l'aube, les flammes des réchauds commencèrent à pâlir.

— Le soleil se lève, s'écria Otto. Voyons ce que cela donne.

Sa voix trahissait sa lassitude et son émotion. Rose mit la main dans la sienne pour le réconforter. Les silhouettes noircies par la fumée attendirent dans un silence éreinté que la brume se dissolve sous l'effet du soleil levant.

Otto se crispa quand les premières lueurs éclairèrent leurs centaines d'arpents. Le givre brillait sur les rangées de ceps noircis qui baissaient la tête, défaits et morts sur leurs fils.

Le silence s'engouffra en eux tandis que le soleil d'une splendeur magnifique s'élevait au-dessus du spectacle désastreux. Soudain, l'une des domestiques poussa un long gémissement qui résonna dans la vallée noire, et Otto se mit à trembler.

Galvanisée, Rose passa à l'action et gifla la fille.

— Arrête ça tout de suite, lui cria-t-elle. Nous ne sommes pas encore vaincus. Certains pieds ont peut-être survécu. Va vérifier.

Elle retourna vers son Otto muet, les épaules tombantes comme s'il portait le monde sur son dos, le visage hagard sous la couche de suie. Les zébrures blanches sur ses joues trahissaient ses larmes. Le cœur gros, Rose l'enlaça comme on serre un enfant dans ses bras.

— Allons voir s'il reste quelque chose à sauver en attendant les prochaines plantations, lui murmura-t-elle.

Pendant une heure, Rose compta les plants. Quelques dizaines de mètres carrés sur les pentes en contrebas, deux parcelles parmi les plus anciennes. Les nouvelles plantations n'avaient pas survécu, comme les longues rangées de sauternes. En résumé, ils ne vendangeraient qu'un quart de leurs vignes cette année... à condition qu'il ne pleuve pas trop, que les chenilles et les criquets ne les dévorent pas.

— Je ne pourrais pas rembourser nos dettes, Rose. Ni replanter si la banque ne nous prête pas d'argent.

— Elle nous en prêtera. Nous possédons ces terres et cette maison comme garantie. Ne baissons pas les bras tout de suite.

Il lui sourit.

— Tu es minuscule et, pourtant, tu es plus forte que moi, Rose. Tant de détermination dans un corps si petit !

Il prit une profonde inspiration qui fit trembler son imposante charpente, redressa les épaules, leva le menton et scruta avec un air de défi les vestiges noircis de plusieurs années de travail.

— Non, je ne m'avoue pas vaincu, Rose. Je vais écrire en Allemagne et leur demander un autre envoi de boutures. Je ferai le tour des vignerons de la vallée de Hunter et je verrai ce qu'ils voudront bien me vendre. Je replanterai. Je serai patient. Nous avons perdu trois ans, Rose, mais nous sommes jeunes. L'avenir est devant nous.

Ni l'un ni l'autre n'exprima ses peurs. Et s'ils ne récoltaient rien l'année d'après ?

Otto rassembla ses ouvriers et ordonna à Hans de leur distribuer du rhum. Rose supportait mal la vision de ses vignes dévastées. Otto, lui, semblait plus motivé que jamais. Elle retourna donc à la maison avec les autres femmes afin de préparer un repas bienvenu. Elle pleurerait plus tard, quand Otto ne la verrait pas.

Ses jupes traînaient dans la poussière, ses épaules l'élançaient, elle ne comptait pas les ampoules sur ses mains brûlées et, pourtant, elle parvint à sourire aux autres femmes dont les yeux blancs se détachaient sur leur visage noir. Malgré leur fatigue et la terrible perte, toutes éclatèrent de rire en se voyant. Rose sut alors pourquoi elle aimait plus que tout ce pays sauvage et indomptable. Elle était libre, l'égale de ces filles, liée à elles par cette lutte incessante pour survivre dans ces vastes territoires isolés. Otto avait raison : il ne fallait pas s'avouer vaincu.

Les paupières lourdes, Cornelia s'assoupit. La brise était chaude, des taches de lumière dansaient dans les wilgas, mais elle fit des rêves sombres, peuplés de figures du passé qui paradaient devant elle dans une cavalcade de souvenirs. Il avait gelé à Jacaranda et ils avaient passé la nuit dehors avec leurs réchauds fumants, leurs espoirs et leurs peurs suspendus à l'apparition de l'aube. Les méthodes modernes avaient augmenté leurs chances de vaincre le gel, leur ennemi mortel, mais on comptait tellement de prédateurs dans les vignes. Dire que leur existence dépendait de la survie de ces grappes délicates.

Puis elle revit Jock, le visage bruni par le soleil et le vent, donnant des ordres sur les terrasses, distribuant des coups de fouet à une pauvre âme qui ne travaillait pas assez vite ou pas assez bien à son goût. Les derniers temps, les lois l'avaient peut-être obligé à changer sa manière de traiter ses ouvriers, mais elle entendait encore sa voix rageuse quand il maltraitait et humiliait le pauvre Edward. La lumière s'était éteinte à Jacaranda ces années-là. Aujourd'hui, une lueur donnait des raisons d'espérer en l'avenir.

Elle cligna les yeux et mit quelques instants à savoir où elle se trouvait. Les années avaient emporté sa jeunesse et ses forces mais pas ses souvenirs. Elle avait vécu une époque qui ne reviendrait jamais, où exploration et aventure permettaient à quiconque de laisser son empreinte. Étrange comme le passé semblait coloré et réel tandis que le présent avait perdu de sa substance.

— Cornelia? Ça va? demanda Walter, le front plissé par l'inquiétude.

— Je me demandais si tout cela en valait la peine.

— Oui, oui et mille fois oui, grogna-t-il la pipe serrée entre ses dernières dents. Toi et moi avons travaillé dur pour laisser un héritage à nos enfants. Ce n'est pas rien.

La main en coupe sur les yeux, elle parcourut le paysage.

— Il est temps que je retourne à Jacaranda, murmura-t-elle. Où je me sens vraiment chez moi.

— Tu n'es pas malade, j'espère?

Les sourcils froncés, il posa une main calleuse sur son épaule. Elle lui sourit et secoua la tête.

— Non. J'ai l'impression d'être une vieille pendule qui va bientôt s'arrêter.

— Alors on est deux, soupira-t-il en inspectant le culot froid de sa pipe. Mais les aiguilles tournent encore. Il nous reste un travail à terminer.

Une rangée de tombes signalait la dernière demeure des hommes en liberté conditionnelle qui avaient fini leurs jours dans ce liberté perdu du globe sans jamais revoir leur patrie. La plupart étaient jeunes, remarqua Sophie. Trop jeunes pour avoir été arrachés à leur famille. Ils venaient de Londres et de Liverpool, d'Irlande, d'Écosse et du pays de Galles. Elle percevait presque leurs pauvres esprits perdus dans cette terre qui les recouvrait. Pas étonnant que de si nombreuses villes d'Australie portent le nom familier de leur pays d'origine.

Elle vit Walter poser la main sur l'épaule de Cornelia, son inquiétude se changer en sourire. On avait volé leur vie. Les circonstances et les lois rigides de l'époque les avaient privés du bonheur d'être ensemble comme ces détenus avaient été privés d'avenir. Néanmoins, leurs sentiments l'un pour l'autre avaient survécu aux années et à la distance et tous deux cachaient leur amertume dans la joie de se retrouver. Elle était heureuse que sa grand-mère ait pu effectuer ce voyage avant qu'il ne soit trop tard et triste qu'elle n'ait pas pu faire ses valises plus tôt pour rattraper son rêve.

Sophie enfonça les mains dans ses poches. Marchait-elle dans ses pas? En tournant le dos à Thomas, en acceptant son rejet sans poser de question, elle s'apprêtait à commettre la même erreur. Cependant, elle ne vivait pas au début du XXe siècle mais dans la dernière décennie du millénaire. Les restrictions étaient moindres, comme les barrières plus faciles à faire tomber.

Elle devrait l'affronter à un moment ou à un autre, lui demander pourquoi – sa tranquillité d'esprit en dépendait. Si la situation était aussi désespérée qu'elle le pensait, elle ne pouvait pas en souffrir davantage. Elle ramasserait les morceaux, encore une fois. Elle en avait tiré les leçons et ne se ruerait pas dans les bras d'un autre de sitôt.

Chassant Thomas dans un coin de son esprit, elle retourna, impatiente, auprès de sa grand-mère.

— Tu me racontes la suite? À moins que tu ne sois trop fatiguée?

— Je suis continuellement fatiguée, ma fille. Mais c'est ce qui arrive quand on a mon âge.

Elle tapota le genou de Sophie.

— Bon, où en étais-je?

Sophie s'adossa contre le banc et ferma les yeux. Elle entendait les criquets, les mouches, le bruissement des herbes et des feuilles. Elle sentait la chaleur du soleil sur sa peau, respirait le parfum de la terre et des raisins mûrissants. Cornelia reprit le fil de son histoire et Sophie glissa dans le monde de Rose.

Coolabah Crossing se trouvait au cœur des terres tribales des Wiradjuri. Dès que les terres furent nettoyées et les vignes plantées, les Aborigènes, curieux, sortirent du *bush* et construisirent des huttes. Ils avaient vite compris que l'arrivée des hommes blancs s'accompagnait de nourriture, de tabac et d'une étrange boisson aux fruits qui leur permettait de communier avec leurs ancêtres. Otto les tolérait car dans les autres ranchs, paraissait-il, il y avait eu du grabuge quand les propriétaires avaient tenté de les chasser. Tant qu'ils ne pénétraient pas sur les terrasses et donnaient parfois un coup de main, il leur permettait de rester.

Ces hommes fascinaient Rose avec leur peau si sombre, leurs yeux ocre, leur large visage... Mais c'étaient leurs marques tribales, si différentes de celles des Wanjiwalku de la Mission, qui lui donnait envie d'en découvrir davantage sur ce peuple observateur et silencieux et leur philosophie de la terre.

Au fil des années, elle apprit à connaître leurs mœurs, leurs légendes et même quelques mots de leur langue. Elle s'asseyait souvent à côté de Wyju pour écouter ses histoires du Temps du rêve.

Grand et mince, il comptait parmi les aînés de sa tribu. Des volutes et des barres étaient entaillées sur sa peau badigeonnée d'argile et de cendres. Il portait une fine lanière en cuir autour de la taille et une autre autour de la tête. Pourtant sa nudité ne la choquait pas; elle semblait naturelle chez cet homme fier du Never Never.

Trois jours s'étaient écoulés depuis la gelée fatale et Wyju revenait d'une balade en brousse. Assis sous la véranda, Otto et Rose admiraient les derniers rayons de soleil disparaître derrière la colline.

— Où étais-tu passé, vieux fainéant? On aurait bien eu besoin de ton aide ces jours-ci.

— Je me promenais, Patron, répondit Wyju qui s'accroupit en bas des marches.

— Raconte Wyju! Tu as une autre femme là-bas, je parie! ricana Otto.

— Je chantais, répliqua Wyju, les sourcils froncés. Je marchais dans les empreintes de mon ancêtre, je chantais ses chansons, je créais.

Rose avait entendu parler de sentiers invisibles.

— Comment connais-tu les paroles, Wyju? Si tu ne les vois pas, tu ne peux pas trouver la piste des chants!

Le vieillard secoua lentement la tête.

— Ce sont les sentiers du Temps du rêve, Patronne. Mon ancêtre marche et sème des mots et de la musique dans ses empreintes. Une chanson est une carte donnée à un bébé par sa mère quand il est dans son ventre. La mère désigne l'emplacement et il devient un totem pour le bébé. Il rêve alors aux paroles et il rencontrera ses frères du même totem s'il ne l'éloigne pas d'eux.

— Tout cela me paraît très compliqué, Wyju, grommela Otto. Si tu ne vois pas les paroles et n'entends pas la musique, comment sais-tu que tu es sur le bon chemin?

Un grand sourire éclaira le visage sombre de Wyju.

— L'Australie est une grande musique, Patron. Les paroles des chansons te suivent de lieu sacré en lieu sacré. Seuls les hommes noirs savent où ils sont.

— Les rêves, les pistes de chant et les totems font partie du même principe? lui demanda Rose, perplexe. Que se passe-t-il si un homme se trompe de piste sans le savoir? Court-il un danger?

— Un rêve est une histoire. Chaque site possède un rêve. Les hommes noirs demandent: « Qui est-ce? À qui est cette histoire? » Un rocher peut être le foie d'un kangourou transpercé par une lance que l'ancêtre a mangé pendant son voyage. Le bras mort d'une rivière, la cachette d'un poisson totem.

— On marcherait sur ces endroits sacrés sans le savoir?

Un frisson parcourut Rose quand l'homme la regarda.

— Des malheurs arrivent quand on détruit les totems, Patronne. La légende dit qu'un homme d'ici a déplacé des pierres sacrées et que le rêve du feu va venir avec une lance pour le tuer.

— Ne fais pas peur à la patronne, Wyju, le disputa Otto. Elle a assez d'imagination comme cela!

— Tu as de gros ennuis avec ta ferme, pas vrai?

Rose et Otto hochèrent la tête.

— Parce que tu as déplacé les œufs du serpent arc-en-ciel.

Rose se renfrogna et Otto éclata de rire.

— Des œufs de serpent, mon œil!

Wyju ne put dissimuler son mépris. Rose posa une main apaisante sur le bras de son époux.

— Nous devrions le prendre au sérieux, Otto, murmura-t-elle. Il y a une part de vérité dans les légendes – c'est le sang irlandais qui coule en moi qui te le dit.

Puis elle s'adressa à Wyju :

— Où sont ces œufs ? Peut-on les remettre à leur place ?

— Suis-moi, Patronne. Je vais te montrer.

Accompagnés d'Otto, ils suivirent la gracieuse silhouette nue jusqu'au coin est des terrasses. La terre avait été nettoyée et plantée plusieurs mois auparavant. À cause du givre, il ne restait que des racines noires et chétives.

— Le serpent rêve ici, Patron. Il pond ses œufs. Tu les as emportés loin, très loin. Le serpent est en colère après toi. La piste est brisée.

— Ce n'était qu'un tas de pierres qui ne servaient à personne, s'emporta Otto, exaspéré. Comment pouvais-je savoir qu'il s'agissait d'un totem, d'une chanson ou d'un fichu rêve ?

Il foudroya Wyju du regard avant de prendre Rose par le bras et de la ramener à la maison.

— Ne fais pas attention à ces sauvages ! Ils cherchent à t'effrayer avec leurs histoires. Si nous ne touchions à aucune pierre, aucun arbre, il n'y aurait pas de place pour nous, pas de maison, pas de vendanges.

Bien qu'elle comprît son point de vue, elle était assez superstitieuse pour croire en la magie de ces pistes de chant et de ces pierres déplacées. Otto ne devrait pas prendre les mises en garde de cet homme à la légère.

Les semaines passèrent et Rose oublia l'étrange histoire de Wyju tandis qu'ils préparaient les vendanges. Après le gel, la récolte fut minable et le vin médiocre. Ils durent vite le vendre à des établissements peu regardants de Paramatta et de Botany Bay. Ensuite, ils nettoyèrent les terrasses, retournèrent la terre, creusèrent des sillons en prévision des nouvelles boutures promises par Otto. Ils avaient vendu la majeure partie de leurs meubles, hypothéqué la maison et emprunté davantage à la banque. Otto avait sillonné la vallée de Hunter pendant des jours afin d'acheter des stocks à d'autres vignerons en difficulté financière. Ce jour-là, il revenait les poches vides mais le chariot plein de plants précieux emballés dans des sacs humides.

Rose dormait quasiment debout sous la véranda quand un nuage de poussière approcha de la maison. Elle avait veillé la nuit entière sur lady Muriel. La mort dans l'âme, elle se rendait compte que sa vieille amie n'en avait plus pour longtemps.

Muriel ne se sentait pas bien depuis des semaines, la couleur abandonnait ses joues, elle avait ralenti son rythme et ses courbes réconfortantes se réduisaient à vue d'œil car elle avait perdu son appétit. Le médecin donnait ses consultations sur plusieurs centaines de kilomètres à la ronde et ils eurent de la chance qu'il se rende dans un domaine non loin – il lui fallut tout de même une semaine pour arriver à Coolabah Crossing. Il examina Muriel, diagnostiqua un problème cardiaque et lui conseilla du repos puis il repartit à bord de son cabriolet.

Soucieuse, Rose attendit qu'Otto descende du chariot. Tandis qu'il la soulevait dans ses bras, elle s'en remit à lui avec gratitude. Il était son rocher, sa seule certitude en ce bas monde.

Les yeux d'Otto s'embuèrent quand elle lui annonça l'état de santé de lady Muriel ; sans prendre le temps de se changer, il monta les marches quatre à quatre et entra dans la chambre de la vieille femme. Elle était devenue une mère pour Rose et lui. Elle avait de l'expérience et une certaine connaissance du monde. Elle leur avait aussi apporté son soutien financier et moral dans leur entreprise si bien qu'ils lui devaient beaucoup plus que les guinées prêtées pour agrandir la maison.

En bas de l'escalier, Rose écoutait la voix grave d'Otto qui murmurait et les réponses quasiment inaudibles de la malade. « Comme la maison serait vide sans elle, pensa-t-elle. Elle manquerait même aux domestiques bien qu'elle les irritât souvent avec ses maniaqueries anglaises et ses ordres impérieux. »

Les boutures furent plantées le lendemain d'une grosse averse et, au fil des mois, lady Muriel parut aller mieux. Otto promit que ces vendanges lui permettraient de rembourser ses dettes et de racheter la maison.

— Nous ferons une grande fête, Rose ! affirma-t-il un mois avant le jour J. Je t'offrirai une bague en diamant, des perles, tous les bijoux qui te plairont. Et j'achèterai à lady Muriel un châle et une ombrelle pour qu'elle puisse s'asseoir au soleil.

Rose éclata de rire et se pelotonna dans ses bras.

— Rapporte-nous simplement de nouveaux meubles, gloussa-t-elle. Mis à part le lit de Muriel, tout le reste est rongé par les moisissures et les termites.

Ils avaient passé une agréable soirée, avec bougies sur la table, argenterie de lady Muriel étincelant sur la nappe blanche et toast à l'avenir du vin de Coolabah. Otto leva son verre, fit tournoyer le liquide rubis et le sirota avec joie.

— Notre première vraie cuvée! Château Coolabah, 1841, l'année de notre mariage. Je l'ai mise en cave après nos premières vendanges ensemble.

Lady Muriel leva son verre à son tour et but une gorgée tandis qu'Otto l'observait et guettait sa réaction.

— Parfait, s'exclama-t-elle, le rouge aux joues.

Sa robe grise en soie bruissa quand elle se mit debout avec peine.

— Je porte un toast à Rose et à toi. Vous avez offert le confort à une vieille dame, mais aussi votre amour et votre intelligence, même s'il m'arrive parfois d'être pénible. À vous deux. Longue vie et bonheur.

S'ils avaient su que ce serait la dernière soirée qu'ils passeraient tous ensemble. En effet, ils allaient payer un lourd tribut pour avoir eu l'audace d'ignorer les mises en garde de Wyju.

En liberté conditionnelle, Michael O'Flynn vivait à Coolabah Crossing depuis plus d'un an. Il avait purgé une partie de sa peine à Botany Bay après avoir survécu à l'enfer sur le bateau prison. Si la cabane en bois au milieu de nulle part n'avait rien à voir avec les privations de sa cellule, il la détestait. Comme il haïssait la puanteur des onze hommes qui partageaient la hutte, le fait de devoir porter des vêtements dont personne ne voulait plus et l'obligation de se rendre à pied à l'église le dimanche.

Mais, plus que tout, il abhorrait la chaleur, les mouches, la poussière et cette bataille incessante pour maintenir les ceps en vie. Il avait beau travailler dur, rien ne serait jamais à lui. Le gros Allemand s'enrichissait à la sueur de son front à lui et, quand il aurait accompli sa peine, Michael aurait avec un peu de chance quelques pièces en poche et un carré de broussailles qui lui briserait les reins et ne donnerait rien pendant des années.

Il ne tenait pas en place. Il était maintenant tard, les lumières ne brillaient plus aux fenêtres de la maison de l'Allemand et les autres ronflaient dans leur sommeil. Michael se glissa hors de son lit, souleva le loquet et s'avança au clair de lune. Il faisait encore chaud à cette heure à cause du vent qui faisait tourbillonner la terre rouge.

Michael lorgna les maisonnettes construites par les hommes libres après leurs travaux forcés. Les pauvres fous avaient décidé de tenter leur chance en Australie. C'était plus facile que de partir à l'aventure et de se débrouiller tout seul. Ils achetaient leur respectabilité en se mariant à des filles du coin mais Michael savait, lui, que leur condamnation les suivrait jusque dans la tombe et qu'elle entacherait l'existence de leur progéniture.

Les yeux rivés sur les rangées sombres, il cracha par terre. Il avait besoin de quelque chose pour dormir et il savait où le trouver.

Avec l'habileté du voleur expérimenté qu'il était à Dublin, il se faufila dans la nuit et pénétra dans les caves. Il savait où la clé était cachée. Si Hans le surprenait, ce serait dix coups de fouet. Mais il ne put résister à la pensée de tout ce vin qui l'attendait : il ouvrit la porte et se glissa à l'intérieur.

Il faisait frais dans cette cave souterraine que les autres détenus et lui avaient creusée dans cette terre rouge impossible. Après avoir allumé la lanterne, il s'accorda quelques instants de réflexion. Les pierres qui tapissaient la cave du sol au plafond avaient été apportées par chariots entiers de la carrière de Paramatta. Chacune arborait la marque des outils que les pauvres carriers avaient maniés, chaînes aux pieds, sous l'œil des gardiens armés de fouets et de fusils.

Il devait peut-être s'estimer heureux de se trouver là, au milieu de nulle part, mais cela ne diminuait pas sa haine pour ceux qui l'avaient expédié ici et pour ses employeurs. Ce n'était pas une vie. Des années qu'il n'avait pas couché avec une femme… et mis à part une tournée de rhum de temps en temps quand le vieux bâtard allemand était content de lui-même, il n'avait pas bu décemment depuis que le vieux Pete le Borgne lui avait refilé un cinquième du cognac qu'il avait réussi à voler en cuisine.

Il souleva sa lanterne. Les ombres dansaient sur les casiers. Lentement, il remplit les poches de son manteau élimé. Il choisissait une bouteille par-ci par-là pour que l'Allemand ne remarque rien.

Après avoir vérifié qu'il n'avait laissé aucune trace derrière lui, il verrouilla la porte, remit la clé à sa place et s'enfonça dans le *bush*.

Il faisait encore nuit quand il se réveilla. Les yeux vitreux, il se demanda ce qui l'avait arraché de son sommeil. Soudain, une odeur le fit bondir sur ses pieds. La peur lui serra les boyaux, la sueur dégoulina dans ses paumes.

Les bouteilles vides avaient laissé un sillon derrière lui lors de ses pérégrinations dans le *bush* et la dernière gisait à ses pieds. Il se souvint vaguement avoir rampé sous ce rince-bouteilles pour dormir un peu avant de retourner à la cabane mais il ne se rappelait plus ce qu'il avait fait de la lanterne.

Tandis que la fumée s'élevait, grise dans la nuit noire, il prit conscience de son méfait au crépitement des herbes en train de brûler. Il se souvint d'avoir trébuché et d'être tombé. Sa lanterne lui avait échappé et il l'avait oubliée alors qu'il cherchait à tâtons sa prochaine bouteille. Il avait dû poursuivre son chemin et, ivre mort, n'avait pas remarqué l'huile et la flamme qui embrasaient les longues herbes argentées.

— Allez tous griller en enfer ! cria-t-il tout en titubant. Brûlez, bande de cons ! Soyez maudits !

Rose dormait d'un sommeil agité. Malgré la chaleur et la solidité d'Otto couché auprès d'elle, elle ne parvenait pas à chasser la peur qui s'insinuait en elle. Elle remua puis ouvrit les yeux.

Allongé sur le dos, Otto ronflait, bras et jambes écartés comme à son habitude, lui laissant à peine le bord du lit. Consciente de sa fatigue, elle ne le réveilla pas et chercha ce qui avait pu la troubler. Ce ne pouvait être ce bruit au loin, trop léger, trop semblable au gémissement familier du vent dans les collines.

Horrifiée, elle s'assit quand elle comprit.

— Otto ! hurla-t-elle. Réveille-toi ! Il y a le feu !

En un seul mouvement, il écarta les couvertures et se rua à la fenêtre.

— Oh *mein Gott* ! gémit-il.

Rose se plaça devant lui. Un mur de flammes se dirigeait vers eux, chevauchant la fumée tourbillonnante qui touchait les étoiles.

— Les enfants ! cria-t-elle.

Elle s'empara de ses habits et sortit en courant. Otto enfila son pantalon et fonça sur le palier où il frappa à toutes les portes.

— *Feuer !* Au feu ! Sortez de la maison.

Il se précipita dans la chambre de lady Muriel.

— Debout ! Il y a le feu. Aidez Rose. Je vais dans les vignes.

La vieille dame batailla pour sortir de son lit, le bonnet de travers, les cheveux gris détachés. Elle n'eut pas le temps de répondre à Otto qui arrivait déjà dans le hall.

Rose prit dans ses bras ses filles somnolentes et apeurées et se rua à l'extérieur. Les jumelles criaient et pleuraient tandis qu'elle courait, une sous chaque bras, jusqu'à la cave à vin. Construite en pierre et sous le sol, elle ne risquait pas de brûler. Rose alluma une lampe et les enveloppa dans les couvertures de leur lit.

— Ne bougez pas d'ici, leur ordonna-t-elle. Je vais chercher mamie M.

Deux paires d'yeux écarquillés la dévisageaient. Rose serra dans ses bras ses filles à la fois effrayées et déroutées.

— N'ayez pas peur, leur chuchota-t-elle. Mamie M et moi allons nous occuper de vous mais interdiction de sortir tant qu'il y a du danger.

Elle les embrassa toutes les deux. Les larmes ruisselaient sur leurs joues rondes mais elles paraissaient rassurées. Rose regarda ses belles jumelles de cinq ans, l'une si brune, l'autre aussi auburn que son père, plus précieuses que le plus précieux des vins. Bien qu'obligée, elle répugnait à partir.

— Va aider ton époux, s'exclama une voix autoritaire sur le seuil. Je m'occupe des filles.

À la lumière de la lanterne, lady Muriel paraissait livide. Elle respirait de manière saccadée et sa fermeté contrastait avec sa chemise de nuit et son châle.

Rose embrassa une nouvelle fois ses enfants et serra Muriel dans ses bras.

— Prenez soin de vous, lui murmura-t-elle à l'oreille. Servez-vous de ces seaux d'eau pour arroser la porte mais si le feu approche de trop, conduisez les filles à la rivière. Asseyez-vous dans l'eau et mouillez-vous souvent la tête.

Muriel la repoussa gentiment.

— Je sais quoi faire. Maintenant vas-y. Otto doit devenir fou.

Rose déposa un baiser sur sa douce joue pâle et préféra ne pas penser à la fragilité de son amie. Après avoir jeté un dernier coup d'œil à celles qu'elle aimait, Rose ferma la porte et rejoignit le flot de personnes qui se rendaient sur les terrasses.

Otto fonça dans l'écurie de fortune. Les yeux écarquillés, les chevaux hennissaient de peur et donnaient des coups de sabot aux cloisons en bois qui les retenaient prisonniers. Otto attrapa le premier cheval venu et se hissa sur son dos. Puis il se pencha et ouvrit toutes les portes pour que les autres s'échappent. À leur tour de tenter leur chance.

Agrippé à la crinière, il partit au grand galop. Le mur de feu se trouvait encore assez éloigné des plantations pour qu'il agisse. Ils disposaient de grandes quantités d'eau et ce n'était pas leur premier incendie à Coolabah Crossing : il y avait encore de l'espoir.

— Creusons une tranchée ! hurla-t-il à la rangée d'hommes qui combattaient les flammes sur la plus haute côte avec de simples sacs, bêches et balais plats. Suivez-moi !

Il les conduisit devant les premiers pieds de vigne, prit une bêche et creusa. La fumée les étouffait, la chaleur bien que lointaine les accablait, la sueur leur piquait les yeux. Mais Otto ne pouvait se permettre de perdre une nouvelle récolte, pas si tôt après la gelée. Il se mit à marmonner des prières oubliées depuis longtemps, dans l'espoir qu'un dieu les entendrait et l'aiderait.

Tête baissée, bras et jambes creusant de façon automatique, il frappait la terre avec furie. Il fallait une tranchée assez large et profonde pour que le feu ne passe pas mais avait-il le temps?

Il leva la tête. Le mur de fumée et de flammes affamées se rapprochait. Il creusa plus fort, plus dur, chaque pelletée lui donnant quelques centimètres de sécurité précaire.

— Ça ne sert à rien, lui cria Simon, l'un des détenus. Le feu s'étend et nous ne sommes pas assez nombreux.

Otto ne voulut rien entendre.

— Creuse, bordel! C'est la seule solution!

La chaleur lui écorchait le visage, calcinait ses cheveux, ses sourcils, mais il continuait de creuser. Il savait que des hommes et des femmes s'acharnaient à côté de lui, que des enfants et des vieillards portaient des seaux d'eau le long de la rangée. Il savait qu'il perdait la bataille.

— Dégage de là, l'ami, le vent tourne!

Une main robuste le sortit du trou et le tira au loin.

Le regard farouche, Otto se redressa. L'incendie bouillait autour de lui, son grand cœur orange descendait sur ses vignes chéries. Il repoussa la main sur son bras et partit en courant.

— Des seaux par ici! *Wasser* sur les vignes! Trempez-les!

Il ignora les cris de mise en garde; sourd et aveugle, il versa un seau sur un cep ratatiné. Les belles grappes se transformaient déjà en raisins secs.

— Là! criait-il. Plus de *Wasser*.

Son visage brouillé de larmes et de suie, il errait à l'aveuglette parmi les pieds mourants, son seau vide se balançant au bout de ses doigts.

— Pitié, *Gott*. Un peu de pluie. *Ein bisschen Regen*.

Le grésillement des flammes, l'odeur des grappes chaudes, le goût des cendres dans la bouche furent les dernières sensations qu'éprouva Otto. Le mur de flammes vrilla avant de s'abattre sur lui telle une immense vague. Otto tomba à genoux. Jamais il ne reverrait sa chère Rose.

Celle-ci se trouvait avec les domestiques à l'autre bout de la vigne. L'eau abondait grâce à un ruisseau de montagne qui courait le long de la plantation. Elles se passaient les seaux pendant que les hommes combattaient le feu avec des bêches et des balais. Ils n'avaient pas le temps de creuser une tranchée et avaient perdu Otto de vue depuis longtemps.

Trempée par la sueur, aveuglée par la fumée qui lui asséchait la gorge, elle ne pouvait ni parler, ni voir dans cet enfer rugissant. « Seul un miracle leur permettrait de gagner cette bataille », se dit-elle.

Tandis qu'elle jetait un nouveau seau d'eau sur les ceps flétris, elle refusa de penser aux enfants et à lady Muriel. La maison tenait debout, elle voyait sa silhouette noire quand le vent écartait la fumée. Elle devait se persuader qu'elles allaient bien, que lady Muriel aurait la force de conduire les filles à la rivière si l'incendie les menaçait.

Rose bataillait ferme. La chaleur lui grillait les cheveux, lui roussissait les sourcils. Les flammes crachaient des étincelles d'arbre en arbre. Elle sursauta quand elles arrachèrent l'écorce sèche d'un eucalyptus et explosèrent dans une pluie d'étincelles au moment où elles touchèrent l'essence du bois. L'arbre se fendit en deux, vacilla puis tomba avec grâce.

— Attention!

Rose se précipita vers l'une des filles restée en dessous.

L'arbre s'écrasa sur le sol, ses branches torturées plaquèrent la domestique terrifiée par terre. Des flammes léchèrent les feuilles, déchirèrent les branches noueuses et s'attaquèrent à sa robe en coton et à ses longs cheveux blonds. Rose dut battre en retraite et, soudain, les cris de la fille s'interrompirent, cédant la place à un silence à glacer le sang.

Horrifiée, Rose recula d'un pas, les mains sur les yeux.

— On ne peut plus rien faire, Patronne, affirma la femme d'un ouvrier agricole. Le feu tourne. Il faut partir.

Quelqu'un agrippa Rose qui se laissa emporter jusqu'à la rivière. Elle s'enfonça dans l'eau aussi chaude que celle d'une bouilloire.

Le soleil levant fut masqué par la fumée noire; le jour se faisait aussi sombre que la nuit. Les femmes et les hommes terrifiés, en sanglots, se blottissaient les uns contre les autres dans l'eau tandis que le feu s'approchait inexorablement. Alourdie par son pantalon et ses bottes, Rose se fraya un chemin parmi eux: elle devait retrouver Otto et les enfants, savoir s'ils étaient sains et saufs.

Muriel se savait en difficulté. La douleur empirait dans sa poitrine et elle respirait mal. Adossée contre le mur frais, elle combattit une attaque de panique. Il fallait protéger les enfants. Elles ne devaient pas savoir à quel point elle était malade et terrifiée. Ses forces l'abandonnaient mais ce n'était pas le moment: de la fumée s'infiltrait sous la porte. Elle prit sa voix la plus autoritaire possible:

— Les filles! Prenez ces seaux et mouillez la porte.

Elle ôta son châle, l'enroula et le plaqua sur le seuil.

Les fillettes dans ses bras, elle vida tous les seaux, sauf un. Bien qu'elles fussent pétrifiées par la peur, aucune ne pleurait, n'appelait sa mère; la fierté et l'amour que Muriel ressentait pour elles atténuèrent son malaise.

La fumée passait par les nœuds du bois. La douleur dans sa poitrine ressemblait à une bande métallique qui lui enserrait le bras. En sueur, elle se mordit la lèvre pour ne pas hurler de douleur. Elles ne pouvaient plus rester là. La fumée les tuerait si les flammes ne le faisaient pas.

Muriel attendit que le tambourinement sous ses côtes s'apaise puis déclara aux jumelles:

— Et si nous jouions? D'abord, nous devons nous mouiller.

Une paire d'yeux bruns et une paire d'yeux bleus la fixèrent avec une confiance innocente quand elle ramassa le seau et les aspergea. Après avoir renversé les dernières gouttes sur elle, elle prit son châle qu'elle se noua sur la tête. Puis elle se couvrit la bouche et le nez.

— Restez contre le mur, leur commanda-t-elle. Le plus loin possible de la porte.

Elle attendit que les fillettes s'accroupissent pour ouvrir le verrou en bois. Comme elle n'entendait ni crépitement, ni rugissement de flammes, elle entrouvrit la porte et jeta un œil au-dehors.

Le monde gris était rempli de volutes suffocantes qui s'abattaient telles des lames de fond sur les terres. Aucune flamme en vue.

— Venez ! Enlevez votre chemise de nuit et mettez-la sur la tête. Couvrez-vous la bouche et le nez, comme moi.

La douleur la poignardait de toutes parts, lui faisait tourner la tête, manquer de souffle, mais elle tenait coûte que coûte. Elle devait mettre les filles à l'abri. Pour Rose et Otto.

Elle tituba quand l'ombre de la mort glissa devant ses yeux. Le fil de la vie vibrait dans ses veines, son cœur âgé luttait pour continuer de battre.

— Donnez-moi la main, chuchota-t-elle.

Quand elles sortirent de la cave souterraine, le feu brûlait l'herbe sur le toit. Muriel avait fait le bon choix. La cave à vin ne serait pas leur tombe.

Elle serra les petites mains dans les siennes pendant qu'elles traversaient la clairière et se rendaient vers les saules. À chaque pas, le couteau s'enfonçait davantage dans son cœur. Elle aperçut l'eau scintillante à travers la fumée, les silhouettes terrifiées accroupies tandis que le feu descendait les terrasses.

« Un pas de plus, pria-t-elle en silence. Un petit. Un autre. Là. Nous y sommes presque. » Muriel traîna les jumelles nues en bas de la côte raide et glissa avec reconnaissance dans l'eau sombre. Elle poussa les filles qui baignaient jusqu'au cou.

— Gardez bien la tête mouillée, leur ordonna-t-elle, hors d'haleine, la douleur devenue insoutenable. J'organise une compétition : à celle qui restera sous l'eau le plus longtemps.

Les fillettes plongèrent et elle poussa un cri quand le ruban d'acier se serra et lui coupa la respiration. Son cœur essayait de sortir de sa poitrine ; elle ne pouvait plus lutter.

Lady Muriel Fitzallan tomba à genoux et s'effondra lentement. L'eau l'enveloppa sans qu'elle s'y oppose. Ses dernières pensées allèrent aux enfants et à leurs parents, à cet endroit appelé Coolabah Crossing qui était devenu sa demeure.

Six mois plus tard, Rose et ses filles gravissaient la colline surplombant Coolabah Crossing. En silence, une jumelle de chaque côté d'elle, Rose contempla les vestiges de sa propriété.

La terre rouge était striée de cicatrices noires, les arbres carbonisés, tandis que l'aube orange et jaune affichait son mépris. Les terrasses les plus proches étaient nues et les restes de vignes en lambeaux ressemblaient à de la dentelle de cendres. Pourtant au loin, par-delà la maison endommagée par la fumée, la repousse et les nouveaux plants affichaient un vert luxuriant. Les minuscules silhouettes des ouvriers survivants arpentaient les terrasses. La vie continuait. Une renaissance parmi les morts.

Le petit cimetière semblait si seul et isolé. Les pierres du souvenir brillaient aux lueurs de l'aurore, la peinture fraîche de la clôture se détachait sur le vert pâle de la prairie. Rose soupira. Elle quittait peut-être ceux qu'elle aimait mais son cœur, lui, demeurerait à jamais dans cet endroit silencieux et désolé.

— Pourquoi partons-nous, maman? demanda Muriel avec les mêmes manières impérieuses que son homonyme.

Le sourire aux lèvres, Rose caressa la chevelure rousse qui lui rappelait tant son pauvre Otto.

— Parce que mamie M voulait qu'on parte à l'aventure.

En vérité, lady Fitzallan s'était montré un investisseur averti. Non seulement elle avait payé les dettes d'Otto mais elle avait acheté des terres aux quatre coins du sud de l'Australie. De plus, elle en louait certaines au prix fort. Selon son testament, une parcelle bien précise revenait à Emily et à Muriel à leur majorité qu'elles devraient transmettre aux femmes de la famille.

L'heure était venue pour Rose de reprendre la route et de voir du pays. Les fantômes de Coolabah Crossing étaient trop récents pour qu'elle reste et elle n'avait pas le cœur à recommencer une nouvelle existence en ces lieux, sachant que les cendres d'Otto reposaient dans ce sol.

Hans prendrait la place de responsable. Les terres étaient déjà nettoyées et de nouvelles cabanes avaient été construites pour les familles et les détenus en liberté conditionnelle qui s'étaient battus avec courage en ce jour fatal et avaient gagné leur liberté. Les totems sacrés de Wyju avaient repris leur place initiale, les pistes de chant légendaires étaient restaurées et la création aborigène à nouveau chantée et vivante.

En haut de la colline, Rose tenait ses filles par la main et pensait à la manière dont les choses avaient changé depuis l'agression de Gilbert en Angleterre.

Elle avait débarqué ici comme domestique, sans autre bien que les vêtements qu'elle portait. Aujourd'hui, elle était une femme influente, avec des terres, des maisons et de l'argent en banque. Un sourire triste lui plissa les coins de la bouche. Le destin lui avait demandé beaucoup en échange de cette fortune et bien qu'elle eût préféré avoir Otto et Muriel à ses côtés et rester pauvre, elle était assez avisée pour savoir que leur esprit vivrait en elle et en ses jumelles. Elle veillerait avec sagesse sur leurs richesses.

Après un long regard sur Coolabah Crossing, elle tourna les talons et se dirigea vers leur chariot rempli à ras bord. Une fois les jumelles installées, elle grimpa sur le siège en bois usé et prit les rênes. Un léger claquement du cuir sur le dos, et les mules partirent d'un pas tranquille sur le sentier caillouteux, pour la dernière fois.

16

Sophie n'avait pas vu Thomas depuis la veille au matin et se demandait s'il ne l'évitait pas. Elle ne pouvait pas lui en vouloir vu comme elle s'était comportée mais se justifiait en se disant qu'il le méritait.

Elle enfila un jean et des bottes et partit en promenade avec Jupiter. Les grands espaces déserts, l'air pur et le ciel infini lui apportaient une impression de paix et l'occasion de rassembler ses idées. En effet, les ombres des générations passées continuaient de la hanter.

Tandis qu'ils trottaient sur les riches pâturages, elle pensa à Rose et à Otto. Ils étaient venus ici avec quelques grammes d'espoir et une énergie farouche et s'étaient battus avec le *bush* et les éléments pour se forger une existence dans cet environnement primitif. Comme il était facile aux générations suivantes de récolter les fruits de leur travail, d'oublier les épreuves à l'origine de leur fortune actuelle.

Entourés par le silence de la vallée de Hunter, ils s'engagèrent sur un sentier qui sinuait dans la colline. La chaleur miroitante faisait danser les arbres tandis qu'un mirage oscillait sur la terre sèche. Les essences de pin et d'eucalyptus embaumaient l'air ; le sifflement des grillons et le grincement des chauves-souris accentuaient l'impression que ces terres détenaient encore l'esprit des ancêtres. Au milieu de cette chaleur et de cette poussière, elle sentit le pouvoir des légendes aborigènes, le rythme des pistes de chant invisibles aux yeux des Blancs. Elle entendait leur musique à travers les créatures qui peuplaient ces terres, sentait des vagues de chaleur et d'énergie venant de ce sol rouge. L'harmonie entre l'homme et la terre, entre les légendes et les luttes quotidiennes, était telle que cette musique paraissait résonner au plus profond d'elle-même.

En haut de la colline, elle descendit de cheval. Pendant que Jupiter tondait l'herbe à côté d'elle, elle survola la vallée et essaya de se mettre à la place de Rose, des décennies plus tôt, lors de sa dernière visite. Un instant, elle crut entendre le bruissement de longues jupes dans l'herbe. Rose l'accompagnait.

Elle comprit alors pourquoi il était si important qu'elle se batte pour son héritage. Ces terres, ce dédale de terrasses faisaient partie d'elle-même comme ils avaient fait partie des générations précédentes et elle ne pouvait pas tromper leur confiance.

— Il est temps qu'ils te reviennent, Cornelia.

Walter déposa les albums de photographies sur sa table de chevet.

— Je les avais gardés dans la vieille malle de mon grand-père. L'endroit le plus approprié, non?

Cornelia feuilleta un album, se souvenant avoir fait la même chose au début du siècle avec sa mère. Elle inspira l'odeur moisie du vieux papier tandis qu'elle examinait la boîte à souvenirs en laque rouge posée par Walter sur son lit. Comme elle, les objets avaient vieilli.

Elle sortit le plus grand et le tint à la lumière. L'argent avait terni, le cuir s'était craquelé au fil des années.

— Cela m'a toujours surprise qu'ils lui aient permis de le garder, murmura-t-elle tout en caressant le cuir ouvragé.

Il était trop lourd pour ses doigts arthritiques mais elle le replaça avec soin dans son étui en velours usé.

— Ils n'avaient pas trop le choix, expliqua Walter. Il s'est carapaté avant qu'ils le rattrapent. C'est vrai qu'il était rapide comme l'éclair.

Cornelia sourit. Quand Walter eut quitté la chambre, elle s'allongea et ferma les yeux. La sortie au cimetière lui avait ôté ses dernières forces et sapé le moral. Pourtant, elle refusait de céder à cet accès de paresse si tentant car elle devait finir ce qu'elle avait commencé.

Elle ressentait le besoin de retourner à Barossa où elle avait vécu si longtemps, où ses espoirs et ses rêves avaient poussé sur ce sol noir et riche pour flétrir sous le souffle brûlant de Jock et de ses ambitions. Pourtant, ses rêves avaient survécu tout comme ceux de Rose, de ses enfants et de ses petits-enfants. C'était le seul triomphe de Cornelia et elle n'y renoncerait pour rien au monde.

Cornelia soupira. Il était inutile de se demander ce qu'aurait été sa vie si elle avait défié les conventions et épousé Walter. Les regrets n'apportaient que de l'amertume. Et puis elle éprouvait de la reconnaissance pour tant d'autres choses qu'il aurait été malvenu de regretter le passé. Ses fils avaient été un don qui lui avait été retiré trop tôt ; mais leur perte lui avait apporté des filles : Catherine et Annabelle, ses deux amours. Malgré son échec avec Mary, celle-ci lui avait donné Sophie, son espoir pour l'avenir.

Ses doigts noueux effleurèrent les albums à côté d'elle. Cornelia aurait dit qu'un pouvoir émanait de l'homme dont ils retraçaient la vie. Il était temps que Sophie apprenne les raisons de cette brouille familiale.

Le dîner s'achevait et Thomas ne s'était pas encore présenté.

— Il est à Sydney avec son père, expliqua Betty quand ils s'assirent sous la véranda devant un café et du cognac. Ils ont deux trois choses à régler là-bas.

Sophie haussa les sourcils mais n'obtint pas d'autre explication. Cependant ne lui échappèrent ni le regard grave que Cornelia décocha à Betty, ni le sourire discret de la vieille dame. Que tramait-elle encore ? Inutile de la questionner, pensa Sophie. Cornelia était experte dans l'art de garder un secret.

— Nous commençons les vendanges la semaine prochaine, leur apprit Betty. J'espère que vous serez des nôtres.

— On verra, répondit Cornelia, un peu étourdie par le cognac. J'ai quelque chose pour toi dans ma chambre, Sophie.

La jeune femme suivit sa grand-mère le long du couloir à l'arrière de la maison. Quand elle vit les vieux albums abîmés à la couverture criarde et la boîte en laque rouge, elle fronça les sourcils.

— Qu'est-ce que c'est?

Cornelia s'effondra sur son lit dans un grognement.

— Maudite carcasse, marmonna la vieille dame. Elle me laisse tomber chaque fois. Je crois que je ne leur serai pas très utile aux vendanges.

Sophie s'empara d'un album mais, avant qu'elle ne le feuillette, Cornelia lui retint la main.

— Prends-les avec toi. Lis-les au calme, écoute les voix du passé et laisse-les venir à toi. Si tu te concentres, ces albums te raconteront leur histoire.

Après sa visite dans le Sussex, John Tanner retourna à Londres. Une colère sourde grondait en lui car il était arrivé trop tard. Néanmoins, il espérait croiser le chemin de Rose dans une des rues puantes et fréquentées de la capitale. Personne ne lui avait confirmé la rumeur selon laquelle elle s'était rendue à l'autre bout du monde et il s'accrochait à la possibilité qu'elle respire le même air que lui, entende les mêmes bruits de la ville.

Quand il ne se battait pas sur le ring, il errait pendant des heures dans les avenues moins peuplées des quartiers rupins. Peut-être sortirait-elle par hasard d'une de ces maisons élégantes dormant derrière de hautes grilles en fer forgé? Ces expéditions dans les rues plus propres et plus larges l'ébranlaient, lui qui vivait au-dessus d'un pub, dormait sur un lit sale et rêvait d'une vie meilleure pour Rose et lui grâce aux guinées économisées au fil de ses combats.

L'hiver le soulagea un peu car les vents froids chassèrent l'odeur puante de sa chambre. Le gel recouvrait les pavés faisant glisser les chevaux dont les sabots jetaient des étincelles. À l'arrière, leurs passagers fortunés se recroquevillaient sous leurs fourrures et leur couverture. Les pauvres qui n'avaient pas succombé aux fièvres, répandues dans les taudis en été, mouraient de faim et de froid. Les enfants en haillons grelottaient tandis qu'ils mendiaient nu-pieds parmi les fruits et légumes pourris du marché de Covent Garden. Les plus vieux baissaient les bras et leurs cadavres pathétiques gisaient çà et là dans l'attente d'être emportés par les vautours des caniveaux.

C'était le deuxième hiver de John dans cette ville misérable. Même s'il avait dépensé quelques précieuses pièces pour s'acheter un manteau fourré, le froid restait mordant quand il arpentait les pelouses gelées de Hyde Park. Des gentlemen à cheval le doublaient, soulevaient leur chapeau quand ils croisaient une dame perchée en amazone sur une jument ou blottie sous plusieurs fourrures dans sa voiture. De petits enfants bien emmitouflés jouaient au cerceau, jetaient du pain aux canards sous l'œil vigilant des nourrices qui jasaient sur un banc ou derrière des poussettes le long des allées.

John dévisageait chaque domestique mais aucune n'avait les pommettes hautes et la belle chevelure noire de sa bien-aimée. Dans un soupir, il frappa dans ses mains. Ses articulations portaient encore les ecchymoses de son dernier combat et le froid lui gerçait la peau.

Un claquement de fouet l'obligea à se retourner et à bondir dans l'herbe quand une voiture fonça dans l'allée, ses deux chevaux gris écumant de sueur. John regarda l'homme qui tenait les rênes et la femme si pâle sous le halo fourrée de sa capuche. Son pouls s'affola quand il les reconnut. Ses soupçons furent confirmés quand la passagère écarquilla les yeux ; il s'agissait de la fille de Squire, Isabelle, et de ce salaud de Gilbert Fairbrother !

Sans se soucier des regards étonnés et des exclamations des promeneurs, John partit à toute allure. La voiture se dirigeait vers la porte nord et s'il la perdait dans le trafic dense des rues, il lui serait impossible de les suivre. Ses bottes crissaient, la queue de son manteau claquait, ses cheveux longs se détachaient de leur lien en cuir. Son cousin lui avait raconté que Rose devait s'installer avec miss Isabelle à Londres et cette rumeur de départ en Australie n'était sans doute que commérages entre domestiques. La chance lui souriait enfin.

La voiture s'engagea sur Tottenham Court Road. Gilbert fit claquer son fouet pour que les chevaux trottent plus vite devant les taudis de Saint Giles. Apparemment, la sensibilité d'Isabelle et de son époux était trop délicate pour supporter la vue de tant de pauvreté.

John grogna à cause d'un point de côté. La voiture continua sur Paddington, tourna à gauche, le long de Walsingham Lane et se gara devant le n° 16. La maison de trois étages était entourée de jolis jardins où fleurissaient perce-neiges et primevères. John s'appuya contre le mur du Victoria Tavern afin de reprendre son souffle. Il ne lui restait plus qu'à attendre devant la nouvelle demeure de miss Isabelle. Rose ne tarderait certainement pas à sortir.

Gilbert aida sa femme à descendre de voiture avant de regagner les écuries au bout du chemin. Frêle, Isabelle portait une cape en velours qui balaya la sciure et le crottin quand elle s'éloigna du véhicule vers les larges marches. Une domestique apparut à l'entrée. Son bonnet et son tablier blancs se découpaient sur l'intérieur sombre. Ce n'était pas Rose. Bien que déçu, John continua néanmoins d'espérer la voir bientôt.

La cloche d'une église sonna. Il n'avait pas vu l'heure et, à présent, il était en retard. Il jeta un long regard vers la maison puis tourna les talons. Il reviendrait, et vite.

Sophie s'appuya contre ses oreillers, un livre de poche peu épais entre les mains. Il s'agissait d'une réédition d'un pamphlet du XIXe siècle sur un champion de boxe à mains nues. Le Gros Billy Clarke avait certainement bien connu son homme car, malgré un anglais très désuet et une prose ampoulée, il était parvenu à saisir l'essence de John Tanner. Le plus parlant était en fait le dessin à la plume qui ornait la couverture, et Sophie n'arrêtait pas de contempler ce visage qui lui rappelait de manière fascinante celui de Thomas.

Torse nu, les épaules larges, les bras musclés, les poings serrés face à un adversaire invisible, John avait un visage qui la subjuguait. Ses yeux noirs et ses sourcils sombres, son front large et sa longue crinière indisciplinée trahissaient une force exotique et une grande détermination. Cette image forte défiait le passé et subsistait dans le présent, à travers Thomas et ses frères.

Barnes le Cogneur avait offert à John une lèvre fendue, un œil au beurre noir et des côtes meurtries, mais ce dernier avait remporté le combat et la ceinture de champion anglais. John l'arborait fièrement à la taille tandis que le Gros Billy et lui faisaient la tournée des pubs.

Le lendemain matin, John se réveilla avant l'aube avec une migraine effroyable et la langue épaisse comme la couverture d'un cheval, mais ses douleurs se dissipèrent quand il admira la ceinture dorée et pensa à la somme empochée. Il ne cachait plus son argent sous les lattes du parquet car on l'avait cambriolé plusieurs fois. D'ailleurs, il avait eu beaucoup de chance qu'on ne découvre pas sa cachette. Suivant les conseils du Gros Billy, il avait ouvert un compte dans une banque.

Il se leva, prit le broc fêlé et versa de l'eau froide dans la cuvette. Lorsqu'il eut fini de se raser et de s'habiller, il noua ses cheveux et examina son reflet dans le miroir moucheté.

— Pas mal pour un va-nu-pieds, murmura-t-il. Pas mal du tout.

Le sourire aux lèvres, il agita les pièces dans sa poche. Aujourd'hui, la journée serait bonne, décida-t-il. Il n'avait pas à défendre son titre de sitôt. À cette heure-ci du matin, il pouvait se rendre à Paddington et arriver juste avant que les domestiques ne partent en courses.

Il se rendit dans le quartier enfumé de Charing Cross aux ruelles sales et aux bâtiments biscornus, passa non loin de la prison massive de Newgate, noire de suie et de crasse puis acheta un morceau de pain frit dans la graisse de porc à un marchand ambulant. Quand il eut terminé, il se lécha les doigts puis s'enfila dans les petites rues moins larges. Il verrait Rose dans la journée, cela ne faisait pas le moindre doute dans son esprit.

La maison brillait sous les premiers rayons de soleil, le gel scintillait encore sur les vitres tandis que les ombres étaient chassées de l'étroite ruelle. Adossé au mur du pub, John essuya ses doigts graisseux sur son manteau. On tira les rideaux aux fenêtres du rez-de-chaussée ; un garçon boucher longea la rue en courant et descendit les marches menant sans doute aux cuisines. Il attendit que le gamin ressorte pour l'interpeller.

— Tu les connais bien?

— Peut-être, répondit le visage couvert de taches de rousseur.

John lui montra une pièce de six pence luisante.

— Y a-t-il une domestique du nom de Rose dans cette maison?

Son pouls battait si vite qu'il respirait mal.

Le garçon s'empara de la pièce et la lança en l'air.

— Aucune idée! s'exclama-t-il. C'est mon premier jour.

Il éclata de rire, esquiva une taloche et détala.

Malgré sa déception, John sourit. Ce garçon? C'était lui au même âge, présomptueux, rusé et vif quand il s'agissait de plumer les idiots.

Il revint à son dilemme. La maison se réveillait. Peut-être valait-il mieux attendre qu'une domestique parte faire une course? Mais cela risquait de prendre des heures, s'impatienta-t-il. S'ils n'avaient besoin de rien, il aurait perdu sa journée. Sans réfléchir davantage, il brossa son manteau, redressa son col cassé et sa cravate puis se dirigea vers la porte d'entrée. Le heurtoir à tête de lion dépoli sembla résonner jusqu'au bout de la ruelle quand il frappa deux coups. À présent, il était trop tard pour changer d'avis.

La fille qui lui ouvrit avait le visage émacié, rouge, les yeux agités.

— Oui?

John toisa sa silhouette maigrichonne, sa robe marron et ses mains rougies. Elle lui rappelait quelqu'un mais qui?

— Tu travailles ici?

— En quoi ça te regarde? Monsieur ne veut pas de colporteur et de gitans chez lui, gronda-t-elle avant de lui claquer la porte au nez.

John eut juste le temps de la bloquer avec le pied.

— Je ne vends rien, mademoiselle. Je veux juste savoir si Rose Fuller est employée ici.

La porte s'entrouvrit un peu plus, la bonne devenait curieuse.

— Tu lui veux quoi à Rose?

Le cœur de John bondit dans sa poitrine.

— Nous venons du même village dans le Sussex, expliqua-t-il. J'ai travaillé avec son père. Un brave homme, ce Brendon Fuller, dommage qu'il soit mort comme ça.

La bouche de la fille tremblait d'indécision.

— Je sais qui tu es, John Tanner. Mais Rose n'est pas là.

Il réprima son impatience.

— Elle est sortie? En congés? Où est-elle?

— T'as l'air pressé de la voir, not' Rose.

Elle examina son manteau onéreux, sa jolie cravate puis leva les yeux vers lui, un sourire coquin aux lèvres.

— Mais ce n'est pas demain la veille que tu vas la croiser. Elle s'est carapatée en Australie.

Le Gros Billy avait essayé de persuader John de ne pas remettre si tôt son titre en jeu. Le champion d'Angleterre avait désormais assez d'argent à la banque pour s'acheter une belle maison et la remplir de meubles signés. Sa renommée lui serait utile s'il souhaitait poursuivre une autre carrière – d'entraîneur, d'organisateur... Le monde de la boxe changeait, devenait plus respectable et il y avait beaucoup d'argent à se faire avec les Américains.

John refusa de l'écouter. Il devait évacuer sa rage, retourner sur le ring et sentir la foule puante qui braillait. L'argent lui importait peu ; une maison, un foyer ne faisait pas partie de l'équation. Il restait un bohémien, un voyageur. S'il devait tout perdre et finir à la rue, il n'y voyait aucun inconvénient.

Ce fut une erreur de se battre ce soir-là. La prophétie de la dukkerin était en marche tandis que son adversaire gisait à ses pieds.

Le souffle court, le sang dégoulinant sur son visage, John attendait. Le Gros Billy avait prévenu son poulain que Tierney combattait sans respecter les règles. Alors oui, John était content que ce soit fini. Billy avait raison: il ne voulait plus vivre ainsi. Ce serait son dernier combat.

Les entraîneurs de Tierney le retournèrent. Les yeux du boxeur roulèrent dans leurs orbites, son menton s'affaissa et sa bouche s'entrouvrit.

— Il est mort ! rugit le manager de Tierney. Ce salaud de gitan l'a tué !

Il bondit sur ses pieds et harangua la foule.

— Ne le laissez pas s'échapper ! À l'assassin ! À l'assassin !

Sa précieuse ceinture à la main, John plongea sous les cordes. Flanqué du Gros Billy, il rasa les murs, sachant que quelques secondes seulement les séparaient de la meute enragée.

Les deux hommes grimpèrent sur leurs chevaux attachés non loin et les lancèrent au galop dans Hyde Park puis à travers les ruelles étroites du quartier pauvre. Le sang et la peur avaient un goût de cuivre sur la langue de John.

— À la campagne ! lui cria Billy. Les informations circulent vite ici et nous aurons tous les coupe-jarrets à nos trousses avant l'aube.

John jeta un coup d'œil derrière eux. Les torches de leurs poursuivants luisaient au loin.

Ils galopèrent dans un silence désespéré, ralentissant le long de rues trop étroites ou remplies de détritus. Des regards inquisiteurs et invisibles brillaient à la vue de ces deux hommes en fuite – synonyme d'une belle somme en échange de l'information.

Les masures cédèrent enfin la place à des champs et à des bois ; après s'être assurés que personne ne les suivait, ils firent trotter leurs chevaux épuisés.

— Je retourne auprès de ma famille, annonça John, les côtes meurtries, le nez cassé, en équilibre précaire sur sa monture. J'en ai assez de Londres.

17

Incrédule, Catherine dévisagea sa sœur.

— Combien de temps t'a-t-il fallu pour deviner les raisons du voyage de maman dans la vallée de Hunter, Annabelle?

Celle-ci rangea les papiers dans leur chemise et sourit en éteignant l'ordinateur.

— Pas longtemps. Il suffisait de réfléchir un peu. Au moins, cela résout l'énigme.

— La vieille renarde! s'exclama Catherine, attendrie. J'aurais dû savoir qu'il lui restait un ou deux tours dans sa manche. Pas étonnant qu'elle n'ait rien dit aux autres.

Annabelle se versa de l'eau glacée dans un verre en cristal. La température grimpait depuis le matin et un orage violent se préparait en mer.

— Il sera intéressant de voir si elle réussit son coup. La brouille dure depuis l'époque de sa grand-mère; maman aura sans doute des difficultés à persuader l'autre camp de lui obéir.

Catherine renifla puis écrasa sa cigarette.

— À maman rien n'est impossible. Une fois qu'elle a le mors aux dents, personne ne peut la faire changer de route. Seulement elle est fragile et ce long voyage après la dispute du conseil risque de l'épuiser.

— Jane m'a donné un numéro de téléphone et de fax et j'ai parlé à une certaine Betty hier soir. Maman est fatiguée mais a l'air de tenir bon. En fait, elle adore être le centre d'attention.

— Il est temps qu'elle rentre, continua Catherine. Si son plan n'a pas encore marché, c'est que c'est fichu. En tout cas, je n'ai pas envie d'aller la chercher là-bas en avion. Bon, il faut que je m'en aille, Annabelle. Je dîne dehors.

Ses yeux brillèrent, le rouge lui monta aux joues.

— Tu as rendez-vous! s'exclama Annabelle. Je le connais?

Catherine regarda ses ongles de pied manucurés.

— Je l'ai rencontré à un gala de charité. Qui vivra verra.

Annabelle ne la questionna pas davantage. Si cet homme mystérieux lui plaisait, elle en entendrait vite parler. Dans un éclat de rire, elle chassa sa sœur de chez elle.

L'orage arrivait, des éclairs luisaient à l'horizon et Annabelle ne pouvait s'empêcher de comparer cette tempête aux troubles qui agitaient les héritiers de Jacaranda. Alors qu'elle adorait les orages, elle souhaita éviter celui-là en particulier. Car non seulement il les meurtrirait tous mais il en détruirait aussi certains.

Le campement d'hiver se situait dans les profondeurs de la forêt d'Ashdown. Les roulottes formaient un cercle serré autour du feu, les tentes se trouvaient à l'abri sous les arbres, près des corrals de fortune.

John avait voyagé pendant des jours; il préférait éviter les ennuis en ne venant pas directement. La publicité utilisée par Billy pour promouvoir sa carrière avait joué sur son origine gitane et le premier idiot venu devinerait son intention de rejoindre sa famille. Quand il pénétra dans le campement, il faisait presque nuit, la lueur des flammes dansait dans les arbres, projetait des ombres noires sur le sol.

Il sourit aux mines réjouies, se crispa sous les tapes chaleureuses dans le dos et sur les épaules, grimaça quand il but le vin âpre d'une gourde en cuir qu'on lui tendit. Les enfants dansaient autour de lui, s'accrochaient à ses jambes, touchaient la boucle brillante de sa ceinture de champion pendant que les femmes jacassaient et se pressaient contre lui. Son regard s'arrêta sur le seul visage qui l'intéressait depuis le début de son voyage. Tandis qu'il s'approchait en silence d'elle, la foule s'écarta pour le laisser passer.

— *Puri daj*, murmura-t-il en s'agenouillant devant sa chaise.

Elle le serra dans ses vieux bras.

— Je t'attendais, mon garçon. Mes rêves sont troublés, je dois savoir la *tachiken*.

Il recula et la regarda droit dans les yeux.

— La vérité est dure à entendre, *puri daj*: j'ai tué un homme.

Elle hocha la tête comme si sa confession ne la surprenait pas.

— C'est bien d'être revenu ici mais le danger rôde. J'ai vu les *trito ursitori*, les trois esprits. Laisse-moi être la médiatrice entre le bien et le mal, mon fils, car je vois que tu as un *trushal odji*.

Les épaules de John s'affaissèrent. Oui, il avait une âme affamée – sa sage *puri daj* l'avait bien remarqué.

— Je suis venu vous prévenir qu'ils viendront me chercher jusqu'ici. Je suis désolé d'avoir apporté le *prust* à la famille. Je ne peux pas rester. J'ai un *lungo drom* à faire.

Elle haussa ses épaules fragiles.

— On n'échappe pas à son destin, mon petit, le mit-elle en garde quand elle devina ses intentions. Le voyage que tu as choisi ne t'apportera que tristesse.

John n'eut pas la possibilité de lui répondre. Un tourbillon de baisers, de longs cheveux parfumés et d'accolades chaleureuses lui coupa le souffle. L'enthousiasme de Tina le fit rougir et il l'embrassa comme une sœur.

— C'est à toi de décider, John, déclara la vieille dame qui se releva avec peine. Tina sait aussi bien que moi ce que réclame le destin.

Elle s'éloigna en boitillant, l'ourlet effiloché de ses jupes colorées traînant dans l'herbe humide.

— Je t'accompagne, John, lui souffla Tina à l'oreille.

Il la tint à bout de bras, conscient des regards inquisiteurs et des sourires amusés. Puis il la conduisit à l'écart du feu de camp orangé.

— Je voyage seul, lui annonça-t-il. Le *lungo drom* est dangereux et je dois accomplir mon destin.

Les yeux sombres de Tina brillèrent.

— Nos destins sont liés. *Puri daj* l'a vu et moi aussi. Je te suivrai au bout de la terre, car un jour tu auras besoin de moi. Je suis prête à t'attendre, peu importe le temps qu'il faudra. Je t'aime, John.

Il posa les mains sur ses épaules et la fixa.

— Ne gaspille pas ton amour, Tina. Tu mérites mieux.

Elle ne pleura pas mais garda le menton haut et chassa ses mains d'un coup d'épaule.

— C'est à moi d'en juger, rétorqua-t-elle.

John la regarda s'éloigner.

Ses hanches étroites se balançaient, ses longues jupes balayaient l'herbe. Le tintement de ses bracelets et le mouvement de ses cheveux ébène resteraient à jamais gravés en lui. Et, pourtant, il ne pouvait pas l'aimer, pas comme elle le désirait et le méritait, pas comme un époux.

À la fin du souper, les musiciens sortirent leurs violons, leurs tambourins et leurs flûtiaux pour accompagner la liqueur de prunelle qui circulait. Les lèvres de John touchèrent le pot en argile mais il but très peu car il avait besoin d'avoir les idées claires le lendemain.

Il s'écarta du feu trop chaud et du regard lourd de sa grand-mère afin d'observer le campement de loin. Il désirait graver cette scène dans son esprit – l'odeur du feu de bois, la musique et la langue des siens, la froideur de l'hiver anglais. Car ce serait la dernière fois qu'il les verrait.

La vieille femme rassembla ses jupes et se plaça dans l'obscurité. Comme elle était mince et frêle, courbée par une vie remplie d'épreuves. Si seulement il pouvait se soumettre à son don de double vue et oublier son désir fou de retrouver Rose. Mais il devait prendre le risque de se rendre dans ce pays lointain et inconnu. Son avenir n'était pas parmi les siens – le destin lui dictait une nouvelle vie. Pas un instant il n'envisagea qu'il pourrait ne plus jamais voir Rose.

À l'heure la plus sombre, juste avant l'aube, John se faufila hors de la tente qu'il avait dressée à côté de la roulotte de sa grand-mère. Il jeta un sac de linge sur son épaule. Un simple mot calma les grognements du chien et, à pas de loup, John rejoignit la clairière et les chevaux.

Sans un bruit, il détacha le sien et traversa le corral. Au plus profond de la forêt, il le sella et attacha son ballot au pommeau.

— Adieu, chuchota-t-il. Que les Martiya soient avec moi.

Le cheval réagit à son léger coup de talon et avança sous les arbres. John sentait les esprits de la forêt qui l'observaient depuis la canopée. Les Martiya faisaient peut-être partie des légendes bohémiennes mais il avait besoin de croire en leur existence.

Tandis qu'il sortait de la forêt et dirigeait son cheval vers l'ouest, ses mains se figèrent sur les rênes. La quiétude environnante était dérangée par le pas régulier et prudent d'un cheval.

John se plaça dans l'ombre quand la lune apparut derrière les nuages.

Les jambes délicates du poney se frayaient un chemin parmi les branches au sol ; la fille aplatie sur son dos lui murmurait de rester calme. Le clair de lune faisait briller l'or à ses oreilles et les pièces de son foulard. Alors que le doux tintement de ses bracelets était quasiment indiscernable parmi les bruits de la nuit, John les entendait clairement. Au moment où le poney s'approcha, John s'élança de sa cachette.

— *So keres?*

Après un instant de peur, Tina batailla pour apaiser sa monture qui dansait, les yeux écarquillés.

— À ton avis? s'exclama-t-elle. Je viens avec toi.

— Pas question ! Retourne au camp ! Ta vie est là-bas.

— Ma vie est avec toi, le défia-t-elle.

Tina fouilla dans une poche cachée de ses jupes et sortit une bourse en cuir fermée par des cordons.

— J'ai mon *darro* et la permission de la dukkerin.

— Je ne veux pas de ta dot et je ne veux pas de toi ! Je voyagerai plus vite si je suis seul.

Une seule larme coula sur la joue de Tina qui garda la tête haute.

— Je te suivrai jusqu'au bout de la terre. Un jour, tu comprendras que la dukkerin avait raison de te mettre en garde et, alors, tu auras besoin de moi à tes côtés.

— Je n'ai jamais eu besoin de toi. Va-t'en maintenant !

John donna une claque au poney qui se cabra et partit au triple galop dans la forêt. Il s'en voulait d'avoir été si dur avec elle. Mais Tina était une cavalière émérite ; elle survivrait à une course folle jusqu'au campement, comme elle survivrait sans lui.

Il bondit sur son cheval et le lança au galop. Une longue route l'attendait et il voulait parcourir un maximum de kilomètres avant l'aurore.

18

Le soleil se couchait et de gros nuages noirs approchaient. Sophie les observait, assise sur un banc de fortune.

Calme et silence régnaient sur la vallée de Hunter qui retenait son souffle avant le premier coup de tonnerre explosif.

Le fracas sembla ébranler le sol sous ses pieds ; alors qu'elle courait se mettre à l'abri, les zébrures d'un éclair traversèrent les nuages et les colorèrent en bleu et jaune.

La propriété parut se recroqueviller sur la colline, les lumières aux fenêtres ne faisaient pas le poids par rapport au spectacle lumineux à l'extérieur. Sophie grimpa les marches deux par deux et trébucha sur une paire de bottes abandonnée sous la véranda ; elle se serait étalée de tout son long si des bras musclés ne l'avaient pas retenue.

— Eh ! Regarde où tu vas !

Hors d'haleine, le cœur battant à toute allure, elle n'avait pas la force de repousser Thomas. Son parfum merveilleusement familier, sa force lui tournaient la tête. Comme elle se sentait en sécurité près de lui ! Comme ce serait divin de rester là à jamais !

— Tout va bien, marmonna-t-elle quand elle parvint à s'écarter de lui. Un peu de gym ne me ferait pas de mal, je crois.

Son ton léger et son rire aigu parviendraient-ils à changer l'atmosphère ?

— Moi, je te trouve bien, affirma-t-il, ses dangereux yeux noirs brillant dans la pénombre quand il lui sourit.

Sophie rentra son chemisier dans son pantalon, ce qui lui donna une contenance et détourna ses pensées de son regard pénétrant.

— Mais qui a laissé ses bottes au milieu du chemin? gronda-t-elle. J'aurais pu me casser le cou.

Il lui souleva les cheveux et lui caressa la nuque.

— Cela aurait été dommage, murmura-t-il.

— Arrête! Ne joue pas à ça avec moi.

Il était si près d'elle et l'électricité qui circulait entre eux n'avait rien à voir avec l'orage qui grondait au-dehors.

— Je ne joue pas, Sophie. Je n'ai jamais joué.

Elle le dévisagea un long moment sans savoir que penser. S'il lui disait la vérité, pourquoi diable leur relation avait-elle cessé? S'il mentait, quel type méprisable! En vérité, elle mourait d'envie d'oublier le passé et de recommencer. Elle allait prendre la parole quand la porte moustiquaire claqua contre le mur et les fit sursauter tous les deux.

— Ah! Vous êtes là, s'exclama Betty. Sophie, tu devrais monter voir ta grand-mère. Elle n'a pas bonne mine et elle m'interdit d'appeler un médecin.

Sophie sortit brusquement de sa transe.

— Téléphonez quand même! Je vais lui parler.

Cornelia était calée contre une montagne de coussins, son épaisse chevelure blanche en bataille.

— Ce n'est pas le moment de me faire une scène, Sophie. Je ne suis pas malade.

Sophie remarqua la coloration bleue autour de sa bouche, la torpeur dans ses yeux et le tremblement de ses mains. La jeune femme s'humecta les lèvres, soudain assaillie par la peur de la perdre. Elle s'assit au bord du lit et prit sa main frêle.

— Je sais, grand-mère, murmura-t-elle. Mais tu nous ferais plaisir si tu voyais un médecin. Il nous rassurerait en diagnostiquant une simple fatigue.

La vieille femme s'agita dans le lit.

— Tu fais comme on te dit, ma fille, gronda-t-elle. Quand j'ai besoin d'un docteur, j'en appelle un et pas avant. Je suis peut-être vieille mais je n'ai pas perdu ma capacité à prendre des décisions.

Ses fines lèvres formaient un trait horizontal tandis qu'elle écartait ses cheveux de son visage et essayait de se coiffer du bout des doigts.

— Et quoi qu'il arrive, ne laisse pas entrer Walter, ajouta-t-elle. Je dois faire peur à voir.

Sophie sourit. Son teint et sa fragilité contredisaient la force morale de la nonagénaire. Elle s'empara d'un miroir argenté et d'une brosse sur la coiffeuse et les tendit à sa grand-mère.

— Pomponne-toi parce qu'il rôde dans les parages.

— Vieux fou ! marmonna Cornelia.

Sa vivacité réapparut dans son regard ainsi que le léger sourire au coin de ses lèvres. Puis, dans un tremblement, elle posa le miroir.

— Quelles inventions diaboliques ! s'exclama-t-elle. On dit que les photos et les miroirs ne mentent pas mais, chaque fois que je me regarde dans une glace, je ne vois pas la femme que je connais, la jeune personne piégée dans cette carcasse ridée et fatiguée. Savoure ta jeunesse, Sophie. Ne la gaspille pas en oubliant l'important, comme moi.

— Je ne gaspille pas ma vie, grand-mère, répliqua Sophie, surprise par le tour que prenait leur conversation. J'ai un bon travail, de merveilleuses perspectives, quoi qu'il advienne de la compagnie. Le monde m'appartient.

— Hum... Je ne parlais pas de ton travail, Sophie. Ne perds pas ton temps en hésitations. La vie ne nous offre qu'une seule chance d'être heureux. Ne commets pas les mêmes erreurs que moi.

— Je ne vois pas de quoi tu parles, répliqua Sophie qui détourna le regard.

Un gloussement léger s'éleva du lit.

— Bien au contraire, ma fille. Il est temps que Thomas et toi mettiez les choses au point et rendiez une vieille femme heureuse avant qu'elle meure.

Cornelia lissa les draps, les diamants de ses bagues brillaient sous la lumière électrique.

— Maintenant, sors d'ici et dis à Walter qu'il peut venir une minute, même si je ne comprends pas pourquoi il tient à me voir.

Sophie descendit du lit et embrassa sa douce joue.

— Vieille dame indigne ! lui chuchota-t-elle avec tendresse.

Les doigts arthritiques lui serrèrent le poignet.

— Je suis peut-être emmerdante, mais je n'ai jamais rien fait d'indigne.

Sophie scruta le visage ridé qu'elle aimait tant et s'étonna de son sérieux.

— Je le sais, grand-mère.

— Certains diront que j'ai agi par dépit, mais ils se trompent. Je l'ai fait par amour.

Elle soupira et sembla prendre une grave décision.

— J'aimerais te confier quelque chose. Je n'en ai jamais eu honte et il se peut qu'on ne comprenne pas mon geste. C'est arrivé il y a si longtemps et ce serait resté un secret si la vie ne nous avait pas joué ce sale tour. Tu as le droit de savoir avant de rentrer à Melbourne.

Ces paroles donnèrent des frissons de peur à Sophie. Elle se rassit à côté de Cornelia, lui prit la main et eut soudain un drôle de pressentiment.

— Que se passe-t-il, grand-mère ? Qu'as-tu pu faire d'aussi mal ?

Mary était terrifiée. Pour la première fois de sa vie, elle était vraiment seule. Personne n'avait répondu à ses nombreux coups de fil : apparemment, son dernier amant était absent et elle n'osait pas appeler ses sœurs. Ses révélations à Sharon Sterling l'avaient coupée de sa famille et sa fuite lui avait définitivement mis Annabelle à dos. Pourtant elle aurait donné n'importe quoi pour leur parler, les serrer dans ses bras.

Agitée, elle faisait les cent pas dans la chambre de ce motel ringard au bord de l'autoroute menant à Goulburn. Les murs orange vif et les motifs en spirale de la moquette se rapprochaient d'elle ; les peintures à l'huile criardes semblaient rire de son malheur. Putain, mais qu'est-ce qu'elle fichait là ? Pourquoi avoir choisi cette campagne profonde ? Même si les rivières jumelles étaient jolies et les vieux bâtiments intéressants, le motel se trouvait pile au bord de la route, piège à touristes venus s'extasier devant les tondeurs de moutons.

Elle s'alluma une cigarette et regarda par la fenêtre la monstruosité géante en béton censée représenter un mérinos. Un flot de voitures se garait déjà sur le parking. Elle baissa les stores et reprit ses allées et venues. Elle rêvait d'un whisky mais, une fois la bouteille commencée, elle ne pourrait pas s'arrêter. Par conséquent, elle fumait clope sur clope.

— Je me tue à petit feu, ironisa-t-elle. Et alors? Tout le monde s'en fout. Maman et Sophie les premières.

Elle regarda le téléphone. Peut-être devrait-elle appeler ses sœurs avant qu'Annabelle ne remue ciel et terre pour la retrouver et n'appelle la police? Les secondes filèrent.

— Qu'elles aillent au diable, marmonna-t-elle entre deux bouffées. Qu'elles mijotent dans leur coin! Elles me pardonneront quand elles me croiront sortie de leur vie ou en danger, mais moi je m'en fiche.

Affalée dans le lit, elle fixa les murs orange.

— Mon Dieu! fit-elle complètement anéantie. J'ai tout gâché. Si seulement je pouvais repartir de zéro! Tout le monde me déteste et je suis si seule!

— Vous pouvez entrer, Walter, murmura Sophie quand elle passa devant lui dans le couloir. Mais ne restez pas trop. Elle est très fatiguée.

L'air pensif, le vieil homme se rendit auprès de Cornelia. Sophie frissonna quand le tonnerre gronda, et un éclair zébra le ciel. Les révélations de sa grand-mère l'avaient assommée au point de ne plus savoir mettre un pied devant l'autre. Certaines pièces du puzzle s'étaient mises en place, tournant en dérision leur histoire familiale, modifiant ses notions de temps et d'espace, détruisant ses croyances les plus profondes. Un mot, un geste irréfléchi, et les fondations de Jacaranda seraient ébranlées.

— Quel micmac! marmonna-t-elle.

Sa famille était enchaînée par des secrets et des mensonges, prise entre la détermination d'un homme à détruire le bien et celle d'une femme à se montrer plus maligne que lui. Elle erra dans la maison, son esprit ressassant l'histoire de Cornelia, sourde au tumulte céleste.

— Sophie?

Elle se tourna vers Thomas tel un zombie. La chose la plus naturelle au monde aurait été de se précipiter dans ses bras, de chercher du réconfort, de la chaleur et de la force auprès de lui. Seulement ce n'était ni l'endroit ni l'heure. Ils avaient besoin de parler sans que ses émotions exacerbées et ses pensées troublées la perturbent.

Percevant son humeur, il garda ses distances.

— C'est Cornelia ?

— Ma grand-mère… bafouilla-t-elle. Elle est vieille, tout simplement. Mais elle partira quand elle sera prête et pas avant. Elle est bien trop têtue et il lui reste tellement à faire.

Il poussa un long soupir.

— Nous ne nous étions jamais rencontrés mais je comprends que tu l'aimes. Elle me rappelle mon arrière-grand-mère.

Sophie fixa les lumières stroboscopiques qui éclairaient les collines. Le monde n'avait pas changé, ne s'était pas arrêté de tourner à la suite des confidences de Cornelia.

— Parle-moi d'elle.

Il éclata de rire.

— Elle avait des cheveux roux qui semblaient prendre feu en plein soleil et le tempérament qui allait avec. Mais elle avait une belle âme et une capacité à transmettre le bonheur autour d'elle. J'avais cinq ans à sa mort. J'étais son chouchou ! J'ai passé beaucoup de temps avec elle à écouter ses histoires, fouiner dans la boîte en laque rouge, feuilleter les albums. Elle a créé un monde magique rien que pour moi et elle me manque terriblement. Avec Cornelia à la maison, j'ai l'impression qu'elle est revenue.

Il continua, le visage sérieux.

— Je me souviens encore du terrible jour où elle est morte. On aurait dit que la lumière avait disparu de la maison. Un grand vide a pris sa place. Mon arrière-grand-mère avait quatre-vingt-cinq ans mais elle ne restait pas les deux pieds dans le même sabot. Parfois, la nuit, j'entends ses petits pas affairés dans la cuisine. Je sais que c'est impossible parce qu'elle n'a jamais vécu dans cette maison.

Quand il lui sourit, sa barbe naissante accentua sa mâchoire carrée et sa bouche sensuelle.

— Mais j'aime croire qu'elle est là.

Hypnotisée par son regard, Sophie s'efforçait de rester concentrée sur son récit.

— Ce soir-là, nous sommes allés nourrir les poules comme d'habitude. Je portais les graines dans mon seau de plage, mamie Mu, les seaux en zinc avec son fusil de chasse sous le bras. Elle ne s'en séparait jamais. Si je te disais qu'elle battait mon père quand ils tiraient les boîtes de conserve sur les poteaux!

— Que s'est-il passé? demanda Sophie qui avait du mal à rester concentrée.

— Nous nous sommes rendus au poulailler et avons découvert un trou sous la clôture. Les poules affolées couraient partout, certaines étaient si mutilées que mamie Mu a dû leur tordre le cou. Elle était furieuse. Elle a réparé la clôture, s'est rendue dans les écuries et a sorti cheval et boghei. Elle comptait trucider le dingo qui avait mangé ses volailles. J'ai couru derrière, je voulais participer à l'aventure. J'adorais rouler en boghei avec elle. Mamie Mu roulait plus vite que n'importe qui, après papa.

Sophie imaginait bien la scène: le garçonnet rayonnant et la vieille dame sillonnant les prairies à toute allure.

— Nous avons aperçu un dingo à environ huit kilomètres devant nous. Mamie Mu a fouetté le cheval. « Mets une balle dans le fusil, fiston, m'a-t-elle crié. Il va goûter à ma carabine, je te le promets. » Aucun de nous deux n'a remarqué la crevasse laissée par les pluies d'hiver. Le cheval a fait une grande embardée, le boghei a roulé sur une roue pendant ce qui m'a paru une éternité avant de basculer et de heurter le sol avec une telle violence que son flanc s'est fendu en deux et la roue s'est brisée. J'étais jeune et preste si bien que j'ai sauté sans problème. Mamie Mu n'a pas eu ma chance.

Il s'interrompit, accablé par le souvenir.

— Quand la poussière est retombée, elle gisait sur le sol. La deuxième roue tournait dans le vide tandis que je rampais dessous et essayais de la réveiller. Je ne comprenais pas pourquoi elle ne me répondait pas. Elle ne portait aucune trace de choc.

— Tu as dû avoir très peur, compatit Sophie. Tu n'étais qu'un petit garçon.

— On est habitué à la mort ici. Quand j'ai fini de pleurnicher, j'ai su que mamie Mu ne se réveillerait pas. Je devais être beau à voir avec mon nez morveux et mes yeux bouffis mais je suis monté à cheval et je suis parti chercher de l'aide.

— Ton aïeule n'était pas du genre à mourir dans son lit.

— Tu l'as dit. Elle est morte comme elle a vécu, à cent à l'heure, sans se soucier de l'avenir et des conséquences.

— Une femme intéressante, murmura Sophie. Je vois pourquoi Cornelia te fait penser à elle.

Elle leva les yeux vers lui.

— Mais mamie Mu, c'est un étrange surnom. C'est un diminutif?

— Je me demandais quand tu allais me poser la question. Mon arrière-grand-mère se nommait Muriel, la jumelle rousse à qui Rose a donné la vie ici dans la vallée de Hunter il y a si longtemps.

Sophie fit un pas en arrière. Les orages auraient-ils le don d'extirper les secrets aux gens? Et pourtant ce n'était pas une surprise pour elle car, en réfléchissant bien, oui: Thomas et elle étaient apparentés.

— Nous partageons la même trisaïeule?

Les dents blanches de Thomas brillaient sur la noirceur de sa barbe naissante.

— Oui. Rose n'imaginait pas ce qu'il adviendrait quand elle s'est installée dans la vallée de Hunter. Mais nous voilà, les deux branches de la famille réunies à nouveau. Au point de départ.

— Une minute! s'exclama Sophie, submergée par les révélations de la soirée. Tu le savais quand nous vivions à Brisbane? Cette querelle familiale est-elle la raison pour laquelle nous avons rompu?

Thomas ne parut pas comprendre.

— J'ignorais les liens qui nous liaient, bafouilla-t-il. Jusqu'à ce que je revienne ici et parle de toi à mes proches.

Sophie sortit de ses gonds à cet instant. Elle devait aussi évacuer son inquiétude pour Cornelia et la nouvelle bouleversante qu'elle lui avait annoncée.

— Merde, tu aurais pu avoir la décence de me l'expliquer au lieu de te casser comme ça, lui cria-t-elle au visage. C'est typique des hommes ! Des couilles, mais pas un gramme de cervelle !

Elle rentrait telle une furie dans la maison quand Walter se présenta avec son sourire édenté.

— Il était tant que vous régliez le problème, grommela-t-il avant de s'asseoir dans un fauteuil.

— Ce n'est pas ce que vous pensez, répliqua Sophie, hors d'elle.

— Peut-être, peut-être pas.

Les éclairs crépitaient sur les collines au loin.

— Le médecin n'est pas près d'arriver. Ce serait de la folie de se poser ici en avion par un temps pareil. Et puis Cornelia ne va pas si mal, elle est juste épuisée.

Une incroyable tension régnait à l'extérieur comme à l'intérieur. Sophie décida de briser le silence.

— Thomas me parlait de mamie Mu. D'après lui, elle était responsable de ce fameux différend. Qu'a-t-elle fait de si grave ?

Walter prit le temps d'allumer sa pipe.

— Thomas te le racontera mieux que moi...

Sophie se tourna à contrecœur vers lui.

— On dirait que tu as perdu à la courte paille.

Il s'adossa à son fauteuil, posa ses bottes à talon plat sur la balustrade de la véranda et croisa ses longues jambes.

— Mon arrière-grand-mère Mu était une femme en avance sur son temps – indépendante et presque impitoyable quand il s'agissait d'obtenir ce qu'elle voulait, elle refusait de se plier aux règles collet monté de son époque. Si tu veux savoir toute l'histoire, il faut retourner à Londres au milieu du XIXe siècle.

— Mais je connais déjà l'histoire de John Tanner. J'ai vu le petit livre et sa ceinture de champion. Il n'y a personne d'autre en Angleterre qui ait un rapport avec notre famille. Mis à part le Gros Billy Clarke, je ne vois pas.

Thomas secoua la tête.

— Tu ne chauffes pas du tout... Le Gros Billy a émigré aux États-Unis où il est devenu un grand organisateur de combats.

John et lui s'écrivaient de temps en temps mais ils ne se sont jamais revus.

Sophie lui donna un coup de coude rageur dans les côtes.

— Arrête de tourner autour du pot.

— Hé ! Tu m'as fait mal !

— Thomas !

— D'accord. La troisième et dernière pièce du puzzle qui compose notre extraordinaire famille se nomme Isabelle et Gilbert Fairbrother.

— Tu plaisantes ?

— Si tu voulais bien te taire, la taquina-t-il, je pourrais peut-être te raconter la suite.

Isabelle et Gilbert passèrent leur nuit de noces dans un relais de poste sur la route de Londres. Le marié avait laissé son épouse dans sa chambre au-dessus du bar afin qu'elle se prépare. Elle resta assise longtemps sur le lit défoncé à écouter les voix rauques des clients. Le plafond bas et les poutres sombres semblaient se refermer sur elle. Même si la petite fenêtre s'entrouvrait, il y avait peu d'air pour chasser l'odeur fétide des précédents occupants, et Isabelle ressentit pour la première fois le mal du pays.

Après s'être glissée dans une délicate nuisette brodée à la main, elle remercia sa domestique et se brossa les cheveux dans son lit. Châtain clair à la lumière de la lampe, ils ondulaient sur sa chemise en soie et cachaient ses seins. Elle rougit à la pensée des caresses de Gilbert et sourit en repensant aux baisers volés dans les jardins du manoir. L'amour conjugal ne pouvait pas être aussi horrible que sa mère le suggérait, pas avec un jeune époux aussi doux et attentionné.

Le temps passa. Aucun signe de Gilbert. Qu'est-ce qui pouvait bien le retenir ? se demanda-t-elle, les paupières lourdes. Ils avaient vécu une journée épuisante et le voyage entre Wilmington et East Grinstead l'avait achevée. Elle s'enfonça dans les oreillers et se félicita du triomphe de son mariage. Les invités n'étaient peut-être pas aussi prestigieux que ceux qui assisteraient à celui de Charlotte et ils n'avaient pas prononcé leurs vœux dans une cathédrale mais elle avait de la chance, pensa-t-elle à moitié endormie. Gilbert était beau et populaire... Sa tension nerveuse s'envola. Si seulement il se pressait.

La mèche allait s'éteindre quand la porte s'ouvrit en grand. La silhouette de Gilbert apparut sur le seuil.

Isabelle se réveilla en sursaut ; le drap tiré sous le menton, elle se recroquevilla contre les oreillers. Il rôda dans la chambre, dispersa ses habits un peu partout. Il titubait et une forte odeur de bière l'enveloppait tel un manteau. Elle agrippa davantage le drap.

Gilbert fit grincer les ressorts du lit quand il s'écrasa sur le matelas et batailla avec ses bottes. Après une ribambelle de jurons, il parvint à les enlever avant de les jeter au loin. Debout, il ôta rapidement ses braies et se tint nu devant elle.

Isabelle fixa la chose entre ses jambes, les yeux écarquillés, le rouge lui montant aux joues.

Gilbert se caressa, et la chose grossit à vue d'œil.

— Ça te plaît, hein, Isabelle ! grogna-t-il. Attends de voir de quoi il est capable.

Elle trembla. Sa mère ne lui avait jamais rien mentionné de tel. Gilbert était-il normal ?

Il arracha les draps de ses doigts serrés. Vacillant devant la bougie qui coulait, il examina Isabelle de la tête aux pieds.

— Débarrassons-nous de ce bout de chiffon pour commencer, marmonna-t-il.

La soie se déchira entre ses mains ; recroquevillée, Isabelle tentait de cacher sa nudité. Cet homme n'était pas le Gilbert doux, le prétendant attentionné qu'elle connaissait. Pour la première fois de sa vie, elle eut peur. Son époux frisait la démence.

Gilbert grimpa sur le lit, sa chose poilue menaçante au-dessus d'elle tandis qu'il l'enjambait.

— Je te montre comment je fais et ensuite ce sera ton tour. Je te promets que tu vas aimer. Je n'ai reçu aucune plainte pour l'instant.

Il pesa de tout son poids sur elle, lui souffla son haleine fétide au visage quand, soudain, ses genoux lui écartèrent cruellement les jambes, et il se tortilla entre elles. Isabelle se débattit.

— Ne bouge pas, femme ! aboya-t-il avant d'arracher le reste de sa nuisette.

Il lui malmena les seins, toucha des endroits secrets au point qu'elle en devienne écarlate.

— Pour l'amour de Dieu, du calme. Je ne vais pas te tuer !

La douleur fut atroce ; sans le bar bruyant en dessous, elle aurait hurlé. Elle réprima ses cris pendant que les ressorts couinaient et les colonnes du lit cognaient contre les murs.

Gilbert avait le visage révulsé, la respiration saccadée. Il lui appuyait toujours plus les genoux contre la poitrine tandis qu'il s'enfonçait en elle.

Isabelle crut mourir. Elle ne respirait plus sous son poids. Ses larmes l'aveuglaient, son sang rugissait dans ses oreilles.

Et enfin ce fut terminé. À sa grande humiliation, des cris et des sifflements s'élevèrent du bar en dessous et on frappa contre le mur mitoyen. Ils avaient tout entendu. Comment pourrait-elle leur faire face le lendemain matin ?

Isabelle s'endormit à l'aube pour être réveillée par les caresses de Gilbert.

— Qu'est-ce que tu fais ? demanda-t-elle, crispée et inquiète.

Il n'allait pas recommencer ?

— Je profite de mes droits conjugaux, murmura-t-il tandis qu'il explorait son corps. Il n'y a rien de tel qu'une bonne culbute le matin.

— Mais nous l'avons fait la nuit dernière, bredouilla-t-elle. Tu n'as pas encore envie ?

Il tomba en arrière sur les oreillers ; son éclat de rire tonitruant fit vibrer le plafond. Isabelle en profita pour se couvrir avec le drap. Elle s'assit, embarrassée.

— Chut, Gilbert. Tout le monde va t'entendre.

Il cessa soudain de rire, s'appuya sur un coude et la fixa.

— Quelle importance ? Nous sommes mari et femme et, si je veux te prendre, je ne me gênerai pas.

Il roula sur elle et lui plaqua les bras contre l'oreiller.

Isabelle se crispa en attendant la douleur. Quand il recommença, elle comprit que son mari ne l'aimait pas, et cela lui brisa le cœur.

L'orage s'éloignait, les éclairs pâlissaient et les grondements s'affaiblissaient. Sophie scruta l'obscurité.

— Pauvre Isabelle ! Quel salaud !

— Oui, marmonna Walter. Elle était coincée avec lui. Ce n'est pas comme aujourd'hui où toute femme saine d'esprit aurait fait ses valises et serait partie. Le déshonneur causé par l'échec d'un mariage ou un divorce aurait ruiné l'union de sa sœur avec sir James et déshonoré sa famille. L'honneur était très important à l'époque. Quand j'étais jeune aussi.

— Elle a dû vivre un véritable enfer avec un type pareil.

— En effet, lui accorda Thomas. Ses lettres le prouvent. Elle écrivait régulièrement à sa famille et, au fil des années, cette correspondance semblait être le seul exutoire à son isolement et à sa peine.

— Des lettres ? Je n'en ai pas vues dans la boîte de Walter.

— Betty les conserve dans sa chambre, marmonna ce dernier. Je lui demanderai de te les donner. Ensuite, tu pourras terminer cette histoire.

Il batailla pour s'extraire du fauteuil puis, dans un juron étouffé, parvint à se lever.

— Saloperie de blessure de guerre. Je ne sens plus ma jambe parfois.

Tout à coup, ils ressentirent les vibrations d'un avion léger au loin.

— Le médecin arrive. Je préviens Cornelia. Vous deux, allez l'accueillir.

Walter claqua la porte moustiquaire et monta en boitant.

Thomas et Sophie sautèrent dans la jeep.

— Ma grand-mère va être furieuse. Je plains Walter, cria-t-elle dans la nuit alors que le moteur ronflait.

— Ne t'inquiète pas pour lui. Il a affronté de plus grands dangers qu'une nonagénaire de mauvaise humeur.

— On parie ? rétorqua-t-elle. Tu ne connais pas grand-mère quand elle est excédée.

Cornelia somnolait quand elle sentit la présence d'une personne près d'elle. Elle ouvrit les yeux sur Walter, au pied de son lit, sa vieille pipe dégoûtante à la main. Elle lui sourit, trop lasse pour parler.

— Le médecin vient d'arriver, Cornelia.

— Je vais bien, Walter, soupira-t-elle. Laisse-moi tranquille.

Il s'approcha du lit et lui prit la main. Son visage ridé se trouvait à quelques centimètres du sien.

— Tu vas te comporter en vieille mule toute ta vie ? Si cela signifie rester avec nous un peu plus longtemps, pourquoi ne pas le voir ?

Elle le foudroya du regard mais n'ôta pas la main de la sienne.

— Vieil idiot ! C'est vrai, je n'ai jamais su suivre les bons conseils.

Elle ferma les yeux, comme pour demander à son corps de reprendre des forces, au ruban de douleur de se desserrer autour de son cœur.

— S'il a fait tout ce chemin, je ne peux pas le chasser sans lui parler, grogna-t-elle.

— Je reconnais bien là ma Cornelia, la félicita-t-il en lui tapotant la main.

Elle ouvrit les yeux et lui sourit.

— Ma Cornelia, murmura-t-elle. Je n'ai jamais cessé de l'être ?

En guise de réponse, il l'embrassa sur la joue.

— Maintenant, repose-toi. Le médecin ne va pas tarder.

— Mais je n'ai pas le temps de me reposer ! s'exclama-t-elle dans un sursaut d'énergie. Sophie doit apprendre toute l'histoire. Je ne peux pas me permettre de mourir avant d'avoir remis de l'ordre dans la pagaille que Jock et moi avons laissée derrière nous.

— John Thomas, le mari de Betty, et le petit ont fait leur possible dans cette direction. Sois apaisée. La balle est dans leur camp à présent.

Il se pencha vers elle.

— Au fait, on dirait que ta petite-fille et mon Thomas règlent petit à petit leurs problèmes même s'ils n'en sont pas encore conscients. Laissons-leur un peu de temps.

La couleur revint sur son visage blême et ses yeux brillèrent.

— Enfin, soupira-t-elle.

Ils attendaient tous sous la véranda.

— Comment va-t-elle ? l'interrogea Sophie.

— Pas trop mal pour une femme de son âge, répondit le médecin, les yeux cernés.

Ses visites s'étendaient sur des centaines de kilomètres et il consultait depuis 15 heures la veille. Le service aérien de santé fonctionnait vingt-quatre heures sur vingt-quatre et dépendait jusqu'à peu des dons privés. Malgré l'ajout de fonds gouvernementaux, les femmes donnaient toujours naissance dans le *bush*, les hommes étaient piétinés par leur bétail, les rivières débordaient et les personnes vivant au milieu de nulle part tombaient malades.

Il posa sa mallette et accepta une tasse de thé.

— Le long voyage l'a probablement épuisée. Son cœur peine un peu. Je lui ai administré un petit somnifère. Et voici des pilules si son angine s'aggrave.

— Elle ne les prendra pas, annonça Sophie. Elle déteste les médicaments.

Il sourit malgré sa lassitude.

— J'ai cerné le personnage. Je lui ai fait une piqûre pour plus de précaution. Elle devrait être debout dans les vingt-quatre heures. Pour les pilules, c'est comme vous voulez. Écrasez-les dans son potage s'il le faut et gardez un œil sur elle.

— C'est tout ?

Il hocha la tête et ramassa sa sacoche. L'infirmière regardait déjà sa montre. Ils avaient d'autres visites ensuite.

— Elle a un souffle au cœur, mais ce n'est pas grave tant qu'elle n'entreprend rien de stressant, un autre long voyage par exemple.

— Mais nous devons retourner à Melbourne, protesta Sophie.

— Pas si vous voulez la garder en vie, répliqua-t-il avec fermeté. Je vous suggère de rester ici et de lui rendre la vie aussi douce que possible.

Sophie se mit à trembler.

— Que cherchez-vous à nous dire, docteur ?

— Mme Witney est très affaiblie. Préparez-vous au pire, soupira-t-il. Je suis désolé, mais elle a eu une existence bien remplie et même si aucun de nous ne veut voir les êtres chers partir, nous ne pouvons pas éviter l'inévitable.

Il leur serra la main avant de sortir dans la nuit avec son infirmière. Thomas les attendait dans sa jeep.

Les phares disparurent dans l'allée laissant place à un nuage de poussière. Sophie n'imaginait pas la vie sans sa grand-mère, un avenir qui n'inclurait pas sa gentillesse et son amour.

Betty passa un bras sur ses épaules.

— Tiens, Sophie. Lis-les. À mon avis, aucun de nous ne dormira beaucoup cette nuit. Parfois cela aide à apaiser nos soucis d'apprendre que les autres ont affronté des problèmes bien pires.

Le petit avion décollait déjà. Il effectua un cercle au-dessus de la maison avant de disparaître dans l'obscurité. Quand le bourdonnement du moteur eut disparu, Sophie examina la pile de lettres attachées par un ruban.

— Ça m'étonnerait que je puisse me concentrer, mais merci.

Sophie entra et jeta un rapide coup d'œil dans la chambre de sa grand-mère.

La vieille dame dormait, son épaisse chevelure blanche étalée sur l'oreiller, ses mains noueuses posées sur les couvertures. À ses côtés, Walter murmurait tout en lui caressant les doigts.

Sophie ferma doucement la porte et se rendit dans sa chambre.

C'était le calme après la tempête. Ils vivaient sur le fil du rasoir, prit-elle conscience. La vie et la mort les accompagnaient tout le temps – dans les éléments, la terre où poussaient les vignes, le *bush* environnant, les luxuriantes prairies. Ils étaient prisonniers du cercle de la vie qui ne cessait jamais – peut-être Cornelia s'apprêtait-elle à quitter le cercle? Ils ne devraient pas la retenir, malgré le vide qu'elle laisserait.

Un martin-chasseur gloussa au loin. Sophie adorait les sons, les visions, les parfums de ce vaste pays qui était le sien.

Cornelia avait vu juste : elle avait besoin de se le réapproprier et d'apprendre à regarder en elle. Ainsi avait-elle pu encaisser le choc provoqué par la révélation de Cornelia et se préparer aux changements à venir.

Accoudée au rebord de la fenêtre, elle contempla les collines lointaines qui se paraient d'un voile de brume. Les milliers d'acres de terrasses se révélaient au fur et à mesure que l'horizon commençait à s'éclairer. Le parfum des grappes mûres s'élevait en même temps que le soleil, se mêlait aux arômes de la terre paprika, au chant roulant des pies. Une profonde impression de paix l'envahit. Oui, elle était chez elle ici.

Finalement, elle se déshabilla et se rendit sous la douche où les aiguilles d'eau chaude la débarrassèrent des poussières et de la sueur de la journée. Bien qu'éreintée, elle ne cessait de repenser à ce qu'elle avait appris et vécu ces dernières heures. La vie réservait bien des surprises !

Elle savait que, vu l'heure, elle ne dormirait pas et, pourtant, elle hésitait à lire les pages remplies de délicates graphies anglaises. Elle défit le ruban et, sans s'en rendre compte, classa les lettres par ordre chronologique.

Elle déplia la première au papier crème épais, aux pliures usées. Alors que les minutes défilaient sur sa petite pendule de chevet et le soleil surgissait par-dessus les collines, Sophie se perdit dans un autre monde.

La vie à Londres causa une amère déception à Isabelle. Les femmes cancanaient et colportaient des rumeurs, entachaient la réputation de leurs ennemis, se servaient de leur influence pour favoriser leurs amis – à condition qu'elles en tirent un bénéfice. On parlait de la mode, de la cour et de sa jeune reine ; on spéculait sur son mariage et ses amants éventuels. Peu souhaitaient discuter littérature ou politique, encore moins lisaient et, à nouveau, Isabelle se trouva sur la ligne de touche.

Gilbert avait pris ses distances, ses explosions de colère se terminaient en coups et claques pour Isabelle. La jeune femme autrefois indépendante et volontaire craignait ses sautes d'humeur. Très vite, elle apprit que rien ne les apaisait et qu'une broutille les déclenchait. Il buvait beaucoup, les jeux d'argent rongeaient sa dot mais vers qui se tourner? À qui parler? De toute manière, il n'y avait pas de solution: Gilbert était son mari, ils resteraient unis jusqu'à la mort.

Trois mois après leur arrivée à Londres, il emménagea dans sa propre chambre si bien qu'il ne la réveillait plus quand il rentrait tard. Même si cela lui donnait la liberté d'aller et venir à toute heure du jour et de la nuit, au fond cet arrangement convenait à Isabelle.

Ses visites s'espacèrent au fil des années – surtout lors de sa première grossesse. Gilbert la trouvait repoussante tandis qu'elle grossissait et se dandinait dans la maison, ce qui ne la dérangeait pas. Elle détestait qu'il s'approche d'elle et de son précieux fardeau. Lassée de Londres et de son inactivité, elle avait hâte de tenir son enfant dans ses bras, de lui donner l'amour qui aurait dû revenir à son époux s'il avait été gentil et fidèle.

Henry naquit durant l'hiver 1840. Sa naissance se déroula mieux qu'elle ne l'aurait cru et lorsqu'elle tomba enceinte l'année suivante, Isabelle se réjouit d'avance.

Son deuxième fils, Albert, vit le jour en plein été. Ses cheveux clairs et ses yeux bleus lui rappelaient les champs de blé et les bleuets du Sussex. Elle l'aima passionnément. Gilbert s'éloigna davantage et cessa toute visite conjugale. Il avait ses héritiers.

Les deux frères se battaient sans arrêt. Robuste et carré, Henry aux yeux gris et intenses brutalisait le jeune Albert plus malléable et toujours dans les jupes de sa mère. Gilbert s'intéressa à eux quand ils commencèrent à parler et à marcher. Il les montrait à ses amis sans qu'Isabelle soit jamais invitée. L'air lugubre, elle attendait leur retour derrière sa fenêtre.

Leur monde s'écroula quatre ans plus tard. Ce soir-là, elle aidait la nourrice à coucher les enfants. Elle leur lut une histoire et les embrassa avant de souffler les chandelles. Assise dans le salon glacial, elle brodait près du feu.

La porte d'entrée claqua; vite elle rangea sa tapisserie quand elle entendit un pas rapide de bottes sur le marbre. Encore de mauvaise humeur...

Elle attendit, les mains croisées devant elle, les yeux rivés sur la porte. Le souffle court, elle garda le menton levé. Les enfants devaient dormir, ils n'entendraient rien si leur père devenait violent. Les yeux écarquillés par la peur, elle se mit à trembler.

La porte s'ouvrit en grand. Sa silhouette éclairée par la lumière du couloir lui rappela leur nuit de noces. Isabelle en eut la chair de poule.

— Nous partons d'ici ! hurla-t-il. Londres ne veut plus de moi.

Surprise, elle serra si fort ses doigts que ses articulations blanchirent sur sa robe en laine noire.

— Pourquoi devons-nous quitter notre maison ? Tu l'as choisie pour sa proximité avec le club des officiers.

Isabelle se mordit la lèvre car Gilbert n'aimait pas être questionné.

En quelques pas, il se posta devant elle, les joues rouges, les yeux brillant de colère.

— Tu ne remarques rien d'inhabituel chez ton mari, femme ?

— Ta veste... marmonna-t-elle.

— Exact. Ils ont arraché mes épaulettes et brisé mon épée sur leur genou !

Il se débarrassa de sa veste et jeta le fourreau vide sur le fauteuil.

— J'ai été renvoyé ! Tout ça parce que père refuse de me soutenir.

Pétrifiée, Isabelle ne sut que répondre et préféra se taire.

Gilbert s'approcha dangereusement d'elle.

— Tu as entendu ce que je viens de dire, femme ? L'armée a prononcé un renvoi pour manquement à l'honneur. Je suis fini. Fini !

Elle tressaillit quand ses postillons lui mouchetèrent les joues.

— Mais ils n'ont pas le droit, chuchota-t-elle. Tu es officier et gentleman.

Il ricana et s'empara d'un coffret en chêne. Il l'ouvrit, sortit une carafe en cristal et se servit un cognac.

— J'étais, grogna-t-il avant de vider son verre et de se resservir. Un soi-disant officier a été raconter à notre commandant que je refusais de rembourser mes dettes de jeux et que je trichais. Ils veulent me traduire en cour martiale, tu imagines !

Isabelle le regarda boire. Elle n'était pas surprise d'apprendre qu'il trichait et qu'il n'avait pas honoré ses dettes. Mais que son père n'intervienne plus !

— Ton père nous aidera quand il aura eu le temps de réfléchir aux conséquences, murmura-t-elle.

Gilbert jeta son verre en cristal par terre. Isabelle sursauta quand il se brisa en mille morceaux sur le parquet ciré.

— Mais qu'est-ce que tu crois ? hurla-t-il. Père s'en lave les mains ! Il l'a dit cet après-midi. Et la proposition qu'il m'a faite est si hallucinante que je n'envisage pas une seconde de l'accepter.

Isabelle s'enfonça dans son fauteuil. Complètement saoul, les gros poings serrés, Gilbert titubait.

— Une proposition ?

— Bordel ! J'ai épousé une souris ? Une petite souris noire sans un gramme de bon sens ? Lève-toi, femme. Parle que je t'entende ! J'en ai assez de tes geignements et de tes dérobades.

Isabelle obéit. Elle serait mieux debout s'il la frappait. Un siège la retiendrait prisonnière et l'empêcherait de s'enfuir.

— Quelle proposition ? demanda-t-elle sur un ton plus ferme. Pourquoi est-ce si terrible ?

— Père nous offre un billet pour l'Australie. Je serai un émigré vivant de l'argent qu'il nous enverra, le mouton noir de la famille expédié à l'autre bout du monde parce que sa présence gêne à Londres. Alors, qu'en penses-tu ?

Les mots figèrent sa conscience dans la glace. L'Australie était un pays sauvage, indompté, où les détenus portaient des chaînes, les Aborigènes brandissaient des lances et se mangeaient entre eux. Le père de Gilbert plaisantait-il ? Souhaitait-il vraiment que ses petits-enfants soient élevés dans un endroit aussi perdu ? Quant à son père à elle, il ne pouvait les aider financièrement, pas depuis qu'il s'était installé avec Alice la cuisinière et que maman se vengeait en écumant les boutiques.

— Et les enfants, bégaya-t-elle. Leur éducation?

— Au diable les enfants! cria-t-il. Je te parle de moi! Je serai la risée de Londres au petit matin. Nous devons partir dès ce soir.

Isabelle fut assaillie par un sentiment de désespoir qui la rendit courageuse.

— Pars, mais les enfants et moi nous restons ici. Nous te rejoindrons quand tout sera réglé.

— Il n'y aura pas d'argent si je pars seul. Le bail de la maison se termine et, mis à part tes bijoux, il ne reste plus rien de valeur ici.

Isabelle fronça les sourcils.

— Plus d'argent? Et ma dot? Et ta solde de militaire? Ma bague de fiançailles? On peut la vendre.

Il se passa la main dans les cheveux.

— On n'a plus rien et j'ai vendu ta bague il y a longtemps. Nous devrons nous contenter de la charité de père. Tu vois, il n'y a pas d'autre solution. Nous quitterons l'Angleterre pour la Nouvelle-Galles du Sud ou bien nous finirons en prison pour dettes.

Les mains sur la bouche, Isabelle se vit dans cet endroit horrible où les femmes et les enfants se vendaient pour une croûte de pain, les hommes croupissant dans leur crasse, vaincus par la vie et l'impossibilité d'échapper à leurs créanciers.

— Alors partons, et vite, décida-t-elle. Je réveille les domestiques.

Elle claqua la porte derrière elle, les larmes ruisselant sur son visage tandis qu'elle grimpait l'escalier menant à la chambre des enfants. Gilbert méritait ce qui lui arrivait. Pourquoi les petits et elle étaient-ils punis? La vie n'était pas juste. Sans savoir si elle en serait capable, elle se jura de tirer le meilleur parti de cette mauvaise situation et de veiller à ce que ses fils ne suivent pas l'exemple néfaste de leur père. L'Australie marquerait un nouveau commencement, loin de tout ce qu'elle connaissait. Peut-être aurait-elle la chance d'agir différemment, de retrouver son indépendance d'autrefois et la force de mener une nouvelle existence?

Le *HMS Swift* arriva à Port Adélaïde le 1er juillet 1845. Sur le pont, Isabelle et ses enfants admiraient la côte au loin. La mer bleue brillait comme les saphirs que portait lady Amelia autour du cou. Les collines vert foncé dégringolaient jusqu'au sable jaune pâle des plages. Les petits bâtiments autour du port étaient masqués par les hauts mâts des immenses voiliers.

La voix de Gilbert la surprit, elle ne l'avait pas entendu venir sur le pont.

— Un homme devrait nous attendre avec des provisions. Ces coloniaux semblent connaître la mesure des choses. Lady Fitzallan a ordonné à un bouvier de nous conduire au nord.

Elle leva les yeux vers lui.

— Lady Fitzallan? Ce nom me dit quelque chose…

— Une amie de mère, répliqua-t-il en passant un doigt sous son col serré. Elle est arrivée ici il y a plusieurs années. Nous lui louerons une parcelle de terrain pendant que nous chercherons mieux ailleurs. La vallée de Barossa est une région vinicole. D'après mère, leur vin est âpre mais il commence à acquérir une certaine réputation. J'aimerais bien être vigneron, cela me changera de l'armée!

Isabelle se mordit la langue. Sa seule expérience du vin consistait à en boire – ils couraient à l'échec avant même d'avoir débarqué.

— Nous aurons une maison? demanda-t-elle, pleine d'espoir.

— On s'en fiche. La main-d'œuvre n'est pas chère là-bas. Les détenus nous en construiront une rapidement.

Elle ne pouvait quitter des yeux ce paysage coloré, la lumière ahurissante de ce si bel hémisphère sud. Le moral à zéro, Isabelle aurait aimé savoir ce que l'avenir leur réservait.

19

Bien qu'affaiblie par son angine de poitrine, Cornelia insista pour quitter sa chambre. Assise dans un fauteuil confortable sous la véranda à l'arrière de la maison, elle regardait les allées et venues à l'écurie. Elle s'était réveillée plusieurs fois durant la nuit pour découvrir Walter à son chevet, la main dans la sienne, avant de replonger dans le sommeil. Elle avait enfin trouvé la paix qu'elle avait cherchée toute sa vie.

Il faisait une humidité pesante ; les nuages légers et moutonneux dans le ciel bleu n'annonçaient pourtant aucune averse. Sur les terrasses, John Thomas et ses fils longeaient les allées, inspectaient les grappes avant les vendanges. Cette scène l'avait accompagnée toute son existence et elle l'emporterait avec joie dans la suivante.

Adossée contre les coussins, les yeux fermés, elle pensa à sa famille divisée et à ses espoirs en l'avenir. Betty avait confié les lettres à Sophie – peut-être comprendrait-elle les raisons de la brouille, en attendant celle à venir (elle le sentait dans sa chair et il n'y avait rien qu'elle puisse faire). Si elle ne parvenait pas à réconcilier sa famille et à la rendre forte à nouveau, ce voyage n'aurait servi à rien et ceux des générations précédentes non plus. Car les premiers colons, malgré leurs origines différentes, avaient su donner leurs lettres de noblesse au domaine de Jacaranda. S'il coulait, ce serait l'ultime trahison.

Elle pensa à Rose, John, Isabelle, Gilbert. Pauvre Isabelle, âme si délicate et si seule, si dépaysée dans cet immense pays et qui avait pourtant trouvé la force de réussir où Gilbert avait échoué et d'assurer l'avenir de ses enfants.

Ses pensées dérivèrent vers un passé situé au-delà de sa mémoire, quand sa grand-mère sur le point de mourir ressentit le besoin de révéler les derniers secrets de sa famille divisée.

Elle fit apparaître les images de ces jours lointains – les bœufs rouge foncé aux cornes enveloppées dans des sacs, leur large dos se balançant tandis qu'ils tiraient des chariots pleins le long de routes poussiéreuses en direction du nord et des régions les plus reculées ; le bouvier et son fouet effrayant, la silhouette agile et mince tannée par le soleil et le vent, en train d'amadouer les gros animaux pour qu'ils traversent les rivières profondes et le *bush*.

Ces scènes seraient bientôt perdues à jamais dans la course à la modernisation. Cependant, sous cette fraîche véranda, elle crut entendre le fantôme des hommes suivant ces longues pistes solitaires, le pas lent et régulier des bœufs. Ni l'essence de l'Australie ni l'esprit des femmes et des hommes ayant vécu dans le Never Never n'avait changé.

Isabelle et Gilbert voyagèrent pendant plusieurs jours derrière des bœufs attelés. La poussière que soulevaient leurs sabots recouvrait leurs habits et leurs cheveux d'un voile rouge, leur irritait la gorge et leur piquait les yeux. Leurs épais vêtements anglais leur collaient à la peau, ils transpiraient, les mouches pullulaient, les moustiques piquaient…

Le bouvier taciturne souriait rarement et ses mains auraient facilement pu entourer un tronc ou un tonneau. Selon Isabelle, l'homme n'avait pas mauvais caractère car sa voix calme gardait les animaux sous contrôle, ses mains calleuses ne s'énervaient pas sur les rênes. Il mâchait du tabac et crachait de gros pâtés dans les buissons environnants. Le soir venu, à force de persuasion, il sortait de son attachante timidité et les régalait avec ses aventures dans l'arrière-pays.

Isabelle demeurait silencieuse la plupart du temps, sachant qu'ils s'éloignaient chaque heure davantage de la civilisation. Le ressentiment ne quitta jamais Gilbert, et elle ne préférait pas penser au jour où elle serait abandonnée avec lui au milieu de nulle part. En effet, s'il pouvait être violent à Londres, que risquait-il de lui infliger dans ce pays vide, sans foi ni loi ?

Malgré ses peurs et son agitation, une certaine excitation grandit en elle, une soif de connaissance – comment se nommaient ces surprenants oiseaux, ces arbres étranges, ces drôles de petits ours qui somnolaient, leur bébé sur le dos... Les grands animaux roux qui bondissaient la firent sourire et la démarche vacillante du wombat lui rappela les blaireaux de Wilmington.

Elle évitait de songer à l'Angleterre car, à moins d'un miracle, elle ne reverrait plus sa patrie. Toutefois, la nuit, quand les chiens sauvages hurlaient, les martins-chasseurs caquetaient, elle regrettait la brume et la pluie anglaises, le meuglement mélancolique des vaches et le cri des mouettes.

Le voyage se termina enfin et, choqués, ils regardèrent en silence leur nouveau foyer. Une grande étendue de terre se déployait jusqu'à l'horizon, la chaleur infernale ricochait sur le sol noir et pénétrait leurs semelles peu épaisses. Des corbeaux géants poussaient des croassements lugubres tout en planant au-dessus de leurs têtes, les perroquets bleu et rouge jacassaient par dizaines. Elle se tourna finalement vers la cabane en tôle délabrée qui s'affaissait contre la colline.

— Dis-moi que ce n'est pas la maison... souffla-t-elle.

Par maison, elle désignait la tôle rouillée, les poteaux rongés par les termites qui soutenaient la véranda pourrie, les volets cassés qui pendouillaient à la seule fenêtre. Il n'y avait ni porte d'entrée, ni vitre et la cheminée se composait d'un pauvre tuyau en métal dirigé vers le haut.

Le regard noir, les sourcils froncés sur son front brûlé par le soleil, les cheveux presque blancs, Gilbert marmonna :

— Tu parles d'une faveur ! Mère n'a jamais mentionné un taudis.

Il tourna le dos et se mit à vider le chariot. S'ils ne regardaient pas les choses en face, la situation s'arrangerait peut-être ?

Isabelle ravala une réflexion amère. À quoi bon lui rappeler qu'il l'avait bien cherché ? Les larmes menaçaient, leur malheur pesait lourd sur ses épaules. Elle regarda ses fils au visage sale, aux yeux écarquillés, attendant qu'elle les rassure. Après avoir écrasé ses larmes, elle prit une profonde inspiration, rassembla ses jupes et se fraya un chemin jusqu'à la véranda parmi les gravats et les débris laissés par les anciens propriétaires. Se méfiant des planches pourries et de l'inclinaison inquiétante de l'édifice, elle jeta un œil à l'intérieur.

C'était pire qu'elle l'avait imaginé et son moral, déjà bas, s'effondra. La cabane se composait de deux pièces, l'une pour dormir, l'autre pour cuisiner. En guise de meubles, ils avaient une table cassée et un monstrueux fourneau noir dans un coin. D'épaisses toiles d'araignée voilaient le tout. Une odeur douceâtre de pourriture se mêlait à la chaleur suffocante qui rebondissait entre le toit en tôle et le sol en terre.

Les larmes lui brouillèrent la vue. De colère, elle les essuya d'un revers de main. Il ne fallait pas que ses garçons voient son épuisement et sa peur. Elle transformerait ce désastre en aventure de leur vie. Elle ferait de son mieux sans domestiques, sans argent et sans ce bon à rien de Gilbert. Leur sort reposait entre ses mains à elle.

Debout à l'ombre de la masure, elle examina les alentours. Malgré la misère dans laquelle ils se trouvaient, elle dut admettre que ce paysage indompté était d'une beauté incroyable. Il y avait là la promesse de quelque chose de merveilleux si Gilbert voulait bien surpasser son hostilité. Pendant que les enfants aidaient le bouvier, elle se dit que cet endroit lui apporterait bien plus que sa vie creuse à Londres. Elle ne vivrait jamais plus dans le luxe mais, ici, au cœur de cet immense pays désert, elle serait libre de se servir de son cerveau comme de ses mains, de découvrir le sens de l'aventure, d'oublier les restrictions dues à son rang.

Pensive, Isabelle s'éloigna lentement de la cabane et s'abrita sous des arbres au nord de la propriété. Leurs fleurs couleur lilas et délicates dansaient sous la brise chaude, leur parfum n'étant plus qu'un souvenir quand il atteignait ses narines.

— Comment s'appellent ces arbres? demanda-t-elle au bouvier.

— Des jacarandas, Patronne. Jolis, pas vrai?

— Jacaranda, murmura-t-elle.

Elle sourit: la vie serait dure ici, mais la beauté des jacarandas nourrirait toujours son âme.

— Ça va, grand-mère?

Cornelia ouvrit les yeux et mit la main en coupe sur son front.

— Oui, merci.

Sophie s'écroula dans le fauteuil à côté d'elle. Elle avait apporté le reste des lettres dans l'espoir de les finir avant les vendanges du lendemain.

— Tu nous as fait une belle frayeur. Le médecin t'a ordonné de rester ici jusqu'à ce que tu ailles mieux. Il te déconseille de rentrer à Melbourne.

— N'importe quoi, rétorqua-t-elle. Je pensais justement à l'appartement quand tu m'as interrompue. J'aimerais le revoir avant de mourir.

— Pourquoi pas? répondit Sophie sans faire une promesse qu'elle ne pourrait peut-être pas tenir.

— Et toi? Comment te sens-tu? Je n'aurais pas dû t'annoncer des choses pareilles sans te prévenir.

Sophie prit sa frêle main et sourit.

— Je t'ai toujours aimée, grand-mère, murmura-t-elle. Cela ne changera jamais.

Elle passa vite à autre chose. Même si ses révélations lui avaient causé un choc, ce n'était pas la peine de faire davantage souffrir son aïeule.

— J'ai lu une grande partie des lettres d'Isabelle. Elles sont intéressantes et tellement détaillées qu'il est facile d'imaginer à quoi son existence ressemblait. J'ai eu l'impression que *Les Pionniers*, le tableau de Frederick McCubbin, prenaient vie sous sa plume. Elle devait se sentir si seule coincée dans le *bush* avec son salopard de mari.

— En effet, mais elle avait aussi de nombreuses occupations entre deux raclées. Avec l'aide des détenus, ils ont réparé la cabane. Elle cultivait un potager, instruisait ses garçons, gagnait de l'argent chez les autres vignerons le jour et désherbait ses terres la nuit. Isabelle absorbait les informations comme une éponge et, très vite, elle en a su plus sur la culture et le commerce de la vigne que Gilbert.

— Contente de l'entendre.

— Oui, cela fait du bien de voir une personne reprendre confiance en soi, mais son geste a eu de lourdes conséquences. Gilbert n'appréciait pas l'indépendance de sa femme et il s'est vite lassé de la vie dans le *bush*. Il a donc décidé de partir chercher de l'or. Il y a eu une ruée à Ballarat ; il a cru pouvoir faire fortune et retourner la tête haute en Angleterre. Pauvre Isabelle, livrée à elle-même entre un vignoble naissant et deux jeunes garçons. L'argent manquait, leur seul luxe consistait en un fourneau décent et un puits à proximité de la maison. Mais les gens qui s'installaient à l'époque dans la vallée de Barossa possédaient l'esprit des pionniers. La plupart étaient des Allemands fuyant la tyrannie religieuse de leur pays et ils aidaient Isabelle dès qu'ils le pouvaient. Très vite, ils ont admiré la petite Anglaise discrète qui travaillait avec détermination afin de réussir dans ce monde d'hommes.

— Isabelle était une femme intelligente, conclut Sophie. C'est seulement en lisant entre les lignes que la vérité émerge.

— Finis de lire cette correspondance, Sophie. Elle raconte son histoire mieux que moi.

Cornelia s'adossa contre les coussins. Elle connaissait la suite du récit et l'amertume des larmes qui abreuvèrent les vignes. Malheureusement, Sophie devait lire toutes ces lettres pour comprendre la lourde dette qu'elle avait envers ces premiers colons.

Rose voyageait depuis dix-huit mois déjà. Son héritage s'étendait sur des milliers d'acres et, après avoir visité les vignes éloignées de la vallée de Hunter, elle s'était rendue dans le Sud-Ouest et la Riverina, puis avait lentement traversé la Sunraysia au nord de Melbourne pour finir devant le fleuve Murray où elle vit pour la première fois la vallée de Barossa.

Sillonner le *bush* avait endurci Rose et ses filles. À force de vivre au jour le jour, de dormir sous des huttes comme les Aborigènes, elles avaient appris à respecter et à comprendre ce pays. Les saisons variaient peu – sèches ou humides. Parfois le vent soufflait, hurlait comme un dingo et mordait jusqu'aux os. Quand la pluie dégringolait, les rivières sortaient de leur lit, les arbres se courbaient, la terre rouge se transformait en boue écœurante. Puis le soleil revenait aussi vite qu'il était parti et accablait l'arrière-pays suffocant.

Elles croisèrent d'autres voyageurs – quelques Aborigènes, un ou deux ouvriers agricoles avec leur baluchon et le cuir de leurs chaussures usé par les kilomètres, des bouviers et autres gardiens de bestiaux partis proposer leurs services dans les ranchs... Ils offraient une excuse pour descendre du chariot, allumer un feu, faire bouillir de l'eau dans le billy puis partager le pain cuit à la braise, manger du mouton salé ou du bœuf séché et laver le tout avec un thé fort et sucré.

Blotties contre leur mère près du feu, l'air émerveillé, les fillettes écoutaient les histoires de ces hommes qui suivaient la « piste des wallabys » – qui cherchaient du travail. Elles apprirent à reconnaître les empreintes de dingo, à éviter les serpents, quelles baies cueillir, lesquelles les empoisonneraient, comment trouver de l'eau au milieu du désert, quelles plantes guérissaient maladies et fièvres. Elles dormaient sans crainte dans les huttes de fortune faites d'herbe et de brindilles, leurs rêves peuplés des récits du soir.

Rose devint experte en tir à la carabine et en ragoût d'opossum. Elle ne prenait pas leurs anecdotes au pied de la lettre, mais écoutait avec attention quand l'homme noir parlait des araignées et des serpents venimeux, lui enseignait sa manière de voler du miel à la cime des arbres. Un jeune vacher noir les fascina avec sa voix chantante et ses contes mystiques du Temps du rêve. Elles furent désolées quand il dut les quitter afin de poursuivre sa balade en brousse.

Ce voyage se révéla riche d'enseignements. Elles reçurent des leçons de vie mais profitèrent aussi de paysages magnifiques, de personnes et de lieux qui imprimaient peu à peu leur marque. Quand on parla d'un filon d'or à Ballarat, Stawell et Bendigo, combien d'hommes se ruèrent-ils sur les pistes à la recherche d'une fortune incertaine?

Les fillettes s'endurcissaient chaque jour. Avec sa flamboyante chevelure rousse, Muriel craignait énormément le soleil car sa peau claire brûlait, ses taches de rousseur se multipliaient. Rose se reconnaissait en Emily, les cheveux bruns, la peau couleur thé au lait, curieuse de la vie, à qui aucun détail n'échappait. Les jumelles récitaient leurs leçons sur la route, chiffres et lettres. Et, finalement, elles purent lire les ouvrages que Rose avait apportés.

Leur voyage touchait à sa fin. Alors qu'elles longeaient le fleuve Murray, dans la vallée de Barossa, Rose sut qu'elles étaient arrivées chez elles. La région s'étendait à perte de vue et disparaissait derrière l'horizon dans une brume de chaleur. Des terrasses aux ceps vert foncé entouraient la vallée à l'ombre des délicats jacarandas ; le scintillement de l'eau illuminait les pâturages luxuriants.

Rose fit claquer les rênes ; les chevaux fatigués cheminèrent vers la propriété au loin. Mamie M lui avait laissé deux parcelles adjacentes dans la vallée de Barossa. Elle comptait rendre visite aux locataires de la première avant de se rendre dans l'autre et de s'y installer quelques années. Comme les occupants précédents avaient baissé les bras et étaient retournés à Adélaïde, elle souhaitait réussir où ils avaient échoué. Et puis ce serait agréable de se poser après ces longs mois sur les routes, de vivre dans cette immense vallée qui lui rappelait tant celle de Hunter.

De la fumée s'échappait de la cheminée rouillée et on avait peint la clôture du potager en blanc. Une planche au-dessus du portail indiquait : « Jacaranda ». Rose sourit. Bon choix. Les nouveaux métayers semblaient bien installés et, selon les papiers que mamie M avait laissés au notaire, ils vivaient là depuis quelques années.

Décontenancée par le nom de Fairbrother sur le bail, Rose s'était dit que cette famille n'avait probablement rien à voir avec le capitaine. Isabelle et lui devaient évoluer dans la haute société londonienne désormais et non au fin fond du *bush*.

Elle examina les alentours pendant qu'elles longeaient le chemin menant à la propriété. Les terres étaient désherbées, quelques vaches et chèvres paissaient dans le paddock. La cabane était une habitation typique du *bush* mais on avait fait l'effort de réparer le toit et de peindre les volets. Des champs de tabac vert foncé ondulaient sous la chaude brise et Rose approuva d'un signe de tête. Il fallait entre trois et six ans pour obtenir des grappes de bonne qualité et un vin acceptable.

Les Fairbrother avaient eu la sagesse de semer autre chose pour subsister en attendant.

Pendant qu'elle montait les marches, elle remarqua les rangées de légumes impeccables et les poules en bonne santé qui picoraient la poussière dans leur enclos. On avait planté des roses qui dégageaient un parfum capiteux au soleil.

Rose fut un peu contrariée que personne ne les accueille. En général, ces maisons isolées formaient une oasis hospitalière, car les visites se faisaient rares. Les jumelles derrière elle, Rose descendit du chariot et monta les marches de la véranda.

Au moment où elle interpellait les habitants, le loquet se souleva et une femme apparut dans l'encadrement de la porte. Rose aurait reconnu ce visage n'importe où. Jamais elle n'aurait cru la revoir de sa vie. Deux petits garçons se pressaient derrière ses jupes en haillons.

Rose regarda la robe de coton délavée et rapiécée, le tablier blanc, les mèches brunes qui s'échappaient du chignon, la bouche tombante et fatiguée, les cercles noirs autour des yeux gris.

— Miss Isabelle?

— Rose?

Vite les mains rattachèrent le chignon avant de dénouer le tablier.

— Que diable faites-vous ici? s'exclama Isabelle sur un ton brusque malgré son regard hanté.

Aussitôt, les habitudes du passé balayèrent son indépendance à peine acquise et elle redevint la domestique de madame. Elle fit une révérence sous les yeux interloqués de ses filles. C'était une facette de leur mère qu'elles ignoraient complètement.

— Mes excuses, miss Isabelle. Lady Fitzallan m'avait dit que cet endroit était loué et quand j'ai vu le nom sur le bail le jour où j'ai reçu mon héritage, je n'ai pas pensé une minute que…

Rose serra les lèvres. Les mots se précipitaient hors de sa bouche pour amortir le choc de voir miss Isabelle Ade dans des circonstances aussi précaires.

Celle-ci ouvrit grand la porte pendant que ses garçons se poussaient du coude pour mieux observer leurs visiteurs.

— On dirait que toi et moi avons du temps à rattraper. Entre boire une tasse de thé.

Rose la suivit dans le misérable cabanon. Elle n'en revenait pas que cette femme rongée par les soucis, ridée par le soleil fût la même jeune femme mondaine et délicate qu'elle habillait autrefois à Wilmington. Miss Isabelle qui vivait dans le luxe était à présent entourée de meubles minables.

Tandis qu'elle écoutait son histoire, assise face à elle autour de la table de la cuisine, Rose découvrit en Isabelle une force et une confiance qu'elle ignorait. La barrière des classes n'existait plus, même si les rôles étaient inversés : elles étaient désormais deux femmes qui partageaient une énergie et un but précis comme cette nouvelle vie l'exigeait d'elles.

Ce fut le début d'une très longue amitié qui traversa les sécheresses et les inondations, les vendanges réussies et les chagrins personnels. Les deux femmes partageaient la même envie de réussir et elles s'apportèrent un soutien et une compagnie qui auraient été inconcevables en Angleterre.

Isabelle n'avait jamais pardonné à sa mère de l'avoir manipulée mais elle écrivait souvent à sa sœur Charlotte et à son père. Au fur et à mesure, elle apprit à aimer ce pays sauvage et magnifique et quand elle leur en parlait, elle décrivait son espoir dans l'avenir – cette assurance était probablement due au fait qu'elle n'avait pas reçu de nouvelles de Gilbert depuis des années.

Rose appréhendait son retour. C'était la seule ombre sur sa nouvelle vie dans la Barossa et même si elle ne mentionna jamais son viol, elle connaissait les sentiments d'Isabelle à l'égard de son époux. Les deux femmes éprouvèrent un immense soulagement quand la nouvelle de sa mort à la suite de la rébellion d'Eureka Stockade en 1854 leur parvint enfin. À cause de la distance et de la difficulté à transmettre les informations, il avait fallu presque deux ans pour qu'elles l'apprennent !

Jacaranda prospérait et Rose se servit d'une partie de son héritage pour construire une nouvelle maison à la limite des deux parcelles afin qu'elles vivent ensemble dans le confort.

Les enfants fréquentaient la minuscule école en bois que les vignerons de Barossa avaient érigée dans leur ville nouvelle. Au fil du temps, tous quatre devinrent inséparables.

Les années filèrent comme du sable entre leurs doigts tandis que les deux femmes affrontaient les éléments et les prédateurs afin d'accroître leurs récoltes et d'améliorer leur vin âpre. Elles croyaient leur petite vie bien installée et leur avenir tout tracé. Mais le destin leur réservait d'autres surprises que ni l'une ni l'autre n'aurait pu prévoir.

Cornelia et Walter décidèrent de se promener tranquillement en boghei quand le soleil fut plus bas et la chaleur moins étouffante. Cornelia tenait haut son ombrelle ; les secousses et le cliquetis des roues, le pas régulier du cheval lui rappelaient une jeunesse qu'elle ne reverrait jamais.

— Tu vois ce que je vois, marmonna Walter.

Cornelia suivit son regard. Tenant leur cheval par les rênes, John Thomas et Betty sortaient d'un bosquet. Ils semblaient seuls au monde.

— C'est bon de voir que les longs mariages ont de l'avenir. On dirait que ce coin sert toujours, murmura-t-elle. Tu te souviens quand on venait s'y réfugier tous les deux?

— Pas grand-chose n'a changé! Sauf que nous n'avons jamais effrayé les chevaux... Dommage!

Elle lui donna un coup d'ombrelle.

— Surveille tes paroles, vieux lascar! J'ai une réputation à conserver, moi.

— Ha! aboya-t-il. C'est un peu tard pour y penser, non?

Il lui lança un regard coquin.

— À moins que tu veuilles rattraper le temps perdu...

— Walter! s'indigna-t-elle dans un grand fou rire. Aurais-tu perdu la tête? Nous avons tous les deux quatre-vingt-dix ans, cela nous achèverait!

— Oui, mais quelle belle manière de partir...

— Concentre-toi sur le cheval et garde les mains sur les rênes, veux-tu? Mon Dieu, qui peut croire qu'on a eu leur âge, un jour? ajouta-t-elle en désignant les deux quinquagénaires au loin.

— Nous avons encore cinquante ans dans notre cœur et notre tête, répondit-il tout en agitant les rênes pour que le cheval s'élance au petit trot. Sous ce vieux corps décrépit bat le cœur d'un jeune homme. Je suis sûr que tu te vois comme ça aussi! Quel fléau de vieillir…

— Tu as raison, mais l'âge apporte aussi une certaine paix. Nous n'avons plus rien à prouver.

Pensive, elle contempla le paysage en silence. Walter savait qu'elle aurait aimé consommer l'amour qu'ils avaient ressenti l'un pour l'autre pendant soixante-dix ans. Trop tard, pensa-t-elle. Combien ces deux petits mots étaient-ils douloureux, combien d'ombres projetaient-ils?

Les échos de Rose et de John semblaient suivre ces ombres. Blottie contre Walter, Cornelia replongea dans le passé.

Le navire avait depuis longtemps dépassé le cap Horn et fendait des vagues titanesques, mais John n'était pas du genre à avoir le mal de mer. Il arpentait les ponts, impatient d'entrapercevoir le premier les côtes du pays qui deviendrait le sien. Le vent salé lui fouettait le visage, les cheveux, lui arrachait les vêtements. Les voiles claquaient, le pont en bois tremblait sous ses pieds et il riait, heureux d'être en vie et libre.

Une petite main se glissa dans la sienne. Surpris, il se tourna et se retrouva face à un visage blafard et des yeux noirs familiers.

— Que diable fais-tu là? cria-t-il.

— J'essaie de ne pas être malade, répliqua Tina. Combien de temps ça va durer à ton avis?

— Jusqu'à ce que nous accostions, aboya-t-il en repoussant sa main tenace. Je t'avais dit de retourner auprès des tiens! Pourquoi es-tu ici?

— J'ai décidé d'aller en Australie moi aussi, hurla-t-elle, ses mots emportés par le vent violent. Rien ne me retient en Angleterre.

John la toisa. Son immense colère l'empêchait de parler. Il lui tourna le dos et les mains accrochées à la rambarde, il fixa les vagues montagneuses.

— J'ai quitté Londres pour retrouver Rose, lui rappela-t-il. Et si Dieu le veut, ce jour-là, je l'épouserai. Tu es venue pour rien. Tu ferais mieux de débarquer dans le prochain port et de rentrer chez toi.

— D'accord ! s'écria-t-elle. Mais en attendant que tu trouves ta précieuse Rose, je voyage avec toi. Moi aussi, j'ai droit à une nouvelle vie.

La détermination luisait dans les yeux de Tina, et John ne put qu'admirer son courage. D'après son teint verdâtre, elle supportait mal la traversée mais sa silhouette gracile oscillait au rythme du bateau, ses pieds restaient plantés sur le pont et ses mains agrippaient la rambarde avec force.

— Comme tu voudras, grogna-t-il. Mais je ne veux pas te croiser jusqu'à l'arrivée au port.

Elle ajusta son châle épais sur ses épaules et répliqua :

— J'ai mieux à faire que de m'accrocher à toi, Monsieur « je suis mieux que tout le monde ». Je ferai fortune parmi les *gadjikanes*. Ils aimeront l'idée d'une *drabarni* qui leur dira la bonne aventure.

Puis elle s'éloigna cahin-caha. John fut obligé de sourire : bien que frêle, Tina avait décidément beaucoup de cran.

Le voyage parut durer une éternité mais dès qu'ils abordèrent, John commença à poser des questions aux commerçants et aux marchands agglutinés autour du quai. La chaleur était terrible après les tempêtes glaciales et le reflet du soleil sur l'eau l'aveuglait.

Tellement avide d'avoir des nouvelles de Rose et de lady Fitzallan, il ne remarqua ni les oiseaux aux couleurs vives ni l'énergie farouche de cette ville bourgeonnante.

Après une semaine à Sydney à collecter des informations, John décida d'entreprendre un périple dans l'arrière-pays. Il acheta trois chevaux et un chariot, des fournitures pour plusieurs guinées. En attendant que les marchands chargent les tonneaux et les sacs, il comprit qu'il y avait là une occasion unique de se faire de l'argent. Après enquête, il commanda davantage de stock et un autre chariot à fond plat pour les transporter ainsi que deux chevaux supplémentaires pour alterner au cours du voyage.

Docile et silencieuse, Tina patientait à bord du deuxième chariot ; elle le suivait des yeux tout en faisant tinter des pièces dans une poche cachée.

— À quoi tout ça va te servir? s'enquit-elle, la tête penchée.

Il avait chargé sous la toile goudronnée des sacs de blé et de graines, des tonneaux remplis de rhum et d'huile pour lampe, mais aussi des outils et des cordes, des boîtes de clous...

Un doigt sur les lèvres, il lui fit un clin d'œil. Tina devrait réprimer sa curiosité jusqu'à ce que la ville soit loin derrière eux.

— C'est un grand pays, finit-il par lui confier. Peut-être quatre à cinq fois plus grand que le nôtre et certains vivent à des centaines de kilomètres de la ville la plus proche. Je vends ces marchandises aux magasins et, avec le profit réalisé, j'achète davantage le voyage suivant.

— Gitan un jour, gitan toujours, plaisanta-t-elle. *Puri daj* serait fière de savoir que tu perpétues les traditions.

Ils voyagèrent durant des mois sur les pistes sinueuses et poussiéreuses qui conduisaient au cœur palpitant de leur nouvelle patrie ; bien sûr, John regrettait que Rose ne tînt pas les rênes du deuxième chariot, mais il était finalement content que Tina l'accompagne. En effet, sur ces terres isolées et bien souvent désertes, un homme avait besoin de quelqu'un à qui parler.

Leur stock diminua au fur et à mesure qu'ils commerçaient avec les ménagères qui les accueillaient sur le seuil de leur masure au milieu de nulle part, avec les terrassiers dans le monde rude et masculin des mines, avec les colons au milieu des gigantesques pâturages par-delà les montagnes. À présent à l'aise et sachant que les gitans étaient les bienvenus dans ce pays rouge et très chaud, John fit des projets d'avenir. Il ouvrirait son magasin à Sydney, achèterait directement dans les fermes et aux navires marchands puis il emploierait des hommes qui apporteraient le ravitaillement aux ranchs dans l'arrière-pays et aux exploitations minières reculées. Mais, d'abord, il devait retrouver Rose, l'insaisissable Rose. La Mission avait brûlé, les habitants avaient déserté et, d'après la rumeur, lady Fitzallan s'était installée dans la vallée de Hunter.

Tina et lui retournèrent à Sydney où ils se réapprovisionnèrent. Il savait ce que les femmes coupées de la civilisation voulaient et le rôle de Tina était de choisir des ballots de tissu, des chapeaux fantaisie et des ombrelles pendant qu'il achetait pelles, pioches, haches et clous. Son respect pour le courage tenace de Tina grandit au fil des allers-retours.

Dans la vallée de Hunter, on lui livra peu d'informations. Rose avait tout bonnement disparu. John n'avait pas le moral quand ils regagnèrent une nouvelle fois Sydney avant de prendre la direction de l'arrière-pays. Une année s'écoula sans le moindre signe de Rose. Ses voyages lui démontrèrent l'impossibilité de sa tâche. L'Australie était un pays immense; au-delà des montagnes et des déserts s'étendaient des milliers de kilomètres qu'il n'arpenterait jamais.

Rose demeura dans son cœur mais, un soir sans lune, il finit par chercher du réconfort dans les bras de Tina, sur la piste des wallabys alors qu'il avait bu trop de rhum et était convaincu qu'il ne retrouverait jamais son amour perdu.

Quand il se réveilla le lendemain matin sous leur tente de fortune humide, il regarda sa compagne endormie. Sans être Rose, elle lui ressemblait par bien des côtés: Tina était une femme loyale et forte, d'une volonté qui ne fléchissait devant aucun homme. Oui, il avait de la chance de l'avoir, même si elle ne comblait pas tout à fait son cœur.

Tina ouvrit les yeux. Son amour brillait tellement dans ses pupilles que cela remua quelque chose en lui. Il pencha la tête et l'embrassa, inspira le parfum musqué de ses cheveux, entendit le tintement de ses bracelets qui glissèrent le long de son bras quand elle lui rendit son baiser.

— Il n'y aura ni *pliashka*, ni *tumnimos*, ni *zheita*, la prévint-il.

— Je n'ai pas besoin de fiançailles ou de mariage. Quant à porter la mariée pour franchir le seuil de la maison, la mienne se trouve où tu es, c'est-à-dire ici.

Elle posa sa petite main sur le torse de John, pile sur son cœur. Il enfouit son visage dans le cou de la jeune femme pour qu'elle ne voie pas la honte dans son regard.

20

Rose sourit quand le fils aîné d'Isabelle l'embrassa sur la joue et sortit en courant de la pièce. Il avait la beauté de son père, sans les défauts fort heureusement. Il ferait un bon mari pour son indomptable fille Muriel.

Dans un soupir, elle regarda par la fenêtre de la maison en pierre bleue. Les cheveux roux de Muriel étaient bien assortis à sa nature fougueuse. Il fallait dire que les fils des viticulteurs voisins l'appréciaient beaucoup mais son comportement scandaleux dans leur communauté luthérienne très soudée donnait des cheveux blancs à Rose et à Isabelle. Contrairement à Emily sa jumelle, Muriel ne ménageait pas les susceptibilités des autres : elle aimait sortir en boghei tard le soir, flirter et danser dans les bals de campagne. Peut-être que Henry, à la fois timide et posé, saurait la canaliser. Amoureux d'elle depuis toujours, il attendait patiemment son heure.

Isabelle entra en trombe dans la pièce. Ses cheveux bruns grisonnaient, sa taille fine s'élargissait et, malgré sa robe en coton bon marché et ses mains usées par le travail, on devinait ses bonnes manières.

— Alors ?

Rose hocha la tête.

— Il va y avoir un mariage.

— J'espère que ce n'est pas une nouvelle tocade de Muriel, remarqua Isabelle, les sourcils froncés. Henry l'aime tant, je ne voudrais pas le voir souffrir.

Rose posa la main sur le bras de son amie. Elle ne se faisait pas d'illusions sur sa fille mais elle croyait sincèrement que ce mariage avec Henry calmerait cette dévergondée et lui apporterait bonheur et équilibre.

— Ils sont assez grands pour savoir ce qu'ils font, affirma Rose.

— Je suis contente que nos familles soient officiellement unies. Mais pour être honnête avec toi, j'aurais davantage parié sur Henry et Emily. Ils sont tellement paisibles et passionnés par le vignoble. Et puis ils passent beaucoup de temps ensemble. D'ailleurs, je me suis souvent demandé si Emily ne ressentait pas plus que de l'amitié pour mon fils.

Rose écarta ses doutes. Emily était peut-être calme mais, derrière ces yeux sombres et brûlants, se cachait une jeune femme déterminée. Si elle avait voulu Henry, elle l'aurait eu depuis longtemps.

Bras dessus bras dessous, les deux femmes d'âge mûr quittèrent la maison et se promenèrent sous la brise chaude au milieu des jacarandas. Ce rituel du soir avait commencé quinze ans plus tôt et leur permettait de discuter de la journée écoulée tout en planifiant celle du lendemain.

La plantation de tabac destinée à les couvrir en cas de mauvaise année prenait plus de place et, à présent, un grand hangar destiné au séchage des feuilles occupait le sud du paddock. Elles restaient là tout l'été avant de partir en mer vers l'Europe.

Le potager prospérait. La plupart des légumes étaient vendus au marché de Nuriootpa où les ouvriers des mines de Kapunda venaient s'approvisionner. Dans ce même marché, les femmes achetaient des tissus et des fils, des casseroles et des poêles, etc.

La qualité de leurs grappes s'améliorait d'année en année mais aucun cep n'avait atteint l'âge honorable de soixante-dix ans quand ils donnaient le meilleur d'eux-mêmes.

Leur voisin lointain, un colon allemand du nom de Johann Gramp et qui parlait douze langues, avait vu le premier le potentiel de cette merveilleuse région après qu'elle avait été arpentée par lord Lyndock dans les années 1830. Grâce à son argent, ses compatriotes purent se rendre dans la vallée et s'y installer. D'ailleurs, la plupart des petites villes de la région portaient un nom allemand qui tordait la langue bien plus que les dialectes aborigènes.

Son vignoble de Jacob's Creek fut l'un des meilleurs et des plus réussis de la vallée. Il avait du temps à consacrer à tous ses employés ; son expertise, sa bonhomie et ses conseils aidèrent les deux femmes à stocker et à mettre en bouteille leur vin dans les règles de l'art.

Après avoir envoyé un chariot à Adélaïde pour embaucher des marins au chômage, Rose et Isabelle firent construire des cuves géantes qui furent garnies de paraffine de manière à sceller les parois et à conserver leur fraîcheur même en pleine canicule. Quand venait le jour de les décaper en prévision des vendanges suivantes, on faisait fondre cette paraffine avant de l'appliquer à nouveau. Quant aux tonneaux, du chêne était importé d'Europe pour le vin rouge quand elles pouvaient se le permettre, sinon elles utilisaient du jarrah australien. Le porto et le xérès pouvaient être stockés dans des pièces chaudes pour l'aider à vieillir mais comme il fallait au moins quatre ans pour le premier, l'investissement en capital et en temps coûtait cher. Chaque tonneau et chaque bouteille devaient être rangés à la main dans des tunnels sombres sous terre et tournés régulièrement en attendant leur départ pour Adélaïde.

Les vendanges de 1871 furent les meilleures de toutes si bien que le festival de la vallée de Barossa battit son plein cette année-là. Depuis la véranda du magasin d'alimentation, Rose et Isabelle regardaient les habitants et la fanfare défiler. Les longs mois d'incertitude se trouvaient derrière elles, les grappes pressées fermentaient dans leurs cuves. Vu que les livres de comptes affichaient plus de lignes noires que de rouges, elles commencèrent à planifier le mariage de Muriel et d'Henry l'été suivant.

La fanfare jouait faux et la grosse caisse était assourdissante.

Rose plaquait les mains sur ses oreilles.

— On aurait pu croire qu'ils sauraient jouer depuis le temps, mais non ! hurla-t-elle.

La main en coupe sur les yeux, Isabelle désigna la fin de la parade.

— Regarde, Rose. Tu n'es pas fière de nos enfants ?

Pour une fois, Emily et Muriel montaient toutes les deux en amazone, leurs belles tenues noires d'équitation drapées sur la croupe des chevaux. La robe des animaux brillait au soleil après des heures de pansage. Apparemment, ils aimaient être le centre d'attention car ils levaient les sabots en musique.

Crinières et queues tressées portaient des rubans ; les filles allaient la tête haute, leur impertinent petit chapeau incliné sur leur front. À leurs côtés avançaient deux beaux jeunes hommes, Henry et Albert, tout sourire, leur monture espiègle bien en main.

— Oui, quel tableau magnifique, murmura Rose. Ce serait merveilleux si…

Sa voix plongea dans le silence au moment où le défilé passait devant elles.

— Je sais à quoi tu penses, Rose, mais Albert et Emily préfèrent rester amis. D'ailleurs, je n'aimerais pas qu'ils compromettent leur avenir en commettant la même erreur que moi. Il y a trop de regrets ensuite.

Croyant avoir vu quelque chose, Rose ne l'écoutait plus. Elle scruta le nuage de poussière soulevé par le défilé de pieds et de sabots, espérant que ses yeux l'aient trompée, que le passé ne l'avait pas rattrapée après toutes ces années. Pourrait-elle lui faire face ?

La petite ville reculée grouillait de négociants en vins et de vendangeurs, d'ouvriers agricoles et de viticulteurs, de marchands et de curieux. Quand la poussière retomba, ils remontèrent à cheval ou dans leur boghei et se rendirent dans le pâturage de Jacob's Creek où un barbecue arrosé de vin et de bière les attendait.

Sourde au bavardage d'Isabelle, Rose dévisageait les passants, son cœur battait dans ses oreilles, son pouls dans sa gorge.

— Rose ? s'exclama Isabelle en la tirant par la manche. Rose, que se passe-t-il ? Tu es toute blanche.

Sans un mot, elle souleva le bas de sa jupe et descendit lentement de la véranda. La chaleur miroitait et dansait sur les tuiles des toits, le vent soulevait la fine poussière de la piste piétinée, le charivari s'estompait derrière le bruit des bogheis mais elle n'avait d'yeux que pour une chose, d'oreilles que pour un son, d'attention que pour une personne.

Ils se croisèrent au milieu de la large rue. On aurait dit que la ville avait disparu autour d'eux, que personne d'autre n'existait au monde.

— John? murmura-t-elle. C'est toi?

— Rose. Ma douce, ma chère Rose. Enfin je te retrouve.

Il prit ses mains dans les siennes et, dans un silence absolu, ils se dévorèrent des yeux.

Rose remarqua à quel point il avait changé – disparu le garçon insouciant! L'homme devant elle avait les tempes argentées, les cheveux longs et une fringante moustache qui lui couvrait la lèvre. Il était encore fluet sous son resplendissant costume, les épaules fermes, les jambes droites et fines. En revanche, ses yeux n'avaient pas changé: sombres, aux longs cils, avec une profondeur qui semblait happer Rose, ils la regardaient toujours avec amour.

— Je n'arrive pas à croire que tu sois là, s'étonna-t-elle avant de retirer ses mains.

Consciente du regard d'Isabelle sur elle et de l'animosité à peine dissimulée de cette femme plus loin sur la promenade en planches, Rose se sentit soudain empotée.

— Rose, sais-tu depuis combien de temps je te cherche? As-tu idée du nombre d'années pendant lesquelles je t'ai attendue?

Elle recula d'un pas.

— Je vis dans ce pays depuis plus de vingt-cinq ans, bredouilla-t-elle tandis que les vieux sentiments ressurgissaient. Jamais je n'aurais cru te revoir un jour. Jamais je n'aurais rêvé que tu me suives.

— Et, maintenant, il est trop tard, soupira-t-il, les yeux rivés sur son alliance et celle de Rose. Tu l'aimes, dis? Te rend-il heureux?

À quoi bon lui avouer qu'elle était veuve? Les yeux brouillés par les larmes, elle fit oui. Son visage résolu était marqué par le regret.

— Mais je n'ai jamais aimé personne autant que toi. Tu étais toujours dans mon cœur, chuchota-t-elle.

— Tu nous présentes?

La voix aiguë les éloigna l'un de l'autre. Les yeux noirs et inquisiteurs fixèrent Rose tandis que la femme planta une main possessive dans celle de John.

— Voici mon épouse, Tina. Tina, voici Rose.

Celle-ci remarqua la riche étoffe de sa robe, la dentelle crème de son ombrelle et de ses gants. Aussi hâlée que son mari, Tina avait les pommettes hautes des Tsiganes. Rose se rappela une fillette qui courait dans le foin pendant les moissons. Elle fit un signe de tête et reçut un examen minutieux en échange.

— Max attend, John. Il veut nous conduire au pique-nique.

Elle le tira légèrement par le bras. La répugnance de John à la suivre se voyait à sa grimace et à ses sourcils froncés.

— J'ai quatre garçons, déclara-t-il comme s'il voulait grappiller quelques instants de plus avec Rose. Seul Max et ma fille Teresa nous accompagnent aujourd'hui. Les trois autres s'occupent de mes investissements à Adélaïde.

— Quel genre? s'enquit Rose, la voix posée, le ton poliment intéressé malgré le tumulte qui grondait en elle.

Elle mourait d'envie de l'avoir pour elle toute seule afin de rattraper le temps perdu, de le manger des yeux avant qu'ils ne soient à nouveau arrachés l'un à l'autre.

— Nous possédons l'un des plus grands entrepôts de marchandises d'Adélaïde, ainsi qu'un autre à Sydney et encore un à Melbourne, l'interrompit Tina avec fierté. Nous fournissons la plupart des villes de l'arrière-pays, mais aussi les ranchs plus au nord et, à la fin de l'année, nous ouvrirons notre premier grand magasin à Adélaïde. C'est la raison de notre présence ici: choisir des vins. Mais, bien entendu, il doit être le meilleur possible car nos clients viennent de la haute société, conclut-elle, l'air dédaigneux.

Souriante dans sa robe et son chapeau faits maison, Rose ne fut absolument pas vexée par sa malveillance.

— Je suis contente que vous ayez réussi, murmura-t-elle au moment où Isabelle traversait la rue pour les rejoindre.

Une fois les présentations effectuées, les deux amies refusèrent de les accompagner en boghei jusqu'aux festivités.

Quand le cabriolet passa devant elles, Rose remarqua le regard insistant de John ainsi que son fils Max, son portrait craché. Son cœur s'emballa quand ses souvenirs d'enfance remontèrent à la surface. Un coup d'œil, et elle sut que John trouverait le moyen de la revoir en tête à tête. Elle en rêvait tout en appréhendant cet instant, car le temps avait filé et jamais ils ne rattraperaient leurs sentiments d'autrefois. Ils n'avaient simplement plus le droit de s'aimer.

Isabelle demeura étrangement silencieuse tandis qu'elles rejoignaient le barbecue de leur côté.

Les vignerons de Barossa savaient faire la fête. Jacob's Creek étincelait pendant que couvertures et paniers recouvraient l'herbe verdoyante sous les arbres pleureurs. Au loin, une course de chevaux se déroulait dans le *bush*. Les tables croulaient sous la nourriture et le vin, les barriques de bière s'alignaient sous un chapiteau. Les célébrations dureraient jusqu'à l'aube, des braseros et des lanternes suspendues aux arbres éclaireraient la nuit.

Rose et Isabelle remontèrent leurs manches et servirent à tour de bras. Toutefois, quand elle leva la tête lors d'une pause, Rose remarqua qu'Emily et Max étaient assis un peu trop près l'un de l'autre dans l'herbe, leurs têtes brunes se frôlant tels des conspirateurs.

Elle fronça les sourcils. Il s'agissait là d'une complication qu'elle n'avait pas anticipée. Mais quoi leur dire? Tandis que l'indécision la tenaillait, elles furent rejointes par Muriel, Henry et Albert, lequel montra un intérêt certain pour Teresa. Elle regarda ses enfants tour à tour et se mordit la lèvre. « Une belle pagaille en perspective », pensa-t-elle, contrariée.

Elle prit une profonde inspiration; elle se faisait une montagne de pas grand-chose. Ces jeunes s'amusaient tout bonnement après un long été à travailler, comme elle à leur âge lorsqu'un petit flirt innocent mettait du piment dans sa vie. Et puis John ne resterait pas à Barossa. Il avait son entreprise à Adélaïde et son adorable épouse ne s'attarderait pas ici plus que nécessaire.

Un coup de trompette la fit sursauter : les bûcherons pouvaient prendre place avant la compétition. Elle ôta son tablier. Henry et Albert concouraient et tous deux espéraient ramener un nouveau trophée.

Isabelle la rejoignit derrière la corde. Des acclamations s'élevèrent quand les six concurrents pour le premier round entrèrent dans le ring. Le bel inconnu aux cheveux noirs attira des murmures d'approbation parmi les jeunes filles et, sous les yeux écarquillés de Rose, il enleva sa chemise et banda les muscles de son dos et de ses épaules. Max ressemblait trait pour trait à son père, au point qu'elle souffrait de le regarder.

Elle jeta un coup d'œil à Emily. Les lèvres entrouvertes, les pommettes roses, sa fille se tenait à l'autre bout de l'enclos, les yeux rivés sur Max qui s'attachait les cheveux à la manière de son père. Un peu plus loin, Muriel demeurait impassible mais Rose savait lire en elle et eut peur. Elle connaissait cette expression qui ne présageait rien de bon.

Incapable de la rejoindre à cause du nombre de spectateurs, Rose dut prendre son mal en patience. Elle s'imaginait des choses, se réprimanda-t-elle. Toutes les filles dévoraient Max des yeux, au grand dégoût des jeunes hommes présents.

Les arbres sélectionnés étaient marqués à la craie. Le soleil brillait sur la hache aiguisée des six hommes. Nouveau coup de trompette : ils levèrent leur outil et, quand ils l'abattirent sur les troncs, les vibrations tremblèrent le long de leurs bras musclés. Les épaules luisantes de sueur, ils frappaient le bois épais et l'écorce volait. Dès qu'une profonde entaille triangulaire fut réalisée dans le tronc, ils cognèrent de l'autre côté en toute hâte.

Les haches tintaient. Les éclats de bois fusaient au-delà des épaules nues et des bras luisants tandis que la foule grondait.

Max et Henry étaient à égalité, leur arbre geignait déjà. Encore un coup de hache, et ils reculèrent. La foule retint son souffle. Max et Henry s'enlevèrent vite du chemin. Les arbres vacillèrent, les feuilles remuèrent. Puis, dans une gracieuse révérence, ils s'effondrèrent. Après avoir gagné de la vitesse, accompagnés d'un nuage de poussière et de débris, ils heurtèrent le sol dans un bruit sourd. La foule attendait…

Finalement, le juge prit les deux jeunes hommes par la main et les leva toutes les deux. Match nul.

Isabelle éclata de rire quand Max fut assaillie par ses admiratrices mais Rose, elle, vit la manière dont Emily joua des coudes et piétina des souliers pour le rejoindre la première. Elle remarqua le sourire de Max quand il planta un baiser sur sa joue et la prit par la taille.

— On dirait qu'Emily a un admirateur, déclara Isabelle.

— Elle se comporte de manière outrageuse, marmonna Rose. J'aurai un mot à dire à cette jeune demoiselle quand elle rentrera à la maison.

Isabelle haussa les sourcils.

— Elle prend exemple sur sa sœur, murmura-t-elle. Dis, tu n'es plus amoureuse de John ? Cela ne ravive pas certains souvenirs ?

— Ne sois pas idiote ! rétorqua-t-elle, consciente que son amie avait peut-être raison.

Elle avait remonté le temps et se rappelait parfaitement bien de ses sentiments pour John. À présent, sa fille s'engageait sur la même voie et la voir avec Max la rendait malade.

— Muriel se comporte assez mal sans que sa sœur soit obligée de l'imiter. Tu sais comment sont ces luthériens allemands – ils nous le rabâcheront toute notre vie.

La trompette retentit à nouveau et la foule abandonna l'enceinte aux concurrents. Les grands troncs gisaient sur le sol à présent, les branches avaient été coupées pour leur faciliter la tâche. Max et les deux fils d'Isabelle rejoignirent les autres, leur longue scie dentelée à la main. On lança les paris, l'argent changea de poche car Max était devenu le favori après la précédente épreuve. Albert et Henry foudroyaient du regard le nouveau venu. C'était leur compétition et il leur volait leur gloire annuelle.

La foule se tut quand les hommes posèrent leur scie sur l'écorce rugueuse et attendirent. Coup de trompette, et le premier grincement ricocha dans la clairière. Le visage de Henry trahissait sa détermination. Albert travaillait à côté de lui sur un autre morceau de bois, l'air lugubre, ses cheveux blonds collés sur son front. Max maniait son outil presque sans effort, comme on coupe du beurre avec la lame chaude d'un couteau.

Les spectateurs grognèrent quand la scie d'Henry se coinça. Max et Albert accélèrent la cadence. Les deux hommes reculèrent, mais ce fut Max qui termina le premier et remporta le trophée.

Rose s'éloigna quand les filles se ruèrent à nouveau dans l'arène. Elle ne supportait plus de les voir.

L'atmosphère était paisible loin de la compétition. Rose se rendit au ruisseau, ses longues jupes balayaient les herbes hautes. Quand elle fut assez loin, elle s'assit à l'ombre d'un faux-poivrier et ôta son bonnet, ses bottes et ses bas. Elle mit les pieds dans l'eau; les ondulations reflétaient le soleil et effrayaient les petits poissons qui nageaient autour des galets.

— Tu le faisais déjà à Alfriston, remarqua John venu s'asseoir auprès d'elle. C'est étrange de voir le passé revivre dans le présent, comme si des semaines et non des années s'étaient écoulées.

Rose le regarda. Sa présence ne l'avait pas surprise. Elle savait qu'il l'observait et cherchait un moyen d'être seul avec elle.

— Le passé se trouve dans un autre pays, John. Un pays où nous étions jeunes et où notre société appliquait d'autres règles. Cela ne nous fera aucun bien d'essayer d'y revenir.

Pendant le long silence qui s'ensuivit, tous deux contemplèrent l'eau miroitante.

— J'aurais dû venir plus tôt, murmura-t-il. J'avais l'argent mais j'en voulais plus. Afin de t'offrir ce que tu n'avais jamais eu.

Elle chassa ses larmes.

— Le soleil sur l'eau m'aveugle, pas toi?

John posa sa main chaude sur ses doigts.

— Pourquoi t'es-tu enfuie, Rose? Tu savais pourtant que je reviendrais te chercher?

Elle retira la main de sous la sienne.

— Je l'ignorais, répliqua-t-elle. Tu ne m'as jamais dit ce que tu ressentais. Tu es resté à Londres pendant des mois sans me donner de nouvelles. Comment aurais-je pu deviner?

Il se lissa la moustache.

— À la manière dont je me comportais avec toi, je suppose. Je ne suis pas bavard. J'ai cru que nous n'avions pas besoin de mots.

Elle enfila ses bottes et fourra ses bas dans sa poche puis se leva et brossa l'herbe collée à sa jupe.

— Je n'ai jamais cessé de penser à toi, John. Tu demeurais au plus profond de moi, dans le coin le plus secret. Mais nous sommes différents aujourd'hui. Nous avons grandi, mûri. Nos familles sont sur le point de s'envoler. Ne détruis pas cela, John.

Il se leva à son tour et enfonça son chapeau en feutre sur son crâne. Le regard impénétrable, il tourna son visage fort et brun vers elle.

— Loin de moi l'idée de détruire quoi que ce soit ! Je t'aime, Rose. Je t'ai toujours aimée.

Les yeux fermés, Rose vacilla vers lui. La chaleur de la terre, le chuchotement des feuilles vert pâle du faux-poivrier et le bourdonnement paresseux des mouches semblaient leur chanter une envoûtante sérénade. Blottie dans ses bras, elle eut l'impression de pénétrer dans un monde magique.

John déposa un baiser sur sa joue. Il avait toujours la même odeur – ces parfums familiers qu'elle avait emportés avec elle lors du long et effrayant voyage vers ces côtes lointaines. Dire qu'elle avait bataillé pour bannir ces souvenirs…

Elle s'arracha à son étreinte, tituba dans l'herbe, à la fois horrifiée et blême.

— Nous ne devrions pas, c'est mal, haleta-t-elle.

Il lui attrapa les bras.

— Comment cela peut-il être mal, Rose ? Nous sommes faits l'un pour l'autre !

— Tu as une femme, des enfants, une entreprise. Bien sûr que c'est mal. Il est trop tard. Bien trop tard.

Dans les yeux de John brillaient des larmes qu'il se retint de verser.

— Trop tard, répéta-t-il, la voix troublée par l'émotion. Ce sont les mots les plus tristes qu'un homme puisse entendre.

Rose recula de plusieurs pas. Puis refusant de prolonger cette agonie, elle retourna en courant au pique-nique. Elle avait besoin d'être entourée de gens et de bruit pour la distraire et oublier sa tristesse. Elle avait besoin de temps pour reprendre ses esprits.

Après le festival, les heures et les jours s'égrainèrent et les habitants de la vallée reprirent leur routine – désherber, planter, biner, arroser... Le vin des récoltes précédentes fut vendu dans les villes et expédié en Europe. Les cuves furent asséchées, la cire fondue puis nettoyée en prévision de l'année suivante. Et, à la grande consternation de Rose, John Tanner et sa famille louèrent des chambres dans le seul hôtel de Langmeil avec l'intention de rester quelque temps.

Max se rendait régulièrement à Jacaranda. Dans un premier temps, les fils d'Isabelle lui montrèrent une certaine animosité mais ils finirent par l'accepter, sans compter qu'il s'intéressait au vignoble et à la viticulture. Jour après jour, il les suivait sur les terrasses, les aidait à ériger des coupe-vent, apprenait à distinguer les différents raisins et le vin qu'ils produisaient. Il errait des heures entières dans les caves, respirait le parfum acide et riche des grappes en train de fermenter pendant qu'on lui en expliquait le processus. Il contrôlait la qualité des vins, vérifiait leur excès ou leur manque d'acidité, cherchait l'arrière-goût aigrelet qui ne conviendrait pas au palais des riches colons et des Européens.

Rose assista à la naissance d'une profonde amitié entre Henry, Albert et Max, lequel apprenait à une vitesse incroyable. Plus tard, il serait un vigneron aguerri, prédit-elle, car il avait un talent inné pour déterminer la date précise d'un cru où mettre le vin en bouteille.

Par ailleurs, l'intérêt que lui portait Emily la contrariait. La jeune femme se rendait trop souvent dans les champs sous prétexte par exemple d'apporter le déjeuner aux garçons. Max retournerait bientôt à Adélaïde avec ses parents et, même si Emily et lui semblaient s'apprécier, Rose pressentait que les sentiments de sa fille n'étaient pas réciproques.

Deux mois plus tard, Rose reçut un message de John. Sa famille et lui repartaient à Adélaïde. Bien qu'elle ait œuvré pour éviter tout contact, elle ne redouterait plus de le croiser par hasard. Ils s'étaient dit ce qu'ils avaient à se dire. Une amitié était impossible : ses sentiments pour elle demeuraient trop forts.

Le matin de leur départ arriva. Rose se leva et tira les rideaux. Le ciel couvert promettait de belles averses. Ce ne serait pas le jour idéal pour voyager. Elle se lava, s'habilla et alla frapper à la chambre des filles. Beaucoup de travaux les attendaient aux champs et elle voulait commencer de bonne heure afin de ne plus penser au départ de John.

Elle ouvrit la porte. Emily s'étira, ses cheveux sombres étalés sur l'oreiller, les yeux ensommeillés. Rose regarda l'autre lit.

— Où est Muriel ? gronda-t-elle.

Ce n'était pas dans ses habitudes de se lever tôt et de faire son lit. Une première !

Dans un bâillement, Emily écarta les cheveux de son visage, grimaça.

— Elle doit être avec Henry. Ils avaient prévu de finir les coupe-vent avant la pluie.

Bien que mal à l'aise, Rose ne répondit pas.

— Dépêche-toi. Le petit déjeuner va refroidir.

Elle ferma la porte et, après quelques secondes de réflexion, alla frapper à la porte des garçons. Elle l'entrouvrit et appela :

— Henry ? Tu es là ?

— Oui, répondit une voix endormie. Qu'est-ce qu'il y a ?

— Henry ? insista Rose qui entra.

Ses cheveux ébouriffés sortirent de sous les draps tandis qu'Albert ronflait dans l'autre lit.

— Il y a un problème, tante Rose ?

— Non, non. Le petit déjeuner est prêt et nous avons du pain sur la planche aujourd'hui. On dirait qu'il va pleuvoir.

Elle ne vit pas la nécessité de l'inquiéter. Pour quelle raison d'ailleurs ? Elle referma la porte et se précipita au rez-de-chaussée.

La cuisinière avait épousé un colon libre qui cultivait ses propres terres le soir après sa journée à Jacaranda. Elle mit la poêle sur le fourneau et posa la bouilloire sur la table, son visage rond en sueur à cause de la chaleur du feu.

— As-tu vu Muriel ce matin, Agnès?

— Non, mais il me manque la moitié du mouton, du fromage, du pain et la moitié du cake aux fruits que j'ai fait hier, grommela-t-elle tout en cassant des œufs dans la grande poêle brûlante. Henry et Albert n'ont pas un appétit de cette taille. À mon avis, on a eu un visiteur dans la nuit.

Rose posa la main sur son épaule avant de sortir par la porte de derrière. Une fouille rapide des granges révéla l'absence du cheval de Muriel. Bizarrement, elle ne se trouvait ni sur les terrasses, ni dans les champs.

Rose rentra. Ébranlée par le doute, elle retourna dans la chambre de ses jumelles. Ignorant les protestations et les questions d'Emily, elle ouvrit en grand les tiroirs. Puis, dans un silence amer, elle tira le rideau devant la penderie des filles. Toutes les robes de Muriel avaient disparu. Rose s'effondra sur le lit et enfouit son visage dans ses mains.

— Que se passe-t-il, maman? s'inquiéta Emily.

Rose se frotta le visage et regarda sa belle fille aux cheveux bruns.

— Je ne sais pas, Emily. Mais j'ai de gros soupçons.

— Henry et elle se sont enfuis? suggéra-t-elle, pleine d'espoir. Muriel trouve les fugues si romantiques.

L'expression de Rose était aussi lugubre que ses pensées.

— Henry dort encore. Ta sœur est partie mais pas avec lui.

Blême, Emily s'enfonça dans son lit.

— Elle n'a pas…

La jeune fille n'eut pas besoin de finir sa phrase.

— C'est impossible! Même Muriel ne ferait pas cela! Dis?

Ses yeux bruns et écarquillés trahirent sa peur.

— Je l'ignore, mais je ne vais pas tarder à découvrir la vérité.

À mi-chemin dans l'escalier, elle entendit un bruit de sabots au-dehors. Elle se rua à la porte; le doute fit place à l'abattement. John s'avançait sur un hongre écumant et agitait une feuille de papier.

— J'ai trouvé ceci, pantela-t-il avant de descendre de cheval. Je suis venu aussi vite que j'ai pu.

Rose parcourut le mot rédigé à la hâte puis le froissa dans sa main.

— Comment ont-ils osé? gronda-t-elle. Comment ont-ils osé faire cela à Emily?

De colère, elle lui jeta la lettre au visage.

— Tu aurais dû l'en empêcher! hurla-t-elle. Le dissuader de prendre la fuite avec ma fille! Elle est fiancée. C'était Emily qui était amoureuse de Max.

Des larmes de rage ruisselaient le long de ses joues.

— Nous l'ignorions, avoua-t-il. Comment aurions-nous su? Il venait ici pour apprendre le travail de la vigne. Et puis je pensais qu'il faisait la cour à Emily. Pas à sa sœur.

Il se tut. Les bras ballants, il cherchait une manière d'apaiser Rose.

Isabelle apparut sous la véranda.

— Il courtisait Emily, confirma-t-elle. Il lui faisait les yeux doux, la laissait croire qu'il éprouvait des sentiments pour elle. Je n'ai pas réussi à les éloigner l'un de l'autre.

Les sourcils froncés, John scruta son visage furieux.

— Les éloigner? Pourquoi? Je me réjouissais que nos enfants puissent vivre heureux ensemble. Il est trop tard pour Rose et moi, mais la génération suivante nous aurait rapprochés.

L'attaque venimeuse d'Isabelle le perturbait. Détestait-elle son fils à ce point?

— Isabelle? intervint Rose d'une voix hésitante. Qu'as-tu contre Max? Je sais que Muriel et lui n'auraient pas dû s'en aller ainsi et briser les cœurs d'Henry et d'Emily, mais...

— Épargne-moi les violons, s'il te plaît. Cela n'a jamais été possible entre John et toi et cela ne le sera jamais.

Elle s'interrompit quand les deux autres la dévisagèrent, interloqués. Effrayée, Rose la prit par les bras et la secoua.

— Que veux-tu dire, Isabelle? Que se passe-t-il? Pourquoi nous parles-tu ainsi?

Livide, Isabelle demeura silencieuse au point de leur donner des frissons. Rose la secoua à nouveau et insista, glaciale:

— Qu'entends-tu par « cela n'a jamais été possible »?

Isabelle se réfugia à l'autre extrémité de la véranda. Elle croisa les bras. Elle semblait chercher à contenir une profonde angoisse.

— Je ne trouve pas les mots pour vous le dire, chuchota-t-elle enfin. Il est impossible de briser le cœur de quelqu'un gentiment...

Ses yeux remplis de larmes, assombris par la douleur, elle les examina tour à tour.

John prit la main de Rose et la serra fort dans la sienne. Il tremblait de tout son corps, comme si le fantôme de ses ancêtres l'effleurait.

— Pour l'amour de Dieu, Isabelle, qu'as-tu de si grave à nous dire? murmura-t-il avec crainte.

— Une malédiction pèse sur toute union entre les Tanner et les Fuller.

Ces mots le poignardèrent tandis que Rose poussa un petit cri aigu et s'effondra dans ses bras.

— Non, gémit-il. Dis-nous que ce n'est pas vrai! Je l'aurais su. *Puri daj* me l'aurait dit.

— C'est ta chère *puri daj* qui a encouragé ta mère à mettre cette malédiction en place, cracha Isabelle. Je n'ai jamais cru en cette histoire jusqu'à ce que tu surgisses ici et que Muriel et ton fils nous trahissent. Elle existe bel et bien.

— Ma mère? s'étonna-t-il. Qu'a-t-elle à voir dans tout cela?

Isabelle leur tourna le dos. Elle ne supportait pas de lire tant d'angoisse dans leurs yeux. Il avait tellement aimé Rose, au point de la chercher à l'autre bout du monde. Aujourd'hui, toutes ces croyances s'effondraient et la douleur était à la limite du supportable.

— Tu mens! cria Rose. Comment sais-tu de telles choses?

La main de John était son seul ancrage à la réalité. La voix d'Isabelle semblait étouffée par la peine.

— Max, le père de John, a eu une aventure avec ta mère, Rose. Peu après l'accident du petit David. La mère de John se mourait à la suite d'une infection aux poumons contractée après l'avoir mis au monde. Max et ta mère avaient l'intention de s'enfuir. Elle attendait un enfant de lui.

En deux pas, Rose traversa la véranda et gifla son amie de toutes ses forces.

— Menteuse, hurla-t-elle. C'est faux. Tu mens!

Isabelle ne bougea pas d'un centimètre, la marque des doigts de Rose pâle sur sa joue.

— La mère de John les a surpris en train de comploter. C'est elle qui a jeté un sort sur la moindre union entre les deux familles. Elle n'a jamais pu pardonner sa trahison à Max et le déshonneur qu'il infligeait à sa noble famille. La dukkerin a donné sa bénédiction à ta mère mais elle n'avait pas le pouvoir de lever la malédiction quand elle a vu que vous tombiez amoureux.

— Tu mens! tempêta Rose qui commençait néanmoins à la croire.

— Max et ta mère ont essayé de contourner le sort en mettant un terme à leur histoire. Ta mère est retournée auprès de Brendon qui lui a pardonné. Il souhaitait donner son nom à l'enfant et protéger sa famille du scandale mais le destin en a voulu autrement. Le bébé souffrait de terribles maux à sa naissance; il est mort deux jours plus tard. La malédiction avait fait son œuvre: ils en avaient la preuve flagrante.

En silence, tous trois pensèrent à la femme mourante et à la terrible sanction qu'elle avait édictée à l'encontre de ceux qui avaient trahi sa confiance et humilié sa tribu.

— Kathleen s'est confessée à mon père avant de quitter Wilmington, continua Isabelle. Elle avait toujours eu l'intention de retourner en Irlande et de te confier à nous dans l'espoir que la malédiction la suivrait et t'épargnerait. Avant de mourir, papa m'a écrit une longue lettre dans laquelle il m'expliquait votre histoire. C'était à moi de décider si je vous en parlais ou non. Jusqu'à aujourd'hui, je n'en avais pas vu l'utilité, soupira-t-elle. Je ne crois pas aux mauvais sorts et aux mises en garde gitanes. Mais après ce qui est arrivé ce matin, j'ai peur que ces idioties ne le soient pas tant que cela.

Paralysée, Rose l'observait, le visage de marbre, les larmes dégoulinant sur ses joues rougies.

— Je ne t'ai rien dit parce que je t'aime; je vois en toi une sœur plus qu'une amie, sanglota Isabelle. Pourquoi te blesser davantage quand ta mère est partie et ne t'a plus jamais donné de nouvelles? Pourquoi te révéler ce terrible secret quand

John se trouvait en Angleterre et que vous ne vous reverriez probablement jamais?

Elle tira Rose par la manche.

— J'ai agi pour le mieux, tu comprends? Comment aurais-je pu savoir ce que l'avenir nous réservait?

Rose s'effondra. Ils souffraient tellement tous les trois et elle aimait trop Isabelle pour ne pas lui pardonner son silence.

John leva les yeux au ciel. Les dernières étoiles brillaient alors que l'aube naissait. Il frissonna en repensant aux paroles de sa grand-mère Sarah:

— Quand Orion régnera sur les cieux et les Gémeaux seront divisés, tu sauras quel terrible prix tu devras payer pour avoir défié la fatalité et ignoré mes mises en garde, marmonna-t-il entre deux sanglots. Grand-mère a essayé de me prévenir mais je n'ai pas voulu l'écouter. Pourquoi ne pas me l'avoir dit directement?

Rose se recroquevilla, glacée jusqu'au sang.

— Peut-être avait-elle peur des pouvoirs de ta mère et honte de son incapacité à les contrer? murmura-t-elle.

— Je ne comprends pas son silence. Elle savait à quel point je t'aimais, Rose, et que rien ne m'empêcherait de te retrouver.

Rose eut soudain pitié de lui.

— Nous devons les rattraper avant qu'il ne soit trop tard, décréta Rose. Ils ne peuvent pas se marier, John. La malédiction risque de les détruire, eux et leurs enfants.

— Et si on ne les retrouve jamais? demanda John, le visage gris, le regard éteint sous ses sourcils noirs.

— Cela est entre les mains du destin. En tout cas, malédiction ou non, Muriel ne sera pas la bienvenue ici après son affront à sa sœur et à son fiancé.

On aperçut les deux fuyards mais aucune piste ne se concrétisa. Finalement, ce fut avec un mélange de tristesse et de soulagement que Rose apprit le départ de John et de Tina pour Adélaïde.

Emily demeura inconsolable pendant des mois. Elle errait dans la maison, sur les terrasses comme une âme en peine.

Henry travailla plus dur que jamais, passa nuit après nuit sur les comptes… Cloîtré dans son malheur, il refusait tout conseil. Puis, au bout d'une année, Emily et lui se consolèrent dans les bras l'un de l'autre et se marièrent dans la petite église luthérienne construite près de Jacob's Creek.

Une autre année s'écoula sans nouvelles de Muriel et de Max. Albert effectua sa visite annuelle à Adélaïde afin d'expédier le vin en Europe et leur apprit à son retour qu'il épouserait Teresa, la fille de John, l'été suivant.

L'amitié entre Isabelle et Rose se renforça et elles accueillirent la nouvelle avec bonheur et soulagement. Rose et John seraient enfin réunis, au moins par procuration, et elle espérait que cette nouvelle le réjouissait. Cependant, elle était préoccupée par autre chose, un événement qui les affecterait tous.

La météo cette année-là fut parfaite. Les grappes vertes abondaient en attendant que les longues journées d'été les fassent gonfler et les colorent. Rose et Isabelle prévoyaient une récolte record et cela impliquait l'embauche de bras supplémentaires. Pour l'instant, les rumeurs prétendant que le gouvernement anglais cesserait d'envoyer des détenus en Australie n'avaient rien donné de concret ; la main-d'œuvre bon marché restait donc abondante. En revanche, si l'afflux de prisonniers s'arrêtait, fermiers et viticulteurs devraient augmenter leur prix pour couvrir des dépenses inattendues et il leur serait plus difficile de soutenir la concurrence au niveau mondial.

Et puis le prix de la laine – la richesse de la colonie – s'effondra sans prévenir. Les enchères traditionnelles avaient lieu dans le quartier de Cornhill à Londres et montaient au fur et à mesure qu'une chandelle brûlait. Elles s'achevaient quand la bougie avait diminué d'un pouce. Soudain, plusieurs voix firent baisser le prix au point qu'il n'était plus rentable de l'exporter. L'impact donna lieu à un désastre. Il se répercuta sur toute l'industrie du mouton et même sur celle du bœuf. Des milliers de colons furent ruinés du jour au lendemain. Des banques coulèrent, les moutons étaient quasiment donnés et les fermiers mettaient la clé sous la porte. Peu pouvaient désormais s'offrir une pinte de bière et encore moins une bouteille de vin.

Les vignerons de Barossa et de Hunter retinrent leur souffle lorsqu'ils furent assiégés par des hommes émaciés quémandant du travail. Si la crise continuait, la colonie ferait bientôt faillite. Pourtant, à certains égards, les vignerons avaient plus de chance que les autres, car ils avaient développé diverses cultures comme le tabac et le houblon ; ils pouvaient donc entreposer leur vin et le mettre sur le marché à un moment plus propice. Contrairement au bétail, le stockage du vin ne coûtait rien et se bonifiait même avec l'âge. Cependant, si la crise durait trop longtemps, il n'y aurait pas d'argent pour replanter et payer les salaires. Chaque tonneau et chaque barrique de Jacaranda étant pleins, chaque cave remplie du sol au plafond, Isabelle et Rose se consacrèrent à leur plantation de tabac et patientèrent. Le gouverneur fut accusé de tous les maux, comme le sont souvent les hommes politiques, et on discuta longuement de ses méthodes d'attribution des terres, de ses affinités avec certains détenus... On le soupçonna même d'avoir provoqué la sécheresse et les tempêtes de l'hiver suivant. Rose et Isabelle se moquaient souvent de ces personnes qui blâmaient tout le monde sauf elles-mêmes ou le Tout-Puissant.

Cet hiver-là vit le retour de Max et Muriel. Ils arrivèrent sans prévenir tard un après-midi dans une voiture couverte de poussière tirée par deux juments alezanes. Isabelle s'était absentée quelques jours. Quand elle entendit l'équipage, Rose regarda par le rideau de tulle. Les doigts sur la bouche, elle écarquilla les yeux. Alors que Max aidait une Muriel enceinte jusqu'au cou à descendre de voiture et la guidait en haut des marches de la véranda, Rose ne ressentit que du dégoût pour leur comportement envers Henry et Emily. Elle ne souhaitait nullement leur parler et encore moins les voir. Toutefois, elle ne pouvait décemment pas les laisser sur le perron.

Elle entrouvrit la porte mais laissa la moustiquaire entre eux.

— Que voulez-vous? demanda-t-elle froidement.

— Te voir, maman, murmura Muriel. Nous allons avoir un bébé.

— Je vois cela, gronda Rose. Vous n'êtes pas les bienvenus ici après les ennuis que vous avez créés.

Muriel eut la décence de rougir et Rose remarqua le bras protecteur de Max autour de sa taille.

— Je sais et nous sommes tous les deux désolés, maman. Mais c'était la seule solution.

— Faux, tempêta-t-elle. À cause de vous, Emily a sombré dans la dépression et Henry a été couvert de honte. Les ragots et les rumeurs nous ont obligées, Isabelle et moi, à rester enfermées dans cette maison pendant plus d'un an.

— Père nous a parlé de la malédiction trop tard, déclara Max, bourru. Malgré cela, je ne regrette pas d'avoir épousé Muriel. Et puis ce ne sont que des foutaises de bohémiennes.

— Défierais-tu les lois de ton héritage gitan? s'exclama-t-elle, irritée par autant d'arrogance. Prions pour que cet enfant n'en porte pas les stigmates.

— Maman, s'il te plaît, la supplia Muriel. Peut-on entrer et s'asseoir un peu? Nous venons de très loin et je suis épuisée.

— Il y a un hôtel à Tanunda, répliqua Rose. Je vous répète que vous n'êtes pas les bienvenus ici.

— Nous n'avons nulle part ailleurs où aller, maman. Max travaillait comme responsable dans un vignoble de l'Ouest, mais les nouveaux propriétaires n'ont pas besoin de lui. J'aimerais être près de ma famille quand le bébé arrivera… Je t'en prie, ne nous chasse pas.

En voyant ses larmes et ses lèvres tremblantes, Rose se remémora l'époque où sa mère l'avait rejetée. Elle se laissa fléchir.

— D'accord. Entrez vous reposer. Mais vous partirez d'ici quelques jours. Pas question de contrarier Emily et Henry. Ils attendent leur deuxième enfant d'ici à quelques semaines et je ne veux pas non plus qu'ils vous voient.

— J'aimerais tant qu'elle me pardonne, murmura Muriel qui ôta son chapeau et ses gants avant de s'effondrer dans le fauteuil rembourré du salon.

Rose la toisa. À cet instant, elle se dit que ce voyage avait dû être drôlement difficile pour sa fière et imprudente fille.

— Elle ne te le pardonnera jamais, Muriel. Tu lui as fait trop de mal. Mais, si vous le voulez, vous pouvez emménager dans la vallée de Hunter et prendre la succession de Hans. Il est sur le point de se retirer et j'ai besoin d'une personne de confiance à Coolabah Creek.

Leurs visages s'illuminèrent. Excitation et espoir se mêlaient en eux.

— Cela signifie-t-il que tu nous pardonnes, maman?

Rose avait le cœur brisé.

— Tu es ma fille et je t'aimerai toujours. Mais ce sera difficile d'oublier le mal que tu as fait aux autres. Si vous acceptez mon offre, inutile d'en reparler. Mais ne pensez pas régler la brouille avec ta sœur. La plaie est trop profonde.

21

Sophie remit la longue lettre dans l'enveloppe. Les larmes séchaient sur ses joues tandis que le ciel s'éclairait et les pies gloussaient. « Pauvre Isabelle, se dit-elle. Avoir porté ce secret si longtemps et devoir l'annoncer ainsi. Pas étonnant que la brouille ne se soit jamais réglée. »

Elle prit la boîte en laque rouge et examina la liasse de papiers jaunis par les années. Elle comprenait à présent le pouvoir de Cornelia sur le domaine de Jacaranda. Ce séjour avait permis à sa grand-mère de rentrer chez elle, de réparer les dégâts commis plusieurs générations avant elle et de renaître tel un phénix de ses cendres. Mais il avait également servi de rite de passage à Sophie, car désormais elle avait une vague idée du plan conçu par Cornelia. Elle comprenait pourquoi il était indispensable qu'elle l'accompagne ici.

Elle repoussa les draps et se leva. Le manque de sommeil n'eut aucun impact sur sa vitalité matinale et elle attendait avec impatience la réunion du conseil.

Mais, d'abord, il fallait vendanger et récolter ce qu'ils avaient semé.

On s'activait déjà en cuisine. Betty faisait frire du bacon pendant que les hommes buvaient leur café noir. On parlait fort tout en observant le défilé de camions, voitures, motos qui se rendaient sur les terrasses. Les derniers cueilleurs arrivaient.

Cornelia était déjà installée confortablement au bout de la table, des œufs brouillés et une saucisse devant elle. Quand Sophie déposa un baiser sur sa joue, elle lui décocha un clin d'œil espiègle.

— Tu n'as pas beaucoup dormi, on dirait ! Quelque chose te tracasse ?

Un sourire aux lèvres, Sophie se versa un café et s'assit.

— J'ai lu toutes les lettres et parcouru tous les documents de la boîte en laque. Je comprends mieux maintenant les raisons de cette brouille et l'histoire de notre famille divisée. Je suis contente que les choses changent. Ces documents apportent une nouvelle perspective à la dispute au sujet de Jacaranda. J'ai passé aussi la nuit sur mon ordinateur à monter un dossier.

Une main couverte de taches brunes lui couvrit les doigts.

— Inutile, mon cœur. Walter, John Thomas et moi avons déjà un « dossier » comme tu dis, sous le coude.

— Tu m'expliques ?

La nonagénaire se tapota l'arête du nez.

— Tu le découvriras bien vite... Bon, tu as des choses bien plus importantes à penser ces prochains jours et je ne parle pas des vendanges.

Elle fit un signe de tête en direction de Thomas à moitié endormi qui entrait en traînant des pieds dans la cuisine.

— Ce jeune homme est amoureux de toi. Si tu n'es pas capable de le voir, alors tu es aveugle ma fille. Il est temps que vous mettiez les choses au clair tous les deux. Je ne suis pas éternelle, tu sais !

Irritée et embarrassée, Sophie devint rouge comme une pivoine quand tout le monde se tut et les fixa, Thomas et elle. « Si seulement grand-mère apprenait à tenir sa langue », pensa-t-elle, désespérée. Je refuse son chantage ! Sophie baissa la tête et se concentra sur son assiette. Elle ne distingua pas si elle mangeait du caviar ou de la sciure : la présence de Thomas et ses yeux posés sur elle la perturbaient trop.

Une fois le petit déjeuner avalé, les assiettes sales empilées dans l'évier pour plus tard, la famille sortit par la véranda. Cornelia accompagnerait Walter dans le boghei couvert et superviserait les vendanges. Sophie grimpa dans le pick-up avec Betty et John Thomas pendant que les frères et leurs épouses voyageaient derrière eux dans leur propre véhicule.

Le défilé grimpa lentement le chemin de terre. Les roues soulevaient des nuages de poussière qui masquaient les alentours. Ils s'attendaient à une belle récolte car il n'y avait aucune menace de pluie, il n'avait pas gelé cet hiver et même si la chaleur miroitait et dansait à l'horizon, rien ne présageait des averses orageuses ou des vents violents.

Loin au nord des terrasses, un bâtiment se cachait le long d'une colline. Les murs en bois et le toit ondulé abritaient le dortoir des cueilleurs qui ne possédaient ni caravane ni tente. Il y avait une cuisine, plusieurs douches et W.-C., une pièce meublée où ils pouvaient regarder la télévision, lire et jouer aux cartes après une longue journée dans les vignes.

John Thomas pénétra dans la cour. Sophie remarqua le grand barbecue sur un côté, les bancs et les tables à l'ombre d'un faux-poivrier géant. Par petits groupes, les cueilleurs buvaient du thé dans d'épaisses tasses blanches et mangeaient du pain et des saucisses que Betty leur avait apportés à l'aube.

Ils se connaissaient tous, constata Sophie en écoutant les femmes renouer de vieilles amitiés et échanger des potins. Les hommes marmonnaient dans leur pantalon de moleskine moucheté et usé, leurs bottes affichant les cicatrices de nombreuses années de labeur. Chemise à carreaux et Akubra taché par la sueur semblaient être l'uniforme, même parmi les adolescents qui se joignaient à eux pour la première fois.

John Thomas et ses fils saluèrent chaque groupe, rirent et bavardèrent comme avec de vieux amis – ce qu'ils étaient. Betty lui avait expliqué que la tradition à Coolabah voulait qu'ils emploient les mêmes familles d'année en année si bien que la troisième, voire la quatrième génération, participait aujourd'hui.

Cornelia incendia Walter quand il voulut l'aider à descendre du boghei, puis elle s'installa sur un des bancs. Très vite, elle papota avec une autre femme âgée qui paraissait trop fragile pour rester au soleil toute la journée.

Sophie commençait à se sentir seule. Elle ne connaissait personne et elle n'avait pas vendangé depuis des siècles. Qu'attendait-on d'elle? Un peu sur le côté, elle observa la foule se séparer et se refondre devant elle.

Un des jeunes sortit un harmonica et se mit à jouer une matelote. Un autre l'accompagna au flûtiau. Le groupe forma un cercle autour d'eux et applaudit en rythme tandis que deux filles improvisèrent une danse. Quelle merveilleuse manière de commencer la journée !

À la fin du morceau, tous coiffèrent leur chapeau et se rendirent sur les terrasses avec un long panier et un sécateur spécial. On ne cueillait pas de manière mécanique à Coolabah car cela endommageait entre dix et trente pour cent des ceps sur une période de dix ans.

— Suis-moi, lui demanda Betty. Je vais te montrer comment on fait. Il n'y a pas de secret.

Elle coupa une grappe de raisins mûrs et noirs qu'elle déposa au fond du panier.

— Tu n'en ramasseras pas beaucoup au début. Et fais attention aux insolations. Repose-toi si tu te sens fatiguée. La météo prévoit 46 °C aujourd'hui.

Betty lui tendit son sécateur puis s'éloigna. Sophie baissa les manches de son chemisier en coton pour se protéger du soleil et enfonça son chapeau de feutre sur sa tête. Elle transpirait déjà à 7 heures du matin.

Les bavardages et les chansons allaient bon train autour de Sophie qui se concentrait sur son travail. Le soleil lui donnait des coups de marteau dans le cou, la sueur s'évaporait à chaque hausse du mercure. Thomas coupait sur la terrasse située au-dessus d'elle. De temps à autre, leurs regards se croisaient et ils se souriaient. Sophie se cambra et s'essuya le visage lors d'un moment de répit. Autour d'elle s'offrait une vue incroyable – une terre noire ornée de vignes vert foncé, des collines mauves et grises, un ciel si bleu et grand qu'il enveloppait leurs vies minuscules et remettait les choses en perspective.

L'éructation rauque d'un klaxon annonça la pause et Sophie fut surprise de voir Betty décharger d'immenses paniers d'osier de son pick-up. Il y avait du poulet, du jambon, du mouton, du pain frais, des cornichons maison, des tomates et des concombres sur un lit de laitue ainsi que des caisses et des caisses d'eau et de bière allégée pour étancher les soifs.

Thomas apporta un panier sur la terrasse de Sophie et ils s'assirent par terre entre deux rangées de ceps. Elle descendit une bouteille en cinq secondes, incapable de se désaltérer.

— Doucement, Sophie. Tu vas te rendre malade. Tu boiras plusieurs litres d'eau d'ici à la fin de la journée mais mieux vaut prendre ton temps.

— Je suis contente que nous soyons amis, continua-t-elle entre deux bouchées de mouton. Et que nous ayons l'occasion de travailler à nouveau au bout de la chaîne.

— Attention, cet endroit n'est pas du tout typique, la prévint-il. Parmi les cueilleurs, papa est réputé pour être un patron juste qui paie bien, nourrit et loge. Tu verrais l'état de certains endroits où vont travailler ces gens ensuite ! Ils dorment dans des masures sans eau courante ni confort.

Sophie termina son sandwich au mouton et but encore à la bouteille.

— Je suis surprise qu'il fasse des bénéfices vu la nourriture qu'il distribue, remarqua-t-elle tout en épluchant une orange.

— Certains viticulteurs le trouvent excentrique mais il est récompensé à la fin. Nous ne manquons jamais de cueilleurs et ceux-ci sont les meilleurs. La plupart de ces hommes et femmes viennent depuis leur enfance. Aujourd'hui, ils emmènent leur progéniture. C'est une histoire de famille, ajouta-t-il sans la quitter des yeux.

Sophie enveloppa quelques quartiers d'orange dans une serviette qu'elle rangea dans la poche de son chemisier pour plus tard.

— On ferait mieux de continuer ! s'exclama-t-elle. Je suis à des kilomètres derrière tout le monde.

L'après-midi s'envola sous une chaleur étouffante. Les mouches bourdonnaient, le parfum des raisins chauds et mûrs emplissait l'air calme, les bavardages ne cessèrent jamais et on continua de chanter, de s'échanger des plaisanteries légères entre les terrasses. Épuisée, Sophie ne parvenait pas à chasser une sale migraine qui tambourinait entre ses yeux.

Tandis que le ciel perdait ses couleurs et le soleil descendait lentement derrière les collines, Sophie grimpa difficilement à l'arrière du pick-up de Betty et regagna la maison. Elle avait mal à certains endroits de son corps dont elle ignorait l'existence la veille et le soleil avait imprimé un triangle au niveau de son encolure. Elle n'aurait pas l'énergie de se joindre au barbecue des cueilleurs ce soir-là.

Elle faillit s'endormir sous la douche et dut se forcer à rester debout assez longtemps pour atteindre son lit. Elle rêvait de vignes et de raisins alors que les autres cueilleurs se préparaient à sortir.

La semaine passa à toute allure. Désormais habituée à travailler en plein soleil, Sophie appréciait sa tâche et prenait part aux échanges de blagues et de chansons. Thomas se faisait un point d'honneur à lui apporter quotidiennement un panier de provisions. Au fil des jours, les montagnes qui les séparaient se rapprochèrent.

Néanmoins, ils n'abordèrent pas la raison de leur rupture et Sophie se demanda s'il ne valait pas mieux oublier et regarder vers l'avant. Les lettres lui avaient donné une salutaire leçon : les brouilles sonnaient le glas des familles et des amitiés si elles n'étaient pas rapidement réglées. Aujourd'hui, Thomas et elle devaient profiter de la deuxième chance qu'on leur offrait.

Le dernier jour arriva. Les vignes avaient été dépouillées, le dernier panier vidé à l'arrière d'un camion. Sophie ôta son chapeau et s'essuya le front.

— Je suis content que tu ne te sois jamais coupé les cheveux, remarqua Thomas. Ils sont si beaux, même emmêlés et moites.

Elle pivota vers lui. Leur intimité croissante l'avait rendue moins agressive envers lui.

— La flatterie ne te mènera nulle part, le taquina-t-elle. Je vais prendre une douche et dormir un peu avant la fête de ce soir. Je suis crevée.

Il lui attrapa la main et l'empêcha de partir.

— Tu as quelque chose à faire avant. Suis-moi.

— Qu'est-ce que tu as derrière la tête, Thomas ?

Il lui adressa ce lent sourire sensuel qui lui mettait le cœur à l'envers.

— Rien de malhonnête ! promit-il.

Elle le dévisagea et décida qu'elle se montrait trop prudente.

— Je te suis uniquement si tu m'emmènes dans un endroit frais. Je meurs de chaud.

— On est partis !

Ils se dirigèrent vers un pick-up et montèrent.

Quelques minutes plus tard, ils mangeaient la poussière soulevée par le dernier camion transportant le raisin. Thomas pénétra dans la cour pavée qui formait un carré entre l'usine de transformation, celle d'embouteillage et la zone de réception des visiteurs.

— Ici, on ne peut pas faire plus frais ! remarqua-t-il.

Sophie descendit de voiture, brossa la poussière sur ses vêtements et le suivit dans la cave. Les talons de leurs bottes résonnaient sur les dalles et sous le toit voûté. Alors qu'elle respirait le parfum du vin et le chêne des tonneaux, la tension de la semaine écoulée se dissipa.

— Tu es à Coolabah depuis bientôt trois semaines. Il est temps que tu voies le saint des saints.

Elle perçut une légère accusation dans sa voix et admit en silence qu'il avait raison.

— C'est vrai que j'ai été très occupée, bredouilla-t-elle. Mais j'aurais pu prendre une heure…

— Nous sommes fermés aux visiteurs, déclara-t-il tout en déverrouillant la lourde porte en chêne. Nous ne serons pas dérangés. Regarde où tu marches. Ça glisse à certains endroits.

Sophie le suivit le long d'un tunnel sombre qui semblait sillonner jusqu'aux entrailles de la terre. Les murs étaient froids sous ses doigts, le plafond bas avec çà et là une lumière. Elle tourna au coin et fut éberluée par la vision qui s'offrait à elle.

— C'est magnifique, pas vrai ? s'exclama-t-il avec fierté avant d'allumer des bougies sur une table cabossée.

— Magnifique, répéta-t-elle à l'entrée de l'immense grotte creusée au cœur de la terre.

Elle examina le plafond haut, le sol et les murs en pierre, les énormes cuves en bois de la taille d'une maisonnette. L'odeur du vin qui fermentait et le breuvage qui gargouillait dans ces cuves titanesques rallumèrent des quantités d'émotions oubliées.

— Cela me rappelle mon enfance, avoua-t-elle. Et pourquoi nous sommes sur cette Terre.

Il la prit par la main et lui demanda de le suivre. Sophie reçut comme une décharge électrique. Elle n'osa pas lever la tête. Elle avait peur de ce qu'elle lirait dans ses yeux, peur de commettre un geste imprudent.

Il lui lâcha la main et entreprit de lui montrer les différents crus, lui expliquer leur fabrication, leur stockage, leur maturation. Son enthousiasme lui faisait briller les yeux. Elle eut l'impression qu'il l'avait oubliée !

Sophie se mordit la lèvre. Elle mourait d'envie qu'il l'embrasse, la prenne dans ses bras et, en même temps, elle savait que les choses avaient besoin d'aller lentement si une nouvelle histoire devait survenir. Leur fragile relation, entamée pendant leur enfance, avait été endommagée. Mais, maintenant, ils étaient adultes, avec des vies et des priorités différentes. Ce serait idiot de tout gâcher contre un instant de folie qu'ils regretteraient aussitôt.

Avec précaution, Thomas sortit une bouteille de champagne millésimé, détacha le muselet et la déboucha. Après avoir rempli deux verres, il en tendit un à Sophie.

— À l'avenir, murmura-t-il. À Jacaranda et à Coolabah. À tous ceux qui triment pour eux.

Sophie but une gorgée et laissa les bulles éclater sur sa langue. Il s'agissait d'un excellent millésime.

Il lui souleva le menton en douceur et l'obligea à le regarder.

— À quoi tu penses ?

— Disons que je suis fatiguée et submergée par toutes ces informations.

Il se tenait trop près d'elle si bien qu'elle recula. Elle avait vu son reflet dans les yeux bruns de Thomas et comprit qu'il voulait plus que son amitié. Mais pouvait-elle lui faire à nouveau confiance ? Oublier le passé et risquer d'être encore meurtrie ? Les questions tourbillonnaient dans sa tête. Elle manquait de temps pour trouver une réponse car elle partait deux jours plus tard.

Le soleil avait disparu derrière les collines, la douce nuit projetait des ombres de velours sur les vignes tandis qu'ils suivaient Betty et John Thomas jusqu'à la cave. Chaque membre de la famille portait une lanterne. On bavardait, on riait... Sophie se demanda s'ils n'étaient jamais fatigués! Le manque de sommeil combiné à une semaine de rude labeur sous le soleil l'avait mise en pièces, sans compter Thomas et son besoin évident de réponses.

La température de la cave la glaça. Lorsqu'elle entra pour la seconde fois de la journée dans le long tunnel, elle frissonna et se recroquevilla dans son pull. Il y avait trop de fantômes en ces lieux, trop de souvenirs et de silences. Peut-être valait-il mieux en rester là? Thomas ne quitterait jamais Coolabah et elle était destinée à une carrière de haut vol en ville. Cela ne devait pas se faire, c'était tout.

John Thomas se posta devant les gigantesques cuves, plusieurs bouteilles d'un cru précédent déjà ouvertes sur la table derrière lui. Il attendit que sa femme ait versé à chacun un verre avant de porter un toast:

— Je bois à Coolabah Creek! À Rose, John et Isabelle. À toutes les générations qui les ont suivis. Je souhaite paix et prospérité à notre famille désormais!

Sophie se joignit au toast et sirota le cabernet-sauvignon sec et charpenté. Il était presque meilleur que celui de Jacaranda – peut-être cette impression était-elle due à l'atmosphère et à ses sens un peu trop exacerbés?

Cornelia s'humecta les lèvres et tendit son verre.

— C'est bon pour le sang, déclara-t-elle.

Betty haussa les sourcils avant de la resservir. La vieille dame leva alors son verre et demanda le silence.

— À un sacré bon groupe!

Dans un éclat de rire, ils burent puis se rendirent au logement des cueilleurs. Un énorme cochon grillait à la broche et de grandes quantités de vin, de bière et de rhum les attendaient. Comme les pionniers de Jacob's Creek, Coolabah Crossing savait célébrer la fin des vendanges. Avec style, remarqua Sophie.

À l'harmonica et au flûtiau s'ajoutèrent une guitare, un violon et un joueur de cuillères. Une Irlandaise avait apporté un tambourin et le vieux piano fut sorti de la salle de jeux pour Walter. Tout le monde se fichait bien si la moitié des touches ne fonctionnaient pas et s'il n'avait pas été accordé depuis des années.

John Thomas et Betty ouvrirent le bal ; Sophie fut emportée dans un tourbillon par des hommes de tous âges qui lui marchaient sur les pieds, la serraient trop fort ou ignoraient quelle direction prendre. Elle fut vite essoufflée et en sueur mais les cueilleurs, eux, ne faiblissaient pas. Elle fut contaminée par leur enthousiasme et dansa jusqu'à en avoir mal aux côtes et aux pieds.

Saisissant sa chance, elle s'échappa du cercle turbulent et se réfugia dans un coin calme et frais où elle but une bière glacée. Elle grava dans son esprit le mouvement coloré des chemises à carreaux, le martèlement des bottes à talon plat, les cris déchaînés pendant les quadrilles et les dernières danses en ligne à la mode.

Elle observa aussi Thomas qui tenait par la taille une jeune et jolie rousse. Il la fit virevolter en l'air puis planta un baiser sur sa joue avant de passer à la danseuse suivante. Quand leurs regards se croisèrent, Sophie tourna vite la tête. Inutile qu'il sache à quel point leur moment de quiétude dans la pénombre de la cave l'avait touchée. À quoi bon essayer de réparer ce qui était cassé ? Leurs vies, leurs attentes et leurs ambitions se trouvaient à des années-lumière de distance. Elle serait bientôt de retour à Melbourne, et c'était mieux ainsi.

Annabelle avait travaillé d'arrache-pied en prévision de la réunion du conseil et n'avait pas vu les semaines défiler. Elle trouvait là l'occasion de concentrer son énergie et son enthousiasme d'autrefois pour Jacaranda et s'apercevait qu'elle avait beaucoup à apporter à l'entreprise familiale.

Le rendez-vous avait lieu dans moins de quarante-huit heures ; Catherine et elle avaient raccompagné Charles chez lui après son séjour à l'hôpital. Son pontage s'était bien déroulé et même s'il aurait besoin de soins durant plusieurs mois, Charles avait insisté pour rentrer à la maison.

— Je déteste ces fichus endroits ! grommela-t-il en chemin. Ils me rappellent le pensionnat avec tous leurs règlements. Vous savez qu'ils m'ont obligé à arrêter le cigare ?

— Ça t'étonne? s'exclama Annabelle dans un fou rire.

Il grimaça au moment où la voiture s'engageait dans l'allée.

— Qu'est-ce que je vais m'emmerder... Plus de whisky, plus de vin au dîner, plus de cigare.

— Mange moins, arrête de fumer et bois un peu de vin de temps en temps, lui conseilla Catherine. Je te souhaite bien du courage, Charles. Tu en auras besoin.

— Je prends ma retraite après la réunion, annonça-t-il. Peu importe la manière dont tournent les choses, j'en ai assez de tout ce cirque. S'il n'y avait pas eu Jock, j'aurais jeté l'éponge depuis longtemps. Et toi, Annabelle, que comptes-tu faire?

— J'ai des projets pour Jacaranda. Mais vous devrez attendre la réunion pour en savoir davantage.

— Je croyais que tu détestais cet endroit? Qu'est-ce qui t'a fait changer d'avis?

— J'ai enfin pris confiance en moi, répondit-elle avec fierté.

Jane faisait les cent pas dans l'appartement silencieux. Des coupures de journaux et des albums étaient étalés sur la moquette, des photographies et des lettres éparpillées sur la table basse. Son passé la rattrapait. Le besoin de vérité se révélait plus pressant à l'approche de la réunion.

Elle s'immobilisa et contempla la ville à ses pieds par la fenêtre panoramique. « Tant d'existences, pensa-t-elle, de petites vies qui cheminaient sans se soucier des douleurs et des souffrances autour d'elles, qui menaient leur train-train dans les immeubles et les rues de cette cité désordonnée et bruyante. » Voilà comment elle avait vécu sa jeunesse, quand elle était belle et célèbre. Aujourd'hui, ses fautes ressurgissaient et elle ignorait comment leur faire face.

Dans un soupir, elle se rassit. Ses doigts couraient sur les photos publicitaires en noir et blanc vieilles de plusieurs décennies. Elles expliquaient pourquoi Jock était tombé amoureux d'elle, pourquoi il avait besoin d'une femme superbe à son bras et dans son lit. Cela rassurait son ego gigantesque et, il fallait l'avouer, le sien aussi. Avoir pour amant un homme riche et puissant avait fait un bien fou à sa carrière et, comme elle l'aimait profondément, elle n'avait pas pensé une seconde à Cornelia et à ses enfants.

Jusqu'à ce qu'elle ait besoin d'elles. Jusqu'à ce que Jock renverse son whisky et lui jette de l'argent à la figure. Tandis qu'elle fixait le verre et les billets mouillés, il lui avait ordonné de sortir de sa vie ou de lui obéir au doigt et à l'œil.

Elle examina les instantanés décolorés qu'elle avait cachés durant un tiers de sa vie. Son histoire se résumait à eux ; ils étaient la raison de mensonges et de déceptions qui avait tissé une toile autour d'elle au point de l'étouffer.

Dans un sursaut, elle se mit à ranger les papiers. Une certaine vigueur renaissait en elle car sa décision était prise. Elle avait vécu trop d'années dans l'ombre, il était temps de s'exposer à nouveau au premier plan.

Ses bagages prêts, Sophie écoutait dans sa chambre le chant suave des pies et celui à la fois doux et perçant des méliphages carillonneurs. Sous la lumière extraordinaire et unique de l'arrière-pays, les feuilles pâles et délicates des eucalyptus ressemblaient à une brume légère au-dessus de l'écorce marron des troncs et de l'herbe argentée.

Elle soupira. Le gazouillis des oiseaux lui manquerait le matin, ainsi que l'odeur de la terre chaude, des grappes mûres, les ombres bleutées des collines environnantes, les vignes vert foncé. Mais, plus que tout, elle regretterait cette famille heureuse et turbulente. Thomas avait de la chance d'être entouré d'autant d'amour.

Elle tourna le dos à la fenêtre. Pas la peine de se lamenter sur son sort. C'était elle qui avait rejeté ses avances, s'était méfiée de ses intentions et n'avait pas entamé les réconciliations par lâcheté. Elle sortit ses valises et claqua la porte derrière elle. « Espèce d'idiote, se dit-elle. Pourquoi faut-il que tu prennes tout au sérieux? »

La cuisine était calme pour une fois car Betty nettoyait les écuries, et les hommes préparaient les terrasses en vue des prochaines plantation. À en juger par le couinement du rocking-chair, Walter fumait sa pipe du matin sous la véranda. Sophie s'aperçut soudain qu'elle n'avait quasiment pas fumé depuis son arrivée. Christian avait raison : elle n'en avait plus besoin. Ragaillardie par cette pensée, elle se servit une tasse de thé et ajouta du sucre. Très infusé et amer, il la réveilla.

Cornelia arriva en traînant des pieds.

— Belle fête, pas vrai ? Dire que c'est ma dernière... Je deviens trop vieille pour me coucher aussi tard.

— Tu as le temps de te reposer, grand-mère. Je te promets de venir te rendre visite aussi souvent que je le pourrais.

Cornelia grimaça, posa ses cannes et s'assit.

— Je serai morte depuis longtemps. Ne m'enterre pas avant que j'aie poussé mon dernier souffle ! Je rentre à Melbourne avec toi. J'ai prévenu les autres.

Sophie poussa un soupir d'exaspération. Elle le savait. La nonagénaire s'était montrée trop docile depuis qu'on lui avait suggéré de rester à Coolabah Crossing.

— Le médecin te l'a déconseillé, lui rappela-t-elle. Tu peux suivre la réunion par téléphone ou me confier ta voix.

Cornelia agita la main.

— Pas question ! Je veux voir leur visage quand je leur annoncerai ce que j'ai prévu pour Jacaranda. Par téléphone ! Et puis quoi encore ?

— Grand-mère, écoute les conseils qu'on te donne pour une fois ! Tu as une angine et une pression artérielle trop faible. C'est trop dangereux de voler dans ton état.

Les yeux pâles la scrutèrent avec solennité.

— Je serais d'accord avec toi si je devais battre des ailes et m'élancer du haut de cette colline mais le métal et l'ingénierie feront le travail à ma place. Je me sens capable de rester quelques heures assise à me tourner les pouces.

Sophie s'efforçait de ne pas manifester son agacement.

— Tu n'as pas besoin d'aller à Melbourne. Donne-moi le dossier que les autres et toi avez préparé, je le lirai dans l'avion. Je peux défendre ta position, tu sais !

— Tu crois que je vais laisser quelqu'un d'autre faire le travail à ma place ? tempêta Cornelia. Je suis membre de ce conseil depuis l'âge de vingt-sept ans et je n'ai jamais raté une réunion ! Ce n'est pas aujourd'hui que je vais commencer !

Cette bataille était perdue d'avance, constata Sophie.

— Que se passera-t-il si ton obstination te tue, hein ? Qui veillera sur nous ?

Les bras croisés, Cornelia la fusilla du regard.

— J'ai paré à l'imprévu. Maintenant sers-moi mon petit déjeuner et arrête de geindre. Je dois garder mes forces pour ce voyage et nous perdons du temps.

Sophie lui obéit. Après avoir placé des œufs brouillés et des toasts devant sa grand-mère, elle lui versa un bol de café. Son angine ne lui avait pas coupé l'appétit !

— Je suis au courant pour la malédiction des Fuller et des Tanner, commença-t-elle.

— Les malédictions fonctionnent uniquement si on leur accorde du crédit, marmonna Cornelia.

— Vu leur réaction, John et Rose devaient y croire.

— Les croyances étaient différentes à leur époque. Les superstitions allaient bon train. Souviens-toi que Rose était irlandaise et John gitan, deux cultures très attachées à ce genre de croyances.

— Le bébé de Muriel est donc né en bonne santé ?

Cornelia s'essuya la bouche avec une serviette et s'adossa à sa chaise.

— Elle avait une tache de vin sur la cuisse mais cela n'avait rien à voir avec le mauvais sort. Et, par la suite, tous les bébés ont été sains et robustes.

Elle lui sourit et lui lança un regard espiègle.

— Ainsi, si Thomas et toi décidez de passer à la vitesse supérieure, rien ne vous en empêche.

— Tu oublies le temps et la distance, murmura Sophie. Nous avons réagi trop tard.

Cornelia prit une autre tartine qu'elle plongea dans son café au lait. La boisson épaisse et crémeuse l'animait un peu. Elle en profita pour passer en revue ses plans pour la réunion.

Avec un sourire farceur, elle se demanda comment les autres réagiraient quand elle leur dévoilerait sa surprise. C'était amusant d'être à nouveau aux commandes – comploter la maintenait en vie.

Ayant bien déjeuné, elle clopina jusqu'à la véranda.

— Je m'en vais bientôt, Walter. Je voulais te dire au revoir en privé.

Il se leva, posa les mains sur les épaules de Cornelia, l'attira vers lui et l'embrassa sur le front.

— Au revoir, murmura-t-il doucement. J'ai peur que l'on ne se revoie pas, du moins dans ce monde. Mais je suis content d'avoir passé ces dernières semaines avec toi.

Serrée contre lui, elle repensa aux années gâchées, aux nombreuses fois où elle avait pleuré ce qu'elle avait perdu.

— Au revoir, Walter. Merci d'avoir offert à une stupide vieille dame la chance de renverser le cours des choses. Si seulement...

— Non, Cornelia. Pas de regrets. Nous avons agi pour le mieux étant donné les circonstances.

Elle recula d'un pas, regarda ses yeux sombres délavés par les années et le soleil, son front plissé, ses traits estompés par la vieillesse et sut qu'elle l'aimerait jusqu'à la fin.

— Tu vas me manquer, vieux vaurien, chuchota-t-elle, les larmes aux yeux.

Il l'embrassa sur la joue, son menton grisonnant râpait.

— Nan, tu seras toujours dans mon cœur et moi dans le tien. Cela nous suffira jusqu'à notre prochaine rencontre.

— Tu admets qu'il y a quelque chose après? s'étonna Cornelia.

— Oh oui! Sinon nous aurions perdu notre temps!

Cornelia le serra fort dans ses bras avant de retourner à l'intérieur. Elle n'avait rien d'autre à lui dire qu'il ne savait déjà. Pourquoi prolonger cette agonie? Pourtant, quand elle s'allongea sur son lit, elle sentit l'angoisse monter et étouffa des sanglots amers dans son oreiller.

Sophie s'aventura dans les écuries en espérant que Thomas serait en train d'y aider sa mère. Elle ne l'avait pas croisé depuis la fête des vendanges et craignait qu'il ne l'évite.

Betty nettoyait le box de Jupiter. Elle accueillit son aide avec plaisir. Tandis qu'elles ôtaient la litière de la nuit et la remplaçaient par de la paille fraîche, Betty parla de personnes et d'endroits qui ne signifiaient absolument rien à Sophie mais son bavardage inconséquent avait le mérite d'éviter le silence.

— Où est Thomas? demanda finalement Sophie.

— Parti dans les champs. Son père avait besoin d'un coup de main et Thomas s'est porté volontaire.

Sophie tourna la tête pour que Betty ne voie pas son air déçu. Trop tard.

— Il a compris que sa présence n'était pas désirée, expliqua Betty sans rancœur aucune. Il a préféré s'éloigner en attendant votre départ.

— Mais je voulais le voir, protesta Sophie. Il y avait certaines choses que je devais mettre au point, lui expliquer... J'ai été vraiment nulle la dernière fois que je lui ai parlé et je souhaitais m'excuser.

Betty la regarda de manière très directe.

— Tu n'as pas eu assez de temps pour ça? D'après Thomas, il t'a abordée plusieurs fois mais tu l'as envoyé paître. Un homme a sa fierté, Sophie. Thomas t'aimait vraiment beaucoup autrefois. Tu ne lui as pas donné sa chance alors et aujourd'hui non plus.

Une boule dans la gorge empêcha Sophie de répondre. Betty posa ses seaux et la prit par les épaules.

— Si les choses doivent se faire, elles se feront. Sois patiente, ne tire pas encore un trait sur lui.

Le petit avion décolla; Cornelia contempla Coolabah une dernière fois.

— Au revoir, chuchota-t-elle, les doigts contre le hublot.

Les silhouettes qui les saluaient rapetissèrent avant de disparaître au loin. Cornelia s'adossa à son siège et ferma les yeux. Elle emporterait le parfum et la vue de ce magnifique coin de l'Australie dans la tombe. Elle se souviendrait de ses habitants, du chant des pies qui la réveillait le matin, du grincement du rocking-chair de Walter sous la véranda en bois. Mais surtout, elle se rappellerait le grattement de son menton mal rasé sur sa joue et la voix traînante de cet homme qu'elle avait aimé en secret une majeure partie de sa vie.

Une douleur fulgurante lui transperça la poitrine et la laissa le souffle court. Discrètement, elle glissa une pilule du médecin sous sa langue et attendit. Le jeune tire-au-flanc avait raison : elle ne se sentait pas bien. Mais elle était déterminée à assister à la réunion du lendemain, à laisser son empreinte sur le domaine de Jacaranda avant qu'il ne soit trop tard.

Tendue, Jane avait attendu tout l'après-midi. Elle avait une vague idée de leur heure d'arrivée et espérait avoir pensé à tout. L'appartement reluisait, il y avait des bouquets de lys dans les vases, du thé sur la table basse, des draps propres dans le lit de Cornelia ainsi qu'une bouillotte car la nonagénaire avait froid, même en été.

La clé grinça dans la serrure.

— Bonjour, très chère. Je suis rentrée à la maison !

Jane essaya de cacher son choc quand elle la serra dans ses bras. Cornelia avait le teint blême tirant sur le gris, les lèvres bleues et tremblantes. Elle devrait modifier ses plans, les remettre à plus tard s'il le fallait, car Cornelia avait besoin d'elle.

— Viens t'asseoir ! s'exclama Jane. Je t'ai préparé un thé.

La vieille dame clopina jusqu'à son fauteuil et s'y effondra dans un soupir reconnaissant.

— L'appartement est superbe, Jane. Comme toujours, tu me gâtes.

Jane rougit à cause de son manque de loyauté.

Cornelia prit sa tasse et sa sous-tasse puis leva les yeux vers Jane.

— À quoi penses-tu ? Allez, crache le morceau !

Jane n'en revint pas. Elle avait beau savoir qu'aucun détail n'échappait à Cornelia, elle ne s'attendait pas à des questions aussi vite.

— Rien, rien. Ce n'est pas le moment.

— Je sais quand quelque chose te tourmente, Jane. Tu prends cet air fuyant…

On ne la lui faisait pas et elle s'inquiéterait jusqu'à ce qu'elle obtienne des aveux.

— Je déménage, commença Jane. Je t'encombre depuis trop d'années. Il est temps que je me débrouille toute seule et fasse quelque chose de ma vie.

— Tu as décidé ça quand?

— Je n'ai jamais fait partie de cette famille… enfin, pas vraiment. Je n'ai pas de voix, pas de rôle à jouer et même si cela peut sembler idiot de la part d'une femme de mon âge, j'ai besoin de me sentir désirée, de savoir que je peux me suffire à moi-même avant qu'il ne soit trop tard.

Elle prit une profonde inspiration et poursuivit de peur d'être interrompue.

— Un appartement se libère au-dessus de la galerie et j'ai été acceptée à la présidence du conseil des Arts. J'ai la chance de pouvoir enfin combler cette existence pleine de vide. Même si tu vas terriblement me manquer, Cornelia, il est temps que je parte.

— Ne sois pas trop pressée, Jane, soupira Cornelia. Je ne serai bientôt plus de ce monde et j'espérais te léguer cet appartement, sachant que tu en prendrais soin et le considérerais comme chez toi. Un petit présent pour tous les services que tu m'as rendus par le passé.

Jane s'assit, les jambes flageolantes.

— Mais tu ne me dois rien! protesta-t-elle. C'est moi qui ne pourrai jamais te rembourser. Quand je pense…

Cornelia l'interrompit au milieu de sa phrase.

— Pas maintenant, ma chérie. Nous en reparlerons demain, après une bonne nuit de sommeil.

Elle plongea la main dans son sac et en sortit une grande enveloppe marron.

— Ceci te donnera une voix, Jane. Tu le mérites et j'espère que tu t'en serviras avec sagesse.

Les sourcils froncés, Jane brisa le sceau de l'enveloppe et sortit les papiers.

— Tu ne peux pas faire ça! Je n'ai aucun droit… Absolument aucun.

— Tu as tous les droits, Jane. C'est ta voix, ton tour de laisser une empreinte. Ne me déçois pas, Jane. Je compte sur toi.

22

Les portes de la salle du conseil étaient ouvertes. Depuis le hall, les deux femmes entendaient le bourdonnement des conversations et le cliquetis des tasses sur leur soucoupe.

— La salle est comble, on dirait, marmonna Cornelia. Tu es prête ?

Jane hocha la tête. Elle entra, Cornelia à son bras, et fut accueillie par neuf paires d'yeux écarquillés.

— Qu'est-ce qu'elle fait là, celle-là ? aboya Mary.

— Je pourrais te poser la même question, répliqua Cornelia. On t'a cherchée partout ! Tu devrais avoir honte.

Mary s'alluma une cigarette. Elle devait avoir bu car sa main tremblait.

— Ce ne sont pas tes oignons. Et puis cette catin n'a rien à fiche ici ! Elle ne vote pas et ne fait pas partie de la famille.

— Jane a autant de droit que nous tous, affirma Cornelia. Je lui ai donné des parts.

Il y eut un silence absolu.

— C'est notre héritage, cracha Mary. Tu ne peux pas le distribuer comme ça à cette… putain.

Sophie posa la main sur le bras de sa mère pour la calmer mais son geste n'eut aucun effet. La bouche pincée par la colère, Mary la chassa d'un coup de coude.

— Ces parts sont à moi et j'en fais ce qu'il me plaît. Occupe-toi de tes affaires, Mary, et si tu n'es pas capable de contrôler tes humeurs, je te suggère de la fermer.

Cornelia ignora son cri de protestation, manifesta son soutien à Jane par un signe de tête et se dirigea au bout de la table. La réunion avait mal commencé. Comment réagiraient-ils quand elle abattrait ses cartes? Elle avait hâte de voir leur réaction.

Edward finit sa tasse de café et attendit que les autres prennent place. Cornelia salua ses filles. Personne ne semblait avoir remarqué le nombre de sièges supplémentaires.

Assis dans un fauteuil roulant, Charles était calé contre des coussins pour mieux respirer; excepté un léger tremblement de la main droite, il avait bonne mine et paraissait bien se remettre. Cornelia examina ensuite les jumeaux, Michael et James. Elle avait lu les rapports de Jacaranda la nuit précédente alors qu'elle ne trouvait pas le sommeil. Les vendanges s'étaient bien passées dans la Barossa. Gais, les garçons discutaient entre eux sans se soucier de leur entourage. Philippe, lui, ressemblait à un chat qui avait avalé la jatte après avoir lapé la crème. Et Mary? Elle se serait mieux portée si elle n'avait pas picolé au saut du lit.

Cornelia sourit à Annabelle, redevenue une jeune femme brillante au regard intelligent et confiante en ses capacités. Fini les lunettes de matrone. Elle arborait une nouvelle coupe de cheveux, des vêtements griffés, des ongles manucurés et un soupçon de maquillage. Peut-être Annabelle s'était-elle enfin trouvée? Cornelia espérait simplement que cette réunion et son annonce ne détruiraient pas cette assurance fragile.

Ensuite, elle regarda Catherine, son aînée, avec tendresse: toujours acerbe, indépendante, appelant un chat une saloperie de chat, fumant comme un pompier. Aujourd'hui, ses yeux brillaient et elle avait le teint frais. Sa fille était amoureuse! « Bonne chance à toi, pensa Cornelia. Il était temps que ma Catherine ait enfin quelqu'un dans sa vie. » Sous sa carapace se cachait un cœur tendre.

Edward interrompit les conversations.

— Nous connaissons tous la raison de notre présence ici ce matin, je ne vous ennuierai donc pas avec cela. Quelqu'un veut-il bien fermer la porte?

— Non, s'exclama Cornelia. Tout le monde n'est pas arrivé.

— Pardon, Cornelia, mais nous sommes tous là.

Elle lui décocha un sourire d'une douceur délibérée.

— Ah ! Les voilà ! s'écria-t-elle sur un ton triomphant.

Entrèrent John Thomas, sa femme et leur fils aîné.

— Bonjour ! Désolés d'être en retard mais ce foutu avion ne voulait pas démarrer et nous avons dû attendre que les pièces de rechange viennent de Sydney.

— Qui sont ces gens ? rugit Mary. Nous sommes au cirque ! D'abord le phénomène de foire, ensuite les clowns. Tu as encore d'autres lapins à sortir de ton chapeau, mère ?

Le regard dédaigneux de Cornelia glaça l'atmosphère.

— Je vous présente John Thomas Tanner, son épouse Betty et leur fils aîné Thomas. Ce sont vos cousins.

Edward se ressaisit et alla leur serrer la main.

— Bien, bien, marmonna-t-il. Pour une surprise... Bon, Cornelia, je suis ravi que tu aies invité l'autre branche de la famille, mais pour quelle raison sont-ils ici ? Le domaine de Jacaranda n'a rien à voir avec eux et j'ai donc peur de devoir leur demander de quitter les lieux jusqu'à ce que nous ayons réglé l'affaire qui nous concerne.

— Bien au contraire, rétorqua Cornelia quand le silence se fit. Ils sont actionnaires de Jacaranda.

— Depuis quand ? hurla Mary tandis que les autres bondissaient de surprise.

— Depuis que je m'en suis occupée.

— Tu... ?

Mary ne trouvait plus ses mots. Elle fusillait sa mère du regard quand elle se tourna vers Sophie.

— Et toi, espèce de petite conne, pourquoi tu ne l'en as pas empêchée ? Tu savais pourtant ce qu'elle mijotait !

Sophie eut un mouvement de recul. Elle n'eut pas le temps de riposter, Mary couvrait John Thomas d'injures.

— Tu as bien profité de la réconciliation familiale, mon salaud.

Puis elle se tourna vers Jane.

— Quant à toi, vieille intrigante, tu as aidé maman à mettre en place tout ceci, je parie.

Jane ne cilla pas une seconde, malgré les attaques.

— Je n'ai rien à voir avec cette histoire, déclara-t-elle calmement. Je te suggère de t'asseoir et de te faire toute petite.

— Tu ne me donnes pas d'ordre, sale garce, cracha Mary. Tu n'es rien, tu m'entends? Tu as vécu aux crochets de maman pendant des années, tu t'es immiscée dans sa vie comme un ver dans une pomme. Pas étonnant que papa t'ait larguée. Putain un jour, putain toujours.

Cornelia retint son souffle: Jane bataillait en silence mais jusqu'à quand? La vieille dame prit vite la parole avant que la situation ne dégénère davantage.

— Ça suffit! s'écria-t-elle en tapant du poing sur la table.

Mary s'effondra sur son siège, la respiration saccadée, le regard perçant.

Cornelia attendit que le calme revienne.

— J'ai pris certaines dispositions afin que ma famille, telle qu'elle est, soit réunie. Pour qu'ensemble nous décidions de l'avenir du domaine de Jacaranda. Divisés nous chutons, unis nous sommes plus forts que jamais.

— Tu essaies d'acheter des voix? remarqua Charles. Cela est une entorse délibérée à la constitution, Cornelia. Je ne peux le tolérer.

— Les proportions n'ont pas changé. Disons qu'elles ont un peu… évolué. Ces actions leur appartiennent, qu'importe leur vote.

Edward remua des papiers devant lui.

— Bon, continuons. Il y a eu assez de dissension comme cela.

Il examina la salle silencieuse puis poursuivit:

— Le dernier vote s'est achevé sur une égalité. J'ai besoin d'un porte-parole de chaque camp pour qu'il expose son point de vue avant de voter à nouveau. Je vous rappelle qu'en cas de résultat nul la décision finale m'appartient.

Cornelia adressa un signe d'encouragement à Sophie qui jeta un coup d'œil à Thomas avant de repousser sa chaise. Combien de temps encore avant que ces deux jeunes idiots s'embrassent et se réconcilient?

Sophie ouvrit son dossier, s'éclaircit la gorge. Elle avait l'attention de chacun. L'heure était venue de mettre son plan d'action sur la table, même si elle savait comment les choses finiraient par tourner. Cornelia et elle avaient eu une longue discussion dans l'avion du retour.

— Grand-mère m'a beaucoup appris ces dernières semaines, commença-t-elle. Maintenant, je connais l'histoire de la fondation du domaine de Jacaranda et les raisons de l'ultime rupture entre les deux branches de la famille. Il est bon d'accueillir John Thomas et les siens parmi nous aujourd'hui. Bon de savoir qu'ils ont leur mot à dire sur l'avenir de Jacaranda.

— Tu abrèges? grogna Mary. On sait ce qu'on va voter alors épargne-nous tes prêchi-prêcha.

Elle croisa les bras et scruta les autres qui lui signifièrent leur désapprobation.

Sophie continua comme si elle n'avait pas été interrompue.

— Lors de la précédente réunion, je souhaitais que le domaine de Jacaranda soit coté en Bourse. Je n'ai pas changé d'avis.

Elle regarda sa grand-mère et se retint de lui faire un clin d'œil. Cornelia prit un air assez déçu et demeura silencieuse.

— Si nous voulons survivre sur le marché actuel sans rien modifier, une entrée en Bourse est la seule solution. Nous devons vendre les compagnies satellites et nous servir des sommes récoltées pour rembourser nos dettes, apporter de la stabilité au domaine en vue de l'émission des actions. La famille perdra l'usufruit de l'entreprise mais, en tant qu'actionnaires, nous profiterons d'une belle retombée. Comme Jacaranda sera à nouveau au sommet, le prix de l'action à l'ouverture devrait être haut et nous pouvons prétendre à un avenir prospère.

Elle examina sa famille.

— L'établissement vinicole n'est pas le maillon faible. Même Jock n'a pas pu le détruire. Ce sont les magasins de détail et les autres petites entreprises que Jock a créées avant de mourir qui risquent de nous couler. Il a délibérément flambé avec notre argent. Et même si on peut les faire passer en pertes fiscales, il faut couper la branche qui pourrit et s'occuper de notre stabilité financière. Maintenant!

En voyant les hochements de tête approbatifs, elle poursuivit :

— Les Français nous ont offert une fortune contre Jacaranda et leur proposition peut tenter ceux qui n'ont plus envie d'entendre parler du domaine. Mais réfléchissez un peu : ils se contenteront de vendre les sections génératrices de pertes et procéderont à leur propre lancement sur le marché. Ils verront le potentiel de Jacaranda et l'exploiteront un maximum. Est-ce vraiment ce que nous voulons ? Souhaitons-nous rattraper nos pertes et voir Jacaranda prospérer à nouveau, oui ou non ? Les Français nous envoient un signal clair : l'entreprise vaut beaucoup d'argent et nous serions fous de le laisser filer entre nos doigts par simple vengeance. C'était la manière d'agir de Jock. Il a fait son possible pour nous détruire au cours de sa vie. Voulez-vous finir ce qu'il a commencé ou voulez-vous vous battre pour votre héritage ? Nos ancêtres n'ont jamais baissé les bras. Ils ont affronté les éléments, le gouvernement, les sécheresses, les incendies et les inondations pour sauver leurs vignes. Ils ont vécu et ils sont morts sur cette terre que nous voulons vendre à des étrangers ; ils ont surmonté de profondes blessures d'amour et deux guerres afin de perpétuer la tradition et laisser un héritage aux générations suivantes. Ne gaspillons pas cette occasion de respecter ce qu'ils ont fait pour nous. Nous ne serons peut-être plus propriétaires à cent pour cent si nous sommes cotés en Bourse, mais nous serons encore au cœur des décisions.

Sophie se rassit. Ses jambes ne voulaient plus la porter et elle avait la bouche sèche. Elle croisa le regard admiratif de Thomas et, à sa grande honte, elle rougit. Pourquoi en sa présence se comportait-elle comme une lycéenne, se réprimanda-t-elle. « Pour l'amour du ciel, ressaisis-toi, ma fille ! »

Dans un grincement, Mary recula son siège et se leva en titubant.

— Félicitons Sophie pour ce discours qui m'a mis la larme à l'œil. Mais ne nous laissons pas influencer par un passé chargé en émotions : la sensiblerie n'a pas sa place dans cette salle de réunion. Nous ne vivons plus à l'époque des pionniers mais dans un monde qui se bat à la déloyale. La Bourse représente peut-être un bon compromis entre la banqueroute et la vente aux Français, mais redescendons sur Terre et regardons ce que chacun d'entre nous en retirera.

Autour de la table, elle lut de l'hostilité dans les yeux de ses auditeurs. Ils n'étaient pas près d'oublier son grand déballage au journal et sa crise de nerfs n'avait pas arrangé les choses. Bien qu'elle se fichât de ce qu'ils pensaient, elle devrait travailler dur pour regagner une once de respect.

— Papa savait ce qu'il faisait quand il a commencé à détruire la compagnie. Il voyait le monde changer et la compétition devenir plus acharnée. Ses méthodes de voyou nous ont usés ; à mon avis, il a compris que le bateau coulerait dès qu'il ne serait plus à la barre. Il savait que nous voudrions nous venger. Il a simplement percé le superbe navire Jacaranda sous la ligne de flottaison.

Ayant capté leur attention, elle prit une profonde inspiration. Elle mourait d'envie de boire et espérait tenir le coup.

— Je n'ai aucune tendresse pour cette entreprise. Mais je comprends le point de vue de Sophie : nous ne devons pas la laisser filer entre nos doigts avant d'avoir récupéré notre dû. Si nous entrons en Bourse, nous aurons notre argent. Unis ou non.

Elle observa John Thomas et sa famille restés sagement silencieux.

— Nous resterons liés en tant que coactionnaires mais les grandes décisions seront prises dans les salles des marchés. Rien ne changera : les bénéfices promis ne sont pas garantis, les marchés sont instables… Les faucons verront que notre front uni n'est qu'une façade et se mettront en chasse.

Malgré les murmures, Mary conclut :

— Vendons aux Français, prenons l'argent et éloignons-nous aussi vite que possible de l'influence de papa.

Elle s'assit et but un grand verre d'eau, regrettant que ce ne soit pas du gin.

— Eh bien ! marmonna Philippe. Qui aurait cru qu'il y avait un cerveau derrière cette épaisse couche de maquillage ? J'ai failli applaudir.

— Oh ! la ferme, aboya Mary avant de s'allumer une énième cigarette.

Edward abattit le marteau sur la table pour réduire au silence la salle énervée.

— Nous avons écouté les deux parties. Procédons au vote.

Annabelle se sentait d'un calme olympien quand elle se leva.

— Il n'y a pas que deux camps. J'ai une troisième proposition.

— Qu'est-ce qu'elle veut, celle-là? grogna Mary. Tais-toi avant que tout le monde te prenne pour une idiote.

— Mary, c'est à mon tour de parler.

Elle s'adressa au reste de l'assistance tandis que son pouls battait à toute allure et un frisson lui glaçait la nuque.

— Il est temps que vous sachiez ma position. Je n'avais peut-être rien à voir avec la gestion de l'entreprise tant que papa était vivant et je sais que vous ne m'avez jamais prise au sérieux, mais apprenez que j'ai une licence en gestion des entreprises, comptabilité et statistiques. La thèse de mon doctorat s'intitulait : « Marketing et management d'une entreprise familiale à l'approche du nouveau millénaire ».

Des exclamations d'étonnement résonnèrent dans la salle ; dès qu'elle vit le visage empreint de fierté de Cornelia, Annabelle savoura son triomphe.

— Ce sont tes encouragements qui m'ont poussée à m'inscrire dans ce cursus, maman. J'attends ce moment depuis des années, tu sais?

— Bien, Annabelle, quelle est ta proposition? enchaîna Catherine, réjouie par les regards ébahis. Ce ne sont pas les forts en gueule qu'il faut admirer. Vous serez surpris par ce qu'elle a à dire.

— Ouais, accouche, enchérit Mary.

— Nous ne vendons pas Jacaranda et nous n'entrons pas en Bourse.

Annabelle attendit que les objections soient formulées avant de poursuivre :

— Je vous conseille de transformer l'entreprise en cartel.

— Impossible, gronda Edward. Rien dans notre constitution ne le permet.

Annabelle sortit une liasse de papiers d'une chemise devant elle.

— Il existe plusieurs manières d'amender la constitution, comme vous le savez parfaitement. Cela a déjà été fait pendant l'expansion et, tant que le conseil approuve, on peut recommencer. Elle indique clairement que certaines mesures peuvent être prises pour protéger et conserver l'entreprise en partie ou en totalité. C'est ce que je vous propose de faire.

— Qu'est-ce que ce cartel nous impose? demanda Philippe.

— Nous aménagerons une série de niveaux hiérarchiques. Pensez à une pyramide avec un président et des administrateurs à son sommet. En son centre, il y aurait des directeurs régionaux, des comptables, des directeurs des ventes et des délégués syndicaux. En bas de la pyramide se trouve la main-d'œuvre.

— Tu cherches les ennuis à vouloir impliquer les ouvriers, déclara Charles. Cela se terminera en rébellion, en grèves et en interférences de la part des syndicats.

Annabelle devait absolument le convaincre même s'il avait raison au sujet des syndicats.

— Tu penses peut-être que je dilue les responsabilités, mais écoute-moi, Charles, s'il te plaît.

— D'accord, mais sache je ne suis absolument pas d'accord avec toi.

Elle déglutit. Elle ne parviendrait pas à convaincre les autres si Charles continuait à l'interrompre, lui dont les connaissances et les opinions étaient respectées.

— Plusieurs grandes entreprises ne sont jamais entrées en Bourse et forment un cartel depuis des années. Je vous ai préparé un topo qui, je l'espère, vous éclairera et répondra à vos questions et à vos inquiétudes.

Elle leur tendit des portfolios complets. Nerveuse, elle regarda sa famille les consulter.

— Le principe consiste à diriger cette entreprise comme une coopérative où chaque homme, chaque femme serait payé équitablement selon son expérience et récompensé pour son engagement et sa contribution. Si les ouvriers refusent d'acheter des actions, ils ne décideront pas de l'avenir de Jacaranda car ils n'auront pas le droit de vote.

— Je crois qu'il nous faut un peu de temps pour digérer tout cela, trancha Edward. Je suggère une pause de quelques heures. Rendez-vous cet après-midi.

Comme elle n'avait pas faim, Sophie sauta le déjeuner et resta dans la salle de réunion afin d'étudier la proposition d'Annabelle. Malgré quelques failles, elle aurait représenté une excellente solution si Cornelia n'avait pas œuvré de son côté. Tout en mordillant son stylo, elle repensa à la sérénité de sa tante et aux ressources cachées derrière son humilité. Annabelle jouerait assurément un rôle important dans l'avenir de la compagnie quoi qu'il advienne.

— Alors, dans quelle direction allons-nous? lui demanda Cornelia, qui revenait essoufflée de son appartement.

— La proposition d'Annabelle offre des possibilités formidables, mais je changerais certains points si nous devions la choisir.

Le regard pétillant et l'air radieux, la vieille dame s'assit dans son fauteuil.

— Dis-moi, ça m'intéresse.

Sophie lui lança un regard soupçonneux.

— Que complotes-tu, grand-mère? Je croyais...

Cornelia lui fit un clin d'œil.

— On passe un marché : tu m'exposes tes conclusions, je te dévoile les miennes. Annabelle s'est approchée très près de notre solution.

À 16 heures, dès que tous furent revenus dans la salle, Edward exigea le silence. L'attente et l'excitation étaient quasiment palpables dans l'assemblée et ils sursautèrent quand Cornelia frappa la table avec le pommeau de sa canne.

— En tant qu'aînée, je crois avoir mon mot à dire.

— Pas maintenant, mère, grogna Mary.

Cornelia l'ignora et poursuivit :

— Annabelle nous a soumis une excellente idée et je la félicite pour cette superbe démonstration de ses talents. Mais je vous propose encore mieux. N'ayez pas l'air si surpris! Sophie et moi nous sommes creusé la tête et avons découvert que nous étions du même avis. Je dois vous avouer que la solution d'Annabelle ne m'a pas étonnée.

Elle sourit à sa fille qui affichait un air déçu.

— Tu es une femme intelligente, Annabelle. Ne cache plus tes talents. Sois fière. Bien. Je me suis aperçue peu après la dernière réunion du conseil qu'une sorte de cartel serait une progression naturelle de notre entreprise si nous voulions la garder en notre possession. J'ai donc élaboré un plan de secours. Évidemment, je ne peux pas agir sans l'approbation du conseil alors j'apprécierais d'avoir votre attention la plus totale.

La tension était presque insupportable désormais.

Cornelia se pencha en avant, les mains croisées sur la table en pin.

— J'ai écouté tous les points de vue et approuvé certaines idées mais chaque proposition a ses défauts et chacune nous demande de renoncer à notre héritage. Nous sommes australiens et devons le rester. Le domaine de Jacaranda est une corporation familiale qui doit chercher du secours en son sein et non auprès des Français ou de la Bourse.

Elle s'interrompit afin de reprendre son souffle et de mettre de l'ordre dans ses idées. Elle avait répété son discours à maintes reprises mais, l'heure de vérité venue, elle avait presque peur des conséquences. En effet, si le vote lui était défavorable, ce serait la fin de tout ce qu'elle avait connu, de tout ce en quoi elle croyait.

— Vendons la chaîne de supermarchés et les magasins de détail. Cela nous apportera assez de capital pour réinvestir dans le fret et le transport routier et rembourser nos dettes les plus urgentes.

Elle leva la main car un tollé de protestations s'élevait.

— Laissez-moi terminer. Ensuite vous débattrez autant que vous le voudrez. Le domaine de Jacaranda a engendré plus de profits cette année que jamais auparavant et cela en grande partie grâce aux jumeaux, James et Michael. Coolabah Crossing a également produit des bénéfices majeurs à cause de la hausse régulière de ses ventes à l'étranger. Pour y voir plus clair, examinons le reste de mon portfolio.

Elle ouvrit le dossier devant elle, consciente d'avoir l'attention de sa famille.

— Jock croyait tout savoir mais nul homme n'est infaillible. Comme il ne s'intéressait à rien d'autre qu'à Jacaranda, j'étais libre de bâtir mon petit empire.

Elle poussa une pile de papiers vers Sophie.

— Tu peux les distribuer? Il y en aura assez pour tout le monde.

Cornelia attendit et sourit dès qu'elle lut la stupéfaction sur les visages.

— Comme vous pouvez le constater, Rose m'a légué les vignes qu'elle avait reçues en héritage de Muriel Fitzallan. J'ai ajouté des parcelles au fil des décennies mais le cœur demeure. Toutes ont prospéré. Pendant mon séjour à Coolabah, John Thomas a eu la gentillesse de contacter pour moi chaque métayer et, après de longues discussions au téléphone, j'ai pu faire signer ces contrats à Sydney.

D'autres papiers circulèrent et Cornelia attendit qu'ils aient fini de lire pour reprendre :

— L'idée d'Annabelle s'approche de la mienne. Mais je préférerais une coopérative où les actionnaires auraient de vrais intérêts dans leur investissement et pas simplement un droit de vote proportionnel. Comme Jacaranda et Coolabah Crossing sont les plus grandes vignes sur les quinze, je propose de choisir le président dans l'une ou l'autre. Les vignes restantes désigneront un porte-parole et, pour reprendre l'idée de pyramide d'Annabelle, on écoutera avec intérêt leurs conseils et leurs opinions. Un référendum et un vote auront lieu afin d'élire un conseil d'administration que chacun d'entre nous suivra de près. En nous unissant ainsi et en conservant nos compagnies maritimes et ferroviaires, nous deviendrons une force sur laquelle il faudra compter. Certains de nos concurrents ont peut-être vendu aux Français, mais nous, nous n'en avons pas besoin. Montrons-leur que les Australiens savent encore se battre.

À court d'énergie après avoir parlé si longtemps, Cornelia s'effondra sur son siège et attendit. Elle avait donné son maximum.

Sophie l'applaudit en premier et très vite s'élevèrent des marques tonitruantes d'approbation et de respect pour leur aïeule aussi admirable que déterminée. Mary préféra garder les bras croisés. La remarquerait-on si elle buvait une goutte de sa flasque?

— Peut-on voter à présent? les interpella Edward.

— Hé! Vous n'allez pas vous laisser avoir par ces conneries! s'écria Mary. Vous avez oublié ce que nous avons vécu ces dernières années? Les choses ne vont pas changer. Nous serons toujours enchaînés à Jacaranda. Nous vivrons dans son ombre. Soyez raisonnables et servez-vous de votre bon sens pour voter. Prenons l'argent et tirons-nous. Vivons enfin!

— Tu as fini? gronda Edward, un sourcil broussailleux haussé. Maintenant votons. Ceux qui sont favorables au lancement d'un emprunt.

Silence dans la salle. Pas une main ne se leva.

— Ceux qui souhaitent accepter l'offre des Français.

Trois mains se levèrent.

Mary passa en revue les membres qui n'avaient pas encore voté. Elle était minoritaire.

— Lève la main, Jane, ordonna-t-elle. Nous savons tous que tu convoites cet argent. Pourquoi changer tes vieilles habitudes?

Jane pâlit mais n'obtempéra pas.

— Décide-toi, saloperie! hurla Mary. Montre-nous ton vrai visage! Tu as une chance unique de t'en mettre plein les poches. Cela ne se reproduira pas, tu sais!

— Je voterai comme il me plaira, déclara calmement Jane. Et j'ai choisi la coopérative.

— Ceux qui votent pour? enchaîna rapidement Edward.

Un grand oui résonna dans la salle pendant que toutes les autres mains se levaient.

Sophie rassembla ses papiers et les rangea dans sa mallette. Après avoir décoché un sourire de triomphe à Cornelia, elle fit le tour de la table et la serra dans ses bras.

— Tu as réussi, grand-mère, murmura-t-elle. Bien joué!

— Je n'étais pas toute seule. Rose me soutenait, ainsi que John Thomas et les autres. Sans eux, nous n'aurions jamais pu sauver Jacaranda.

Sophie regarda soudain autour d'elle. Le regard ténébreux et le sourire de Thomas n'étaient destinés qu'à elle. Il recula sa chaise et s'approcha de Sophie qui n'avait absolument plus conscience de son environnement. L'heure était venue de parler, de ramasser les morceaux et de recommencer peut-être?

Face à lui, elle n'hésita plus. Quand il lui tendit la main, elle la prit.

— Sortons d'ici, murmura-t-il. Il faut qu'on parle.

Le fracas d'un poing sur la table fit sursauter tout le monde. Sophie et Thomas pivotèrent sur le seuil de la porte. Dans un silence absolu, la colère de Mary chargeait l'air d'électricité.

— Espèce de garce à deux visages, cria-t-elle à Jane. Cela ne t'a pas suffi de me voler mon héritage, il fallait que tu ruines mes chances d'être riche et de fuir cette fichue entreprise!

Ses ongles ressemblaient à des griffes sur la table.

— J'espère que tu crèveras avant de toucher un penny de plus.

Elle ignora les efforts de Cornelia pour la pacifier et fut soudain fascinée par l'étrange peur qui semblait étreindre Jane.

— Et moi j'aimerais que tu ne sois jamais née, répliqua Jane avec calme. Tu as créé des problèmes dès ta conception. J'aurais dû avorter comme ton père l'exigeait.

Mary en eut le souffle coupé. Elle blêmit, sa haine céda la place au choc. Elle avait dû mal entendre.

— Répète un peu? s'exclama-t-elle d'une voix étranglée, l'alcool ralentissant son cerveau.

— Tu m'as bien entendue. Jock refusait d'avoir quoi que ce soit à voir avec moi quand il a appris que j'attendais son enfant. Il m'a ordonné d'avorter parce qu'il ne voulait pas d'un bâtard dans sa famille. Aujourd'hui, je regrette de ne pas avoir empoché son argent et suivi son conseil. Mais comment aurais-je pu savoir que tu deviendrais aussi odieuse et méchante?

— Tu mens ! Tu dis ça pour te venger de moi ! Ce n'est ni drôle ni intelligent. J'exige des excuses.

— Que se passe-t-il, Mary ? Tu as peur d'affronter la vérité ? Tu n'es pas tombée loin dans ton fameux article. Si tu avais pris le temps de réfléchir au lieu de déverser ta rancune sur tout le monde, tu aurais compris qu'il n'y a pas de fumée sans feu.

— Maman ? lança-t-elle à Cornelia. Elle ment, dis ? Ce n'est pas vrai.

Livide, Cornelia lui lançait des regards suppliants tandis que Sophie posait une main protectrice sur son épaule. Jane demeurait d'un calme absolu.

— Cornelia n'est pas ta mère. C'est moi, proclama Jane. Elle ne t'a jamais adoptée officiellement, mais elle t'a donné son nom, elle t'a élevée comme son enfant. Regarde les remerciements qu'elle reçoit ! Regarde la manière dont tu l'as traitée ces dernières années avec ton alcoolisme et tes hommes, tes accès de colère et tes esclandres qui font régulièrement la une des journaux à scandales.

Mary s'écroula sur un siège, une peur noire s'insinuait en elle tandis qu'elle dévisageait les siens tour à tour.

— Comment est-ce possible ? bredouilla-t-elle. Tu étais la maîtresse de papa, elle était son épouse. Vous auriez dû vous détester !

— Désolée Mary, soupira Jane. Je n'aurais jamais dû t'avouer la vérité. Il y a très longtemps, j'avais promis à Cornelia de garder le secret. Maintenant que tu es au courant, tu as le droit de connaître toute l'histoire. Tu le mérites après toutes ces années.

— Comment as-tu pu faire ça, maman ? demanda Mary à Cornelia.

— C'était ce qu'il y avait de mieux à faire. Mais il s'agit de l'histoire de Jane, pas de la mienne.

— Ton père et moi, enchaîna Jane sans la moindre émotion, avons eu une relation longue et heureuse. Je savais qu'il était marié avec des enfants mais il me jurait que c'était terminé et qu'il m'épouserait un jour. Sa femme étant pratiquante, cela pouvait par contre prendre du temps.

Elle leva la tête, et Mary fut glacée par la douleur dans son regard. Elle détestait cette femme au plus haut point mais comprenait sa souffrance qui lui rappelait le jour où son père l'avait bannie.

— Nous vivions dans un monde différent de celui que tu connais, Mary. On ne divorçait pas facilement. Honte et déshonneur couvraient toutes les personnes impliquées. J'étais heureuse d'être sa maîtresse car je pensais savoir la vérité sur son mariage.

Pensive, Jane poursuivit sans se soucier des autres.

— Et puis je suis tombée enceinte. Il est entré dans une colère terrible, il m'a frappée, a cité la Bible, m'a traitée de tous les noms. J'étais terrifiée, je ne l'avais jamais vu sous ce jour. Quand il m'a jeté une liasse de billets et m'a ordonné « de le faire passer avant de revenir vers lui », j'ai laissé l'argent et je suis partie en courant. Mais où aller ? J'avais vingt-cinq ans, j'attendais un enfant sans être mariée, je n'avais ni argent ni maison. Mes parents désapprouvaient ma carrière et m'auraient sûrement claqué la porte au nez si je les avais appelés à l'aide. J'ai donc décidé de convaincre Cornelia qu'un divorce la libérerait. Jeune et naïve, je pensais qu'il changerait d'avis et qu'un mariage nous rendrait respectables, son enfant et moi. Comme je me trompais ! J'ai rencontré Cornelia, une femme bienveillante et très compréhensive. Elle avait des raisons valables pour ne pas divorcer de Jock. Une fois qu'elle m'a expliqué sa situation, j'ai compris plus clairement quel jeu il avait joué avec moi. Cette entrevue a donné lieu à une autre puis une autre. Nous avons noué une amitié qui dure encore aujourd'hui. Je la conserverai toujours dans mon cœur.

— Cela n'explique pas comment maman a pu me faire passer pour sa fille, l'interrompit Mary, amère.

Jane se frotta le front d'une main tremblante. Il fallait qu'elle déterre tous ces douloureux souvenirs si elle comptait les exorciser.

— Je me suis rendue sur la côte sud de la Tasmanie où j'ai loué une caravane. Là-bas et à l'hôpital où tu es née, tout le monde me connaissait sous le nom de Mme Witney. Voilà pourquoi tu ne trouveras pas de certificats de naissance falsifiés ou de papiers d'adoption. Witney est un nom assez courant en plus.

Elle but une gorgée d'eau avant de continuer. Quelle souffrance de se rappeler ces journées et ces nuits passées seule dans cette caravane à Snug. Le cri des mouettes lui avait paru si lugubre tandis que la mer s'écrasait sur les rochers et faisait plier les arbres. Elle n'avait eu personne à qui se confier, avec qui partager ses peurs. Qu'est-ce qu'il lui arriverait une fois à l'hôpital? Et si elle n'y parvenait pas à temps? À l'époque, personne ne vous expliquait le déroulement d'une naissance, aucune mère célibataire ne marchait la tête haute. C'était l'ère du soupçon, des ragots et des scandales, des bouches qui murmuraient derrière des mains, des yeux toujours grands ouverts et des spéculations constantes. Son déguisement de jeune veuve n'avait trompé personne.

— Il a été facile pour Cornelia de faire le nécessaire pour que Jock la croie enceinte. Après la mort des jumeaux pendant la guerre civile espagnole, Jock et elle s'étaient rapprochés. Catherine et Annabelle sont nées de cette réconciliation et sans moi, qui sait... Cornelia et Jock seraient peut-être restés ensemble. Quand elle a découvert qu'elle se berçait d'illusions à son sujet, elle a été très blessée et a décidé de lui rendre la monnaie de sa pièce. Ils couchaient ensemble quand il passait en ville, même s'il me jurait que non. Aujourd'hui encore, ni l'une ni l'autre ne pouvons lui pardonner ses mensonges et ses duperies. Un jour, il est parti en Europe pour le travail. Quand je l'ai contactée, Cornelia s'est aussitôt rendue en Tasmanie et, dès que je suis sortie de l'hôpital, elle t'a ramenée chez elle.

— Papa n'en a jamais rien su? demanda Mary, pétrifiée.

Elle ne s'était pas rendu compte que son mascara lui zébrait les joues, tellement elle était choquée que son monde s'écroule ainsi.

— Tu étais sa fille, répondit Cornelia. Et, pour lui, j'étais ta mère. Je pouvais enfin me venger de toutes ces années où il s'était comporté en salaud avec moi. Quand tu es née, j'ai décidé que tu ne manquerais de rien. Je t'aime Mary, même si tu as épuisé ma patience et fais ton maximum pour nous détruire en même temps que toi. Tu as hérité des qualités les moins appréciables de ton père mais j'ai choisi de les ignorer et de te guider sur un chemin moins dévastateur. Tu n'avais que quelques heures la première fois que je t'ai tenue dans mes bras et je t'ai aimée comme mes autres enfants. Cela n'a pas changé. Je ne t'ai peut-être pas donné la vie, mais je serai toujours ta mère.

Mary dévisagea Jane et Cornelia avant d'éclater en sanglots.

— C'est impossible, gémit-elle. Je voulais simplement être aimée, être la préférée de toi et de papa. Ensuite il m'a bannie, le père de Sophie est parti et… et…

Elle fixa les visages les uns après les autres, ses pensées tourbillonnaient.

Cornelia se leva avec difficulté et clopina autour de la table. Elle posa sa main arthritique sur l'épaule de Mary et l'attira lentement contre elle.

— Cela n'a pas d'importance, ma belle. Je sais. Je comprends que des démons te perturbent. Mais tu nous as, Jane et moi. Et tu as ta fille qui t'aime très fort même si tu ne lui laisses pas l'occasion de l'exprimer. Nous en reparlerons plus tard, tu veux?

Mary inspira son parfum familier et ferma les yeux. Tout irait bien. Les nuages s'épaississaient, s'assombrissaient, tourbillonnaient dans son esprit tandis que les bruits de la salle s'éloignaient et qu'elle plongeait dans son monde à elle.

23

La clinique privée se trouvait sur Mornington Peninsula ; ses élégantes fenêtres en saillie surplombaient la mer et de somptueux jardins s'étendaient jusqu'à la crique sablonneuse. Sophie se gara puis, les bras chargés de fleurs, se rendit d'un pas pressé dans la suite allouée à sa mère durant son séjour. Quatre semaines après son effondrement, il y avait des signes d'amélioration à la fois mentale et comportementale.

Sophie ouvrit la porte et sourit. Philippe était déjà là. Il venait souvent lire les potins à Mary, la faisait rire avec ses imitations extravagantes des célébrités critiquées par Sharon Sterling. Qui l'aurait cru ? songea Sophie en embrassant la joue froide de sa mère. Philippe et Mary ! Peut-être avaient-ils plus de points communs qu'elle ne l'aurait pensé ? D'ailleurs n'étaient-ils pas les deux parias de la famille ?

— Phil et moi parlions de toi, déclara Mary en s'adossant contre ses coussins.

— Pas en mal, j'espère ! la taquina Sophie.

— Je ne suis peut-être pas la mère idéale, enchaîna Mary. Je sais que tu as beaucoup de qualités mais travailler pour oublier tout le reste n'en fait pas partie.

Les sourcils froncés, Sophie les dévisagea tour à tour.

— Je n'ai le temps de rien, marmonna-t-elle. Entre l'installation de la coopérative et la nécessité de tout remettre en ligne, je n'ai pas une minute à moi.

Mary alluma une cigarette interdite et échangea un regard complice avec Philippe.

— Il est temps que tu penses à toi, décréta-t-elle avant de tousser et de vite écraser sa cigarette. Cours en bas et vois si maman arrive. Elle aura besoin d'un coup de main pour monter jusqu'ici.

Sophie fit la grimace : Cornelia lui rendait visite tous les jours et se débrouillait très bien avec l'ascenseur ! Comme Mary insistait, elle décida qu'elle devait avoir ses raisons.

Dans les magnifiques jardins, le parfum des roses embaumait l'atmosphère. Elle inspira, contente que les choses s'arrangent entre sa mère et elle. D'accord, elles ne seraient jamais proches, mais ces tentatives d'amitié lui suffisaient pour l'instant.

Cette satisfaction était gâchée par le peu de temps qu'elle consacrait à Thomas depuis la réunion. Mary avait été évacuée à l'hôpital, on avait eu besoin de lui dans la vallée de Hunter. Quelques coups de téléphone leur avaient permis de garder le contact mais elle aurait préféré le voir. Sophie soupira. Elle ne pouvait pas tout avoir, supposa-t-elle. Il fallait qu'elle s'occupe en priorité de l'affaire familiale bien que Mary ait raison : elle devait veiller à ses propres besoins et à ceux de Thomas.

La Rolls-Royce ronronna sur l'allée en gravillons ; la carrosserie noire rutilait au soleil. Souriante, Sophie attendit qu'elle se gare à côté d'elle. Cornelia effectuait son entrée avec style.

Au moment où elle ouvrit la portière, Sophie s'aperçut que sa grand-mère ne voyageait pas seule.

— Thomas ! souffla-t-elle.

Il déplia ses longues jambes pendant que le chauffeur aidait Cornelia à descendre.

— Je ne pouvais pas rester loin de toi plus longtemps, murmura-t-il.

Sophie en resta muette.

— Espérons que cette fois-ci il n'y aura pas de querelle familiale pour nous interrompre ! remarqua-t-il, les yeux pétillants, sa bouche sensuelle laissant échapper un grand éclat de rire.

— Nous sommes pleins de fougue, nous les Witney ! souffla-t-elle.

— Oh ! Je l'ignorais ! Je crois avoir été moi-même la cible d'un tireur d'élite…

Elle regarda ses bottes en cuir éraflées et tachées de terre rouge.

— Désolée… bredouilla-t-elle. Mais il ne faut pas jouer avec moi. Surtout quand il y a de tels enjeux.

Il se rapprocha soudain d'elle.

— Mais je ne joue pas, Sophie. Je n'ai jamais joué.

Elle leva les yeux vers lui – espoir et incrédulité formaient un drôle de mélange émotionnel. Elle voulait tellement qu'il dise vrai, qu'ils oublient le passé et se consacrent au présent.

— Alors pourquoi, Thomas? Pourquoi être parti en France sans dire un mot? Pourquoi demander à ton frère de me répondre au téléphone? Pourquoi ne m'as-tu pas écrit ou contactée pendant toutes ces années?

Sans la quitter des yeux, il lui prit la main et se rapprocha d'elle. Elle mourait d'envie qu'il l'embrasse, que ses lèvres soient contre les siennes, qu'il la serre fort dans ses bras. Seulement elle avait besoin de réponse avant de s'impliquer davantage. Elle plaqua les deux mains sur son torse.

— Thomas…

Elle ne protesta plus quand il l'attira contre lui et l'embrassa avec fougue. Malgré les souffrances qu'il lui avait infligées et ses craintes, elle fondit en lui. Ses jambes refusèrent presque de la porter, son sang brûlait dans ses veines. Elle lui mit les mains autour du cou, enfonça ses doigts dans son épaisse chevelure noire et bouclée. Plus rien d'autre n'existait au monde. Seule demeurait cette sensation radieuse d'être enfin rentrée chez soi.

Il la libéra puis la tint à bout de bras.

— J'en avais envie depuis le jour où tu es descendue du camping-car, lui avoua-t-il dans un soupir. Mais tu te montrais si ombrageuse, si distante, si dédaigneuse au point de faire tourner le lait… J'avais peur de t'approcher!

Sophie était encore sous le choc. Elle n'avait pas été embrassée avec autant de passion depuis des années.

— Je ne savais pas comment cela se passerait entre nous, répondit-elle.

Sa voix tremblante trahissait son agitation intérieure.

— J'étais furieuse contre grand-mère qui m'avait conduite malgré moi à Coolabah et je refusais de te montrer à quel point j'avais encore mal. Quand tu as décidé de m'ignorer, j'ai moi aussi voulu jouer à ce petit jeu.

Il lui saisit le menton et l'obligea à le regarder droit dans les yeux.

— Comment ai-je pu te faire du mal, Sophie? C'est toi qui as mis un terme à notre histoire. Et jusqu'à ce fameux matin où nous nous sommes retrouvés dans le *bush* et où tu t'étais emmêlé les cheveux, je pensais que tu ne ressentais plus rien pour moi.

Elle recula. Comment réfléchir si près de lui?

— Pardon? C'est toi qui as cessé de correspondre, pas moi!

— J'admets que tu as été la dernière à écrire. Mais, après avoir lu ta lettre, je n'ai pas vu l'utilité de te répondre. Je t'avais perdue. Je devais continuer ma vie et te laisser poursuivre la tienne.

Le cœur de Sophie battait à toute allure.

— Quelle lettre? lui demanda-t-elle.

— La lettre dactylographiée de Jacaranda Towers! Tu y es allée fort avec ton « Cher Thomas Tanner ».

Sophie enfonça ses ongles dans les mains de Thomas tandis que des doutes prenaient forme.

— Te rappelles-tu le contenu de cette lettre, Thomas?

— Cela n'a pas d'importance, Sophie. De l'eau a coulé sous les ponts depuis. Nous nous sommes enfin retrouvés, c'est tout ce qui importe.

— Merde! Trop de mal a été fait! Je t'en prie, dis-moi ce qu'il y avait dans cette lettre!

Il se mâchonna la lèvre.

— Je me le rappelle à la virgule près. Ce n'était pas long, mais le message était clair.

Ceci pour te dire que j'ai rencontré quelqu'un d'autre. Quand tu recevras cette lettre, je serai déjà mariée. Ne cherche pas à me revoir. Merci pour les souvenirs,

Sophia

Prise de vertiges, Sophie dut s'accrocher à son bras pour ne pas tomber. Le doute n'était plus permis mais cela ne faisait aucun sens!

— Elle est arrivée alors que je faisais mes bagages. Je me rendais à Melbourne pour te demander en mariage et t'emmener en France avec moi. La bague de fiançailles brillait dans ma poche. Quand j'ai lu cette horrible lettre, je suis allé dans le paddock et j'ai lancé la bague aussi fort que je le pouvais dans les buissons. Je n'ai jamais pris la peine de la rechercher par la suite.

— Je n'ai pas écrit cette lettre, chuchota-t-elle au bord des larmes, et j'ai encore moins signé Sophia. Tu aurais dû te rendre compte que quelque chose clochait !

Les larmes coulaient à présent sur les joues de Sophie.

— Il n'y avait pas d'autre homme dans ma vie. Je me suis mariée quatre ans plus tard. Ce long silence a été affreux, Thomas. Je ne comprenais pas ce que j'avais pu faire de mal, pourquoi tu étais parti en France sans me donner la moindre explication.

Il la prit dans ses bras et la berça.

— Si seulement j'avais su... murmura-t-il. Si seulement j'avais pris le premier avion pour venir te voir, te demander en face pourquoi tu en épousais un autre. J'aurais dû me battre pour toi.

Sophie se blottit contre lui. Oui, elle aurait aimé qu'il traverse l'Australie pour elle, comme John avait traversé le monde pour rejoindre Rose.

— Papa m'a dit qu'il valait mieux laisser les choses ainsi. Un homme ne devait pas labourer le même champ deux fois et puis il y avait eu assez de fâcheries entre les deux branches de la famille. Qu'aurait-on dit si j'avais surgi au beau milieu de ta cérémonie ? Grand-père Walter s'est montré plus philosophe. Il m'a dit que la vie nous jouait parfois de drôles de tours et que je devais attendre. Si nous étions faits l'un pour l'autre, nous nous retrouverions.

Elle renifla.

— Comme il avait raison ! chuchota-t-elle. Et comme grand-mère s'est montrée rusée ! Je me demande si elle était au courant et n'essayait pas de faire amende honorable... Elle a glissé certaines allusions plutôt étranges à Coolabah, comme quoi les choses ne sont pas toujours noires et blanches.

Il lui caressa longuement les cheveux, comme on calmerait un poney à moitié sauvage.

— Elle est au courant à mon avis, mais ce n'est pas elle qui a envoyé la lettre.

— C'était Jock, intervint une voix lasse.

Seuls dans leur monde, ils avaient oublié la présence de Cornelia.

— Il a expédié cette lettre mais je ne l'ai appris que bien des années plus tard. Sophie était mariée. J'ai préféré me taire et laisser les choses suivre leur chemin. Il semble que j'avais raison.

Sophie fixa la vieille dame qu'elle aimait tant.

— Mais que sont devenues les lettres que j'ai envoyées à Thomas pour obtenir une réponse?

— Jock avait demandé à la gouvernante de lui apporter ton courrier avant de le poster. Je suppose qu'il les a détruites.

— Pourquoi? Qu'avait-il à y gagner?

— Il voyait déjà la jeune femme intelligente et ambitieuse que tu es. Il te destinait à une belle carrière dans le droit des sociétés. Tu aurais été un atout dans son travail. Il ne voulait pas non plus que tu épouses un homme d'un rang inférieur. Voilà pourquoi il a changé ses habitudes et autorisé une de ses « filles » à entrer à l'université. Il a choisi Londres pour son éloignement.

— Quel vieux salaud, rugit Thomas.

— Oublions-le, lui chuchota Sophie avant de l'embrasser.

Son baiser balaya toutes les perfidies du passé. Soudain, elle crut entendre des bruissements de jupes et le joyeux crescendo d'un violon tsigane. La brouille de Jacaranda n'existait plus, le mauvais sort était levé.

Épilogue

C'était l'hiver dans le Sussex, tandis que l'aube du nouveau millénaire éclairait l'horizon et colorait la brume en orange. Main dans la main, Thomas et Sophie se tenaient sur la colline de Windover, pendant que les cloches carillonnaient dans la vallée.

Les trois dernières années leur avaient apporté le succès mais aussi de la tristesse. La coopérative tournait bien et le cabinet d'avocat de Sophie prospérait à Sydney. Leur vie était mouvementée mais heureuse au possible. Elle s'était rapprochée de Jane qui lui témoignait à présent toute son affection. Cornelia demeurerait à jamais dans le cœur de Sophie, comme sa vraie grand-mère et ses révélations faites lors de leur voyage à travers l'Australie ne diminuèrent jamais son amour pour elle.

Mary était quasiment sortie de sa dépression nerveuse et ne cherchait plus à mettre fin à ses jours. Elle avait tissé un lien étonnamment fort avec Philippe. Sophie et elle établirent une sorte de trêve mais il faudrait beaucoup de temps pour qu'une relation privilégiée mère-fille s'installe. Peut-être les vieilles rancœurs s'apaiseraient-elles quand Mary apprendrait qu'elle serait bientôt grand-mère?

Cornelia s'en était allée, comme Rose, dans son sommeil. La veille de son quatre-vingt-douzième anniversaire. Elle était entourée des sons et des parfums de Jacaranda, en paix avec sa famille réunie. Sa mort avait laissé un grand vide dans la vie de Sophie mais celle-ci croyait fermement que son esprit resterait à jamais à ses côtés.

— Je suis contente que nous soyons là, murmura Sophie alors que la lumière chassait les ombres. La boucle est bouclée.

Thomas embrassa sa joue fraîche et passa le bras autour de sa taille.

— Nos racines sont ici. Je sens presque la présence de Rose et de John.

Tandis qu'ils contemplaient l'aurore dans le froid de l'hiver anglais, Sophie sentit son bébé bouger dans son ventre. Elle sourit quand lui revinrent en mémoire les mots de Wyju l'Aborigène. Les pistes de chant avaient été tracées dans le monde entier, elles reliaient le passé au présent au travers de chaque site sacré, de chaque nouvelle génération. Sophie et Thomas étaient simplement partis en balade dans la brousse et suivaient les empreintes de leurs ancêtres.

Remerciements

Ma reconnaissance va à Kevin Lewis pour sa connaissance de la vallée de Barossa. L'histoire de cet endroit merveilleux est stupéfiante et jamais je n'aurais appris autant d'anecdotes sans lui. J'aimerais aussi remercier Robert Crouch pour ses recherches sur l'histoire des Tsiganes, leur langue et leurs coutumes, et pour ses encouragements répétés.

Aucun livre n'est publié sans les conseils et l'enthousiasme d'un éditeur et j'ai eu beaucoup de chance d'avoir rencontré Gillian Green chez Piatkus. Son regard acéré et ses précieux conseils sont toujours appréciés. Enfin, je voudrais féliciter le travail de mon agent, Teresa Chris. Son amitié et sa confiance en mon travail sont totales et je lui en serai reconnaissante à jamais.

Cet ouvrage a été composé
par Atlant'Communication
au Bernard (Vendée)

Achevé d'imprimer sur Roto-Page
par l'Imprimerie Floch à Mayenne
en janvier 2011
pour le compte des Éditions de l'Archipel
département éditorial
de la S.A.S. Écriture-Communication

Imprimé en France
N° d'impression : 78765
Dépôt légal : février 2011